王朔

——

著

顽主

北京出版集团公司
北京十月文艺出版社

目录

顽主

一

“我是个作家，叫宝康——您没听说过？”

“哦，没有，真对不起。”

在“三 T”公司办公室里，经理于观正在接待上午的第三位顾客，一个大脑瓜儿细皮嫩肉的青年男子。

“我的笔名叫智清。”

“还是想不起来。您说吧，您有什么事，不是想在我们这儿体验生活吧？”

“不不，我生活底子不体验也足够厚。是这样的，我写了一些东西，都是冷门，任何人看了脑袋都‘嗡’一下，傻半天——我这么说没一点言过其实，很多看过的人都这么认为，认为起码可以得个全国奖，可是……”

“落了空？”

“准确地说我压根没参加评奖，我认为毫无希望，瞧，我是个有自知之明的人。也许你不太了解文学圈儿里的事，哪次评奖都是平衡的结果，上去了一些好的作品，但一些同样好的作品偏偏上不去。”

“这个我们恐怕爱莫能助，我们目前和作协没什么业务联系，我们缺乏有魅力的女工作人员。”

“噢，我不是让你们去为我运动。我不在乎得不得全国奖，我对名利其实是很淡泊的，我只希望我的劳动得到某种承认，随便什么奖都可以。”

“您的意思是说哪怕是个‘三T’奖？”

于观试探地问。

宝康紧张地笑起来：“真不好意思，真难为情，我是不是太露骨了？”

“不不，您恰到好处。您当然是希望规模大一点喽？”

“规模大小无所谓，但要隆重，奖品丰厚，租最豪华的剧场，请些民主党派的副主席——我有的是钱。”

“奖品定为每位获奖者一台空调怎么样？”

“每位？我可是为自个的事……”

“红花也得绿叶扶，您自个站在台上难道不寂寞？该找几个凑趣的。我想给您发奖的同时也给一些著名作家发奖，这样我们这个奖也就显得是那么回事，您也可一样跻身著名作家之列。和著名作家同台领奖，说起来多么令人羡慕。”

“一人一台空调，这要多少钱？虽然我很想有机会和著名作家并排站会儿，可也不想因此倾家荡产。”

“要是您不赞成奢侈，节省的办法也有，把奖分为一二三等，特等奖为空调您自己得，其余各类为不同档次的‘傻瓜’相机，再控制一下获奖人数，我们只选最有名的。”

“这样好，这样就合理多了。”宝康喜笑颜开，“我得空调，别人得‘傻瓜’。你列个预算吧，回头我就交钱。”

"您来付钱时能不能把您的作品带来让我们拜读一下？当然哪篇获奖我们不管您自己定，我只是从来没这么近地和一个货真价实的作家脸儿对脸儿过，就是再和文学无缘也不得不受感动。"

"可以。"宝康既矜持又谦逊地说，"我甚至可以给你签个名儿呢。我最有名的作品是发在《小说群》上的《东太后传奇》和发在《作家林》上的《我要说我不想说但还是要说》。"

"了不起，一定很有意思，我简直都无心干别的了。"

"你说，那些名作家会不会端臭架子，拒绝领奖？"于观把青年作家送到门口，青年作家忽而有些忧心忡忡。

于观安慰他："不怕的，领不领是他们的事，不领我们硬发。"

"谢谢，太谢谢了。"青年作家转身和于观热情地握手，"灯不拨不明，您这一席话真使人豁然开朗。"

"不客气，我们公司的宗旨就是帮助像您这样素有大志却无计可施的人。"

在一条繁华商业街的十字路口，杨重正满面春风地大步向站在警察岗楼下的一个他从未见过面的姑娘走去。

"对不起我来晚了，我紧赶慢赶还是迟到了，你等半天了吧？"

"没关系，你用不着道歉。"刘美萍好奇地看着杨重，"反正我也不是等你，你不来也没关系。"

"你就是等我，不过你自己不知道就是了。今天除了我没别人再来了。"

"是吗？你比我还知道我在干吗——别跟我打岔儿，警察可就在旁边。"

"难道我认错人了？"杨重仍然满面堆笑，一点也不尴尬，"你不是叫刘美萍吗？是百货公司手绢柜台组长，在等肛门科大夫王明水，到底咱俩谁搞错了？”

“可王明水鼻子旁有两个痦子呀。”

“噢，他那两个痦子还在。今天早晨他被人从家里接去出急诊了，有个领导流血不止，因而匆匆给我公司打了个电话，委托我公司派员代他赴约，他不忍让你扫兴。我叫杨重，是‘三T’公司的业务员，这是名片。”

“‘三T’公司？”刘美萍犹疑地接过杨重递过来的名片，扫了一眼，“那是什么？名儿像卖杀虫剂的。”

“‘三T’是替人解难替人解闷替人受过的简称。”

“居然有这种事，你们都是什么人？厚颜无耻的闲人？”

“我们是正派的生意人，目的是在社会服务方面补遗拾缺。您不觉得今天要没我您会多没趣儿吗？”

“可我不习惯，本来是在等自己的男朋友，却来了一个亲热的替身，让我和这个替身谈情说爱……像真的一样？”

“您完全不必移情，我们的职业道德也不允许我往那方面诱您，我们对顾客是起了誓的。大概这么说您更好懂点，我只是要像王明水那样照料您一天，陪您一天。”

“您能有他那么温存体贴、善解人意吗？”

“不敢说丝毫不走样——那就乱了——我尽量遵循人之常情吧。你们今天原打算上哪儿玩？”

两个人并肩往街里走。

“他答应今天给我去买皮大衣的。”

“哦，这个他可没让我代劳。”

“我说不会一样嘛，我们明水历来都是慷慨大方的。”

“活着没劲。”

一个粗粗壮壮的汉子坐在于观办公桌对面沮丧地说。

“活着没劲。”于观心不在焉地附和说。

“那怎么办呀？”

“有什么办法？没劲也得活着呀。”于观抬起头。

“我不想活了。”汉子盯着于观说。

“别别，别不想活。”于观嘟哝着劝道，“好死不如赖活着。”

“那好，你让活那我就活。你给我找点事儿干，我烦了。”

“会玩牌吗？咱俩玩牌吧？”于观提议。

“没劲。”汉子摇摇头。

“那下象棋？”

“更没劲。”

“去公园，划船？看电影？”

“越说越没劲。”汉子来了气，“你也就是这些俗套儿。”

“那你说干什么？干什么我都陪着你。”

“跳楼你也陪着——我要你陪干吗？你也不是女的。”

“哦，我们这儿不给人拉皮条。有专门干这事的地方——婚姻介绍所。你要空闲时间太多，可以练练书法，欣赏欣赏音乐或者义务劳动。”

“见你的鬼，闹了半天我花两毛钱挂号你就给我出这些主意，这不是蒙人吗？”

“我也不是神仙，也不是美国大使馆管签证的，个人的幸福要依赖社会的进步，沉住气。”

“你觉着你活着有劲吗？”汉子目光灼灼地问。

于观看看汉子，看不出他是不是在挑衅。

“挺有劲。”

“我觉得你没劲，你这人特没劲，没劲得我都不想抽你了。”

“你这个不要脸的还回来干吗？接着和你那帮哥儿们‘砍’去呀！”

一个年轻的少妇在自己的公寓里横眉立目地臭骂马青。

“别回家了，和老婆在一起多枯燥，你就整宿地和哥儿们神‘砍’没准还能‘砍’晕个把眼睛水汪汪的女学生就像当初‘砍’晕我一样，卑鄙的东西！你说你是什么鸟变的？人家有酒瘾棋瘾大烟瘾，什么瘾都说得过去，没听说像你这样有‘砍’瘾的，往哪儿一坐就屁股发沉眼儿发光，抽水马桶似的一拉就哗哗喷水，也不管认识不认识听过没听过，早知道有这特长，中苏谈判请你去得了。外头跟个八哥似的，回家见我就没词儿，跟你多说一句话就烦。”

“我改。”

“改屁！你这辈子改过什么，除了尿炕改了，生来什么模样现在还是什么模样。”少妇哭闹起来，“不过了，坚决不过了，没法过了，结婚前还见得着面儿，结婚后整个成了小寡妇。”

少妇一抬手把桌上的杯子扫到地上，接着把一托盘茶杯挨个摔到地上。马青也抓起烟灰缸摔在地上，接着端起电视机：“不过就不过！”

“别价。”少妇尖叫着扑过来按住他的手，“这个不能摔——你是来让我出气的还是来气我的？”

“你说过你丈夫急了逮什么摔什么。”马青理直气壮地说，“你又要求我必须像他。”

“可我丈夫急也不摔贵重物品，你这是随意发挥。”

“你没交代清楚。”

“这是不言而喻的。”

“好吧，电视机放回去。下边该什么词儿了？”

“真差劲，看来你们公司没经过良好的职业培训就把你派来了。下边是我爱……”

“我爱你。”

马青和少妇愣愣地互相看着。

“我爱你。”马青重复了一遍，看到少妇仍没反应，十分别扭地又说，“别闹了，宝贝儿。”

少妇笑了起来。

马青涨红脸为自己辩解：“我没法再学得更像了，这词儿扎人。”

“好好，我不苛求你。”少妇笑着摆摆手，“意思到了就行。”

“其实我是心里对你好，嘴上不说。”

“你最好还是心里对我不好，嘴上说。”

“现在不是提倡默默地奉献吗？”马青的样子就像被武林高手攥住了裤裆，“你生起气来真好看。”

“好啦好啦，到此为止吧，别再折磨你了。”少妇笑得直打嗝地说，“真难为你了。”

“难为我没什么，只要您满意。”

“满意满意。”少妇拿出钱包给马青钞票，“整治我丈夫也没这么有意思，下回有事还找你。”

“咳，人生，”杨重吐着烟圈，眼望冷饮室的天花板，比画着说，“人生就是那么回事。就是踢足球，一大帮人跑来跑去，可能整场都踢不进去一个球，但还得玩命踢，因为观众在玩命地喝彩、打气。人生就是跑来跑去，听别人叫好。”

“我发觉你特深沉。”刘美萍手托脸着迷地盯着杨重，连酸奶也忘了喝，“你是不是平时特爱思考？”

"是。"杨重眼神儿空洞地说，"我平时特爱思考，特深沉。"

"你是不是上过大学？"

"嗯，上过吧。"

"怪不得，上过大学的人都心事重重，若有所思。"

"你是不是也特爱思考？"

"啊，我特爱瞎想，我特爱琢磨人。像我们这种职业吧，就是和人打交道的职业，每天都得和几千人说话，我就观察这几千人的特点。譬如说胖子吧，一般爱买大手绢，胖子鼻涕多嘛，瘦子就买小一点的。"

"腺体分泌和体重有关系吗？"

"当然有关系，世上万物谁和谁没关系？你和这个酸奶瓶要嚼起亲来没准还有点血缘关系呢，你先人死了，烧成骨灰，扬到地里，连土挖出来，烧成瓷器或者玻璃，装上酸奶，卖给你。"

"这就是辩证法吧？比较朴素的。"

"我也不知道是不是，我只知道凡事都有个理儿，打个喷嚏不也有人写几十万字的论文，得了博士。"

"有这么回事，这论文我们上学时传阅过。人家不叫喷嚏，这是粗俗的叫法儿，人家叫'鼻黏膜受到刺激而起的一种猛烈带声的喷气现象'。"

"你懂得真多。"

"哪里，还是你懂得多。"

"你懂得多。"

"惭愧惭愧。"

"谦虚谦虚。"

"咱们别争了，这样下去没个完，您爱才我心领。"

"我真是诚心诚意夸你。我觉得跟你特说得来，特知音。"

“别别，我这人经不住夸。”

“你老这么一味地谦虚我要生气了，好像我夸你是害你似的。”

“那就算我懂得多吧，其实我也觉得和你特谈得来特知音。”

“我特愉快。”

“我也特愉快。”

马青身心交瘁地回到公司办公室时，于观正被那汉子揪着脖领子在办公室里拖来拖去。

“你别这样，放开我，让人看见不体面。”

“你就成全我吧，就扇两嘴巴，就两个。”

“不行，我吃不住，我体质弱。”

“你就让我干一件想干的事吧，我长这么大还没自个做过回主呢。”

“别的事可以商量，这件事坚决不行。我正告你，如果你碰我一指头，我就和你拼了。”

“都这么自私，只顾自己不顾别人，什么替人解难替人解闷儿，一触到自己就不干了。”汉子松开于观，哭了起来，“我真不幸，真不自由。”

于观喘上来一口气，拉拉被揪皱的衣服，示意马青把手里的垒球棒放回门后。走回办公桌后坐下，对汉子说：

“别哭鼻子了，挂号费退给你，赶紧走吧。”

汉子哭泣着，从马青手里接过两毛钱，紧紧攥着一路走出门。

“胡大，咱们干的这是什么倒霉差使。”

门关上后，马青几步走过来，一屁股坐在于观的办公桌上，大声说。

“我每天挨家去让人骂，你又差点让人打了，就杨重享福，每天去大街上吊膀子，当代用券。我要和他对换工种，种田还得休耕呢。”

“我们不是有君子协定在先，任人唯贤，因材施教。”于观仰在椅子靠背上疲倦地说，“你太温柔，让你去和别人的女人谈心，你每回都把临时帮工变成全面承包，我不能隔一天就让一个丈夫打上门一回。”

“依你说，我只能永远挨女人不歇气儿地暴骂而得不到机会和她们交流了？”

“别她们她们的，她，就一个，一个随便你怎么交流。饭要一口一口吃，仗要一个一个打。有时你那种老少咸宜、兼容并蓄的气魄每个有正义感的人都感到气愤，那不道德……”

“可杨重也不是宦官。”

电话铃响了，于观边伸手去接边反驳：

“可他懂得荟萃，去粗取精，而你总是囫囵吞枣。他有耐性，可以胡扯一天仍津津有味，你三分钟端不了簸箕便拔腿去找下一个……喂，找谁？”

“就找你。”话筒传来嗡嗡的男声，“我是杨重，我坚持不住了，这女人缠得我受不了啦。”

“我刚刚还夸你有耐性，会胡扯。”

“你不知道这女人是个现代派，爱探讨人生的那种，我没词儿了，我记住的所有外国人名都说光了。”

“对付现代派是我的强项。”马青在一边说。

于观瞪了他一眼，对话筒说：“跟她说尼采。”

“尼采我不熟。而且我也不能再山‘砍’了，她已经把我引为第一知己，眼神已经不对了。”

“那可不行，我们要对那个肛门科大夫负责，你要退。”

“她不许我退，拼命架我。”

“这样吧，我们马上就去救你，你先把话题往低级引，改变形象，让她认为你是个粗俗的人。”

“你们可快来，我都蒙了，过去光听说不信，这下可尝到现代派的厉害了……她向我走来了，我得挂电话了。”

“记住，用弗洛伊德过渡。”

“快来，我坚持不了多一会儿。”

马青嘻嘻笑着，从办公桌上跳下来，兴奋地在屋里转圈踱着步等立身收拾办公桌的于观。

“弗洛伊德我拿手，我就是弗洛伊德的中国传人。”

“你是弗洛伊德病例的中国自动复印版。”于观绕过办公桌走出来，“我不许你趁机卖弄。”

这是个阳光灿烂的中午，街上人群摩肩接踵，所有小餐馆、快餐店都挤满吃饭的人，有些没座的人还把饭菜端到街上站着吃。于观和马青费了半天劲儿，才在一家画着彩色广告的电影院门厅里的冷饮柜台旁找到杨重和女顾客。电影院刚散场，门厅里人挤人，所有人都在大声说话，嘈杂喧闹，他们挤到杨重身边，他也没发现。显然已经才尽，面对滔滔不绝、神采飞扬的手绢柜台组长显得精神恍惚。

“你一定特想和你妈妈结婚吧？”

“不不，和我妈妈结婚的是我爸爸，我不可能在我爸爸和我妈结婚前先和我妈妈结婚，错不开。”

“我不是说你和你妈结了婚，那不成体统，谁也不能和自个儿的妈结婚，近亲。我是说你想和你妈结婚可是结不成因为有你爸除非你爸被阉了但就是你爸被阉了也无济于事因为有伦理道德所以你痛苦你看谁都看不上只想和你妈结婚可是结不成因为有你爸怎么又说回来了我也说不明白了反正就是这么回事人家外国语录上说过你挑对象其实就是挑你妈。”

“可我妈是独眼龙。”

“他妈不是独眼龙他也不会想跟他妈结婚给自己生个弟弟或者妹妹因为没等他把他爸阉了他爸就会先把他阉了因为他爸一顿吃八个馒头二斤猪头肉又在配种站工作阉猪阉了几万头都油了不用刀手一挤就是一对像挤丸子日本人都尊敬地叫他爸睾丸太郎。”马青斜刺里杀出来傍着刘美萍站下来露出微笑。

“这是我的同事，马青，这是我们经理于观。”杨重还了魂似的活跃起来，把不错眼珠地盯着刘美萍微笑的马青和刚拖过一把椅子坐下的于观介绍给刘美萍，“他们都是我老师，交大砍系即食面专业的高才生，中砍委委员。”

“是吗？可我很少跟三个人同时谈人生。”

“没关系。”马青侧身挡住于观和杨重，“你主要和我谈就行了，有没谈透的地方再让他们俩补充。”

“你别跟我这么近乎，我还不了解你呢。”

“那个肛门科大夫是不是特像你爸爸，你说呢？”

“你说的什么呀？我听不懂你说的话……”

于观笑着转脸对杨重说：“你们就在这儿耗了一上午？没进去看电影？”

“看了，《奥比多斯驴在行动》。”

“外国片？”

“哪儿呀，国产片，你不知道现在国产片都起洋名儿？”

“对，我也觉得特空虚，结婚特没劲。”马青拿腔拿调地说，“找来找去不是找着自己爹就是找着自己妈。哪像人家外国，谁跟谁都能睡觉，人家也方便，都有房子，你自个儿有房子吗？”

于观和杨重一起笑起来，杨重掏出烟递给于观一支，两个人头凑在一起点火。

“……我就特钦佩人家外国女的，怎么睡也不拧着男的胳膊去商店买这买那……我没被人拧过，杨重老被人拧，脱臼好几回了。”

马青扭过头眨着眼儿笑着问杨重：“是不是杨重？”

杨重磕磕烟灰笑着说：“你就拿我开心吧。”

“咱们走吧杨重。”刘美萍伸着脖子从马青头后露出脸。

“再坐会儿再坐会儿。”杨重说。

“你甭老拉我们哥儿们走，你我已经接管了，今儿下午杨重还有别的约会。”

“是吗杨重？”

“是。”杨重点点头，对刘美萍笑笑，“身不由己。”

“你就踏踏实实跟我聊着吧，我想和你说的话多着呢。”

“你没正经的，要不你请我吃饭去吧，我这儿坐着听你说都听饿了。”

“要是咱俩单独约会我肯定请你吃，这会儿我是办公呢，要请你吃饭得请示我们经理。经理，我能请美萍吃顿便饭吗？”

“可以，不过得你自个儿掏腰包。”

“毁我？”马青回头对刘美萍说，“要不我请你玩碰碰车得了，那也贵着呢，不过特好玩，玩完你就不饿了。”

“不去，我见车就晕。”

“去吧去吧，那不是一般的车，你玩回试试，保你上去就不爱下来。你们俩也动动。”马青硬把刘美萍从座位上拉起来，搀着，招呼在一旁乐的于观和杨重。

一行人出了电影院，穿街来到街口一家游乐场。刘美萍立刻被花花绿绿的游乐设施吸引了，马青去售票房买了四张碰碰车票，手护着嘴对于观和杨重："过会儿咱哥仨一起撞她，撞晕了算。"

碰碰车场里空空荡荡没什么人，三个男人忍着笑进场各选了一辆车坐进去，马青还扬着嗓子教也往车里坐的刘美萍："等一通电你就胡撞一气。"

管理员接通了碰碰车的电源，四辆车立刻发疯似的打起转儿，四散驶开，接着纷纷掉头回来，接二连三地猛撞在一起。刘美萍没玩过碰碰车，根本不能得心应手地操纵、规避，瞪眼瞧那三位从不同方向向自己冲来束手无策，被撞得连连从座位上蹦起来。碰碰车在急剧旋转，高速滑行，三个男人咧着嘴大笑，一次又一次驱车冲撞刘美萍，只见四辆车隆隆吼叫着叠错在一堆，刘美萍不时飞在半空中。

一场玩完，刘美萍已是脸色苍白，又气又惊，她腿软软地从车上爬下来，一时话都说不出来。

"还行吧？"马青跑过来假惺惺地说，"人家外国人就爱玩这个，刺激。"

"还行。"刘美萍硬撑着说，随即话里带了哭腔，"可我们明水从没让我不吃饭就从事剧烈运动。"

"那你快找你们明水去吧，他一定也想你了。"马青拥着刘美萍脚不沾地一阵风地往街上走，刘美萍挣扎着扭过头冲刚出碰碰车场的杨重喊："再见。"

丁小鲁和林蓓坐在无轨电车里由南向北通过街口，从车窗看到于观和两个人站在路边眉飞色舞地说话，电车经过他们身边时，她露脸喊了一声。

“有人叫你。”杨重对于观说。

于观回头往身后川流的人群张望：“哪儿呢？我好像也听见一声。”

“过去了，前面电车里。”

电车在街边车站停下，几乎下空了，又在顷刻间塞满，摇摇晃晃开走，满街仍是熙熙攘攘的人群。

“管他是谁呢，走吧。”

三个人正要转身走，有人又在很近的地方叫了声于观。三人转过身，丁小鲁和她的女伴随着人流走到他们跟前。

“嘿，碰上你了，真是少见。”于观高兴地说。

“叫你都听不见。”丁小鲁对杨重马青点点头，笑着问于观，“干吗呢站在街上？打算去哪儿？”

“找地方吃饭去。”于观把杨重马青介绍给丁小鲁，丁小鲁也把林蓓介绍给他们。

“演员？啊，好职业。”于观敷衍地说。

“我看你们别在街上晃着找饭馆子。”丁小鲁建议道，“到我家去一起做吧，我们也没吃。”

“你家有人吗？”杨重问。

“就我妈妈。”丁小鲁转脸看着杨重，“不过不碍事。”

“她妈不碍事。”于观也说，“还挺神。”

“那咱就走吧。”马青探头插嘴，“别像老百姓似的站在街上说个没完。坐几路车？”

“接着坐电车。”丁小鲁笑着挽起林蓓，领头在前面走。

“你们下午没事吧？”在电车上，丁小鲁小声问于观。

“没事。”于观说，“本来下午也没事。”

丁小鲁家是五十年代苏联援建期间盖的那种俄国风格的笨重结实的灰夸楼房，厚屋顶，窗户巨大，每套单元开间不多但面积宽阔。家具也都是那时公家配发的，式样陈旧，油漆剥落，皮沙发的弹簧已经塌陷。老太太正抱着一只大白猫坐在重新绑过的旧藤椅上怡然自得，看到一大群人呼啦啦进来，大白猫跳下地跑了。一大群人乱七八糟地叫了通“阿姨”，老太太矜持得体地招呼年轻人坐下。看得出来，老太太是受过教育的，经过残酷斗争考验的，既平和又保持着尊严。

“他们是来吃饭的，妈。”丁小鲁说，“家里现在还有什么吃的？”

“我给你看看去。”老太太站起来，往厨房走，一边对于观说，“你好长时间没来了。”

“我这段挺忙。”

“哦，于观也忙了。”

于观不好意思地笑，追着老太太说：“阿姨您别忙，吃什么我们自己弄。”

“我给你看看有什么，反正你到阿姨这儿也得凑合，只能管饱。”

一会儿，老太太从厨房回来对丁小鲁说：“冰箱里只有一点肉馅了，厨房里也就是土豆白菜了。”

“我去买。”丁小鲁说着站起来。

“千万别去。”于观按住丁小鲁掏钱包的手，“这点就够，咱们包饺子。”

“很近的。”老太太说，“楼下就有个菜市场。”

“我知道，那也别去。我们什么也不想吃，包饺子挺好。”

“不用去不用去。”杨重马青也说，“甭麻烦，咱们就随便吃点。”

“还是去买点。”老太太对女儿说，“男孩子可以将就，姑娘得有点可口的。”

“我也不用。”林蓓说，“我爱吃带馅的。”

“真的别去了。”于观对丁小鲁说，“你太客气，我们就走了。”

“那好，那咱们就包饺子吧。”丁小鲁对她妈说，“反正也不是外人。”

“这就对了，我和面小鲁拌馅，老太太您歇着什么都甭管净等着吃——杨重别光自个抽烟，给老太太一颗。”

“哎哟，我不知道阿姨也吸烟，您来这颗。”刚把烟叼上嘴的杨重忙拎着根烟递给老太太。

老太太点着烟看了看牌子：“现在年轻人净抽好烟。”

“我们也不置房子置地，有钱就抽两颗烟玩玩。”

老太太吐了口烟，笑着点点头，坐回藤椅上：“现在的年轻人没负担啊。”

“您抽烟够溜的。”

“我抽烟的历史比你年龄都长，那会儿天天开会天天熏，就会了。”

于观跟着丁小鲁来到厨房，丁小鲁找出个铝盆，从面口袋里舀出面让给于观，自己洗菜切菜。两个人很起劲儿地干着，一声不吭，客厅里的人聊得挺热闹，不时蓦地响起一阵笑声，老太太的笑声格外响亮。

“你妈精神真好。”

“不操心，不着急，自然精神好。”

“你呢，也挺好？”

“你呢？”于观专心致志地揉着面，脸上沁出了汗。

“我发觉你不太爱说话了。”

“谁说的？我说话时你没听见就是了，哦，有时话是少了。”

客厅传来马青一个人的快速说话声，当他停顿时，响起一片欢笑，笑声刚停，杨重又说了几句什么，笑声再起。

“你这两个同事挺逗的！”

“他们是我最好的朋友。”

丁小鲁手停了一下，又继续剁菜：“你终于有这样的朋友了。”

“和他们在一起我总是很快乐。”

笑声忽然大了，厨房门开了，林蓓走进来。

“你怎么来了？你们说什么呢这么乐？”丁小鲁抬头说。

“他们在说他们公司的顾客的事呢。”林蓓倚着门说，“我不爱听。”

“可我听见你跟着笑呢。”

“笑归笑，可我不喜欢。他们特坏，人家一个女顾客就是想跟他们探讨一下人生，也没什么不对，他们就把人家骗到游乐场，故意用碰碰车撞人家，把人家撞岔了气儿。”

“没说的，这坏点子准是于观出的。”丁小鲁笑着直起腰看着于观说。

“不是我，马青的主意。”于观也笑着说，使劲用手拍打着揉得光滑的面团。

“你们真不像话，那么过分。”林蓓噘着嘴说。

“她没察觉是故意的。”

“那也不好，对人一点都不真诚。”

“我们小蓓可有正义感了。”

“不是正义感不正义感，本来嘛。我就不爱跟这种人打交道，谁知道他什么时候是真的什么时候是拿你开心。”

“林蓓怎么跑这儿站着来啦？”马青笑嘻嘻地叼着烟进厨房找火，丁小鲁从煤气灶上把火柴拿起给他，笑着对他说：

“正说你呢。”

“说我什么？”马青点着烟，把火柴扔回去。

“说你坏，干坏事。”林蓓直筒筒地说，眼睛瞪着马青。

马青把烟从嘴上拿下来，看了眼于观，对林蓓说：“我没敢得罪你呀，怎么就‘坏’了。”

“你对别人坏，我也是女的，不爱听你吹怎么捉弄人家女的。”

“就是，要尊重妇女。”丁小鲁把剁的菜推进盛肉馅的盆，用力搅起来。

“可我不是老‘坏’。”马青对林蓓说，“我‘好’一个给你看行吗？您容我酝酿酝酿。”

“包饺子了包饺子了。”丁小鲁端着馅盆往堂屋走，“别贫啦，都去洗手。”

林蓓扭身去卫生间，马青吮着烟对于观说：“瞧我别扭——这姑娘。”

“她还没习惯你。”于观笑着端起面盆，“人家是好姑娘。”

“敢情咱们都是坏蛋。”

众人七手八脚包饺子时，老太太建议“给干活的人放点曲子”。丁小鲁拧了半天老式箱形收音机旋钮，调出一组豪迈、缠绵的出征歌曲，这些歌曲也是流行歌曲，大家都随着旋律摇头晃脑地哼哼。当歌手唱到：“如果是这样，你不要悲哀。”三个男人一齐昂首唱第二声部：“——我不悲哀！”

二

天色很亮，纹风没有，街上无声地下着瓢泼大雨，街树冠盖修剪得像最简陋的儿童画，笔直不动地成排伫立雨中。马青屁股离座儿地卖快儿蹬着一辆蒙着塑料布的平板车落汤鸡似的张望着前面雨幕中有着巍峨廊柱的剧场。于观、杨重都背头管裤，神态庄重地站在剧场镶着沉重的铜饰的玻璃门前迎接着沿宽大花岗岩台阶拾级而上的来宾，鸡捣米似的文雅地点着头。

马青把平板车蹬到台阶下，跷腿下来，于观立刻在上面吼：

“拉到后台门口拉到后台门口那师傅你听见没有？”

马青可怜地看着于观，于观不再理他，他只得忍气吞声地一手扶把一手拉座推着平板车往剧场后台门绕。

宝康穿着亮闪闪的西服，挺胸凸肚地背手站在于观身边，满意地注视着湿漉漉的台阶上移步款行的一对对头发蓬松、面孔苍白的西服革履的男女，笑眯眯地问于观：

“你从哪儿收集来的这么些有身份的人——我真开了眼，每个人后脖都是雪白的。”

“不是我有办法，我只是发了些通知，他们其实是慕您的名而来，这都是爱好文学的青年。”

“你说，要是他们知道这个不起眼儿地站在门口的人就是宝康本人，他们会吃惊吧？”

“会的，一定会，我打保票他们会把您围得水泄不通就像前几年围观外国人。”

“同志，”一个挽着女伴的高个男青年问于观，“会后真有舞会吗？”

“有有。”于观忙转过身小声说，“请柬上印着呢。”

“可我们经常上当，说有舞会把我们诳来，陪着那帮傻瓜开半天会，会后却什么也没有了，把人轰出来。”

“这次您放心，不但有，还是一水的‘的士高’。”

“不骗人？”

“我发誓。”

“舞会上有免费饮料也是真的吗？”男青年娇小的女伴问。

“带。”

“这样十块钱还算值。”这对男女转身交券进了场。

于观回身瞟了眼宝康：“没办法，有人群的地方就有左中右。”

宝康毫不介意：“有个把俗人还是允许的。你说过会儿我发言不能过多地谈自个儿吧？那样是不是显得太自满了？”

“花插着吧，谈自个儿的同时也谈谈人民的哺育、组织上的关心、社会的温暖等等各种伸出来的手。”

杨重跑过来：“头儿，差不多了，咱们也该进去了。”

“你也进去到主席台就座吧。”于观对宝康说，“想说什么再演习演习，到时候别忘了词儿。”

丁小鲁和林蓓从剧场前的车站下了车，向剧场走来。林蓓打了把五十公分的素花伞，丁小鲁几乎全身裸露雨中，但她衣服没怎么湿，她很从容地走在雨的缝隙之间。于观向她们招手，她们走了上来。

“居然来了，不是说不来？”

“想了想还是来，看看你们到底在忙什么。”丁小鲁温柔地笑，“你好杨重。”

“你好。”杨重腼腆地伸手和丁小鲁握了握。

“马青呢？”林蓓往于观身后看。

“他在后台卸奖品。”

“挺隆重。”丁小鲁和于观一行进入剧场，“你们挺会搞。”

“嗬，不赖，来的全是狼以上的品种。”浑身湿透像个小瘪三似的马青从条幕边偷偷往剧场里看，对找来帮忙的小哥儿们说。他一转身看见于观、丁小鲁一行进入后台，便喊：“噢，林蓓。”

“噢，马青。”林蓓笑着一扬手，绕开摆在地上的坛坛罐罐走过来，“那个起了个姑子名儿的作家在哪儿呢？你指给我看。”

“喏。”马青用嘴向主席台上一努，“那个单钵儿坐在台上烤的就是。”

林蓓瞅着宝康呵呵笑：“挺式样儿的。”

剧场里正大音量地放着欢快的曲子，强制性地制造着热烈气氛，人们在休息室进进出出，咬着蛋卷冰激凌侧身在狭窄的座位排间找座位号，没人看坐在台上伸着脖子喜滋滋在遥望着大家的宝康。

“奖品在哪儿？”于观问马青。

“那不是？”马青用手一指摆在桌上的空调机和一溜黑革套照相机，自顾和林蓓说笑。

“我问的是奖杯。”

“地上。”马青指了指众人脚下的坛坛罐罐。

“就这个？!”于观举起一个大肚坛子难以置信地端详，猛地蹾在地上，愤怒地说，“这是腌鸭蛋的坛子。”

“你别火呀，头儿。”马青笑嘻嘻地说，“这坛子沉着哪。您不给钱让我弄坛子，弄来这咸菜坛子就不错了，什么坛子不是坛子？”

“得，这回坛子胡同了。”于观绝望地说，“我怎么能不动声色地给著名作家们每人发一个咸菜坛子？人家准会恼我们。”

“昨晚偷的——这些坛子？”杨重小声问马青。

“哪里，”马青说，“正经是我们胡同口副食店赞助的。头儿，人家可要鸣谢，我答应人家了，不能言而无信。”

于观气哼哼地瞪了马青一眼：“你就坏我事吧。”

剧场里传来一阵阵“噢噢”的叫声和掌声夹着口哨声，后台的人都掀开条幕往下看。

“谁来了？哪个作家来了？”于观紧张地问。

“谁也没来。”杨重回头说，“底下的人见还不开始起哄呢。”

“到点了吗？”于观捋捋两只袖子，没表。

“过了。”杨重说，“过了十分钟了。”

“一个著名作家都不来，真不给面子。”

“要不要再等等？”杨重问。

“不能等了，我们不惯这毛病，没他们我们照样开会他妈的——”于观冲后台呆立的人一挥手，“没事的都上主席台，不许笑！没人认识你们。”

于观站到条幕边，脚往台上一迈，立刻作出满面春风的样子，就坡下驴地轻轻鼓着掌迎着满场哄声亮了相。随着他身后，丁小鲁、林蓓、杨重和其他不三不四的人也硬着头皮登了场，最后一个扭捏地不肯上场的人几乎是被马青推出来的。

乐曲停了，台下的人声更大了，掌声、叫声波涛般一浪一浪涌上台，也分不清是欢迎还是起哄，伪作家们像在照相馆的灯光下一样“自然”地笑着，鱼贯入座，坐下后都低着头。

“咳、咳。”于观单肘横陈桌上，在麦克风前咳嗽了几声大声说，“下面我宣布，‘三T’文学奖发奖大会现在开始——”

会场响起雷鸣般的掌声，接着戛然而止，一个人声：“呀呀呀。”旋即再度响起雷鸣般的掌声。于观坐在座位上闭上了眼，他听出那个“呀呀呀”是自己的声音，那是试听录好的掌声时不小心按了录音键录上的。

后台工作人员关了掌声，于观没精打采地说：“下面进行会议第一项议程，请‘三T’文学奖评奖委员会主任委员杨重同志讲话。”

雷鸣般的掌声又响，中断，一个人大声“呀呀呀”。

杨重接过于观传过来的麦克风，愣了片刻，开始说：

“今天，我们大家在这里，开这个会很好……”

雷鸣的掌声，“呀呀呀”。

会场传来清晰可辨的笑声，主席台上也有人在低头笑。于观茫然地望着前方，一副听天由命的样子。丁小鲁试图给站在条幕边的马青打手势，让他关掉录音机，马青也用各种手势猜测着她的意思，最后似乎懂了，仍旧站着不动，眼睛看向别处，丁小鲁叹了口气。

杨重“很好”了一遍，在雷鸣般的掌声和“呀呀呀”中把麦克风传回于观，明显地如释重负。

“下面进行大会第二项议程，请市委领导同志讲话。”

于观扫了眼主席台上衮衮诸公，每个人都把头更深地低下去，没有一个挺身而出。只好跳河一闭眼，把麦克风传给离他最近的那个人。那个人先是一怔，随即把麦克风传给了自己的下一个，主席台上开始了一场无声的“击鼓传花”，坐在主席台最边上的那位无人可传，只好认倒霉，嘟嘟哝哝地说起来：

“临时把我请来思想没什么准备话也说不好我看客气话也不用说了表示祝贺祝贺‘三T’公司办了件好事……”

“说得挺好，挺像，就这么说下去。”杨重看着台下小声鼓励。

那人鼓起勇气抬起头，果然会场一片鸦雀无声，几千只眼睛亮晶晶地无邪地仰望着他。这人乐了，自信起来，解开衣服扣子，掀开衣襟叉起腰：

“今天来的都是年轻人嘛。”他扭头看了看坐在第二排的宝康，

“我看了看获奖的同志年龄也不大，年轻人自己写东西自己评奖，我看这是个创举，很大胆，敢想敢干，这在过去简直是不可思议的事……”

于观汗立刻下来了，忙示意杨重制止“市委领导同志”，那人看到于观向杨重小声递话，笑眯眯地问，“于观同志你说什么？这样的活动还要多搞？好嘛，我支持。依我看奖品还可以再高级点，面儿还可以再宽一些，最好再设个读者奖，给来参加会的人都发点纪念品，人家来参加会也是对你的支持嘛。”

“哗——”会场响起真正的热烈掌声，“市委领导同志”满面红光地微笑着向群众致意，一边把麦克风递给杨重：“活该，谁让你们把麦克风给我让我讲话的。”

发奖是在“受苦人盼望好光景”的民歌伴唱下进行的，于观在马青的协助下把咸菜坛子发给宝康、丁小鲁、林蓓等人，并让他们面向观众把坛子高高举起。林蓓当场就要摔坛子，于观和马青一左一右夹着她，帮她举起坛子，不住声地说：“求求你求求你了，你就当练回举重吧。”

大会继续庄严隆重地进行，宝康代表获奖作家发言，他很激动，很感慨，喜悦的心情使他几乎语无伦次。他谈到母亲，谈到童年，谈到村边的小河和小学老师在黑板写字的吱吱呀呀声；他又谈到少年的他的顽劣，管片民警的循循善诱，街道大妈的嘘寒问暖；他谈得很动情，眼里闪着泪花，哽咽不语，泣不成声，以至一个晚到的观众感动地对旁边的人说：“这失足青年讲得太好了。”

宝康抒发完他那长长、萦回不去的情怀后，于观宣布大会结束，“请同志们跳舞”。

二楼舞会大厅内，服务员们已在沿墙排列的长条桌上摆满了数以百计装好啤酒的玻璃杯和丛林般揭了盖的瓶装啤酒，遥遥望去，颇为壮观。

两扇几乎高达天花板的包着皮革的巨门被缓缓推开了，走廊里挤满了衣冠楚楚的男女，他们像攻进冬宫的赤卫队员们一样黑压压地移动着，拥了进来，而且立刻肃静了。走在最前排的是清一色高大强壮、身手矫健的年轻男子，他们轻盈整齐地走着，像是国庆检阅时的步兵方阵，对前面桌上的啤酒行着注目礼。尽管不断涌进的人群给他们的排面形成越来越大的压力，他们仍顽强地保持着队形，只是步伐越来越快，最后终于撒腿跑起来，冲向所有的长条桌，服务员东跑西闪、四处躲藏，大厅里充满胜利的欢呼。在震耳欲聋的喧嚣声中，最先跑到桌边的人开始挨个杯子喝下去，飞快地、不眨眼地喝光一杯又一杯。源源不断的人群挤到桌边，无数只手伸出去抢酒瓶、抢杯子、把几十张长桌上的酒水一扫而光。

于观、宝康、丁小鲁一群人步入舞会大厅时，展现在他们面前的是一个大型庆丰收群雕，一组组造型迥异的痛饮形象叠错有致地环布四周，男人们和女人们从堵住嘴遮住脸的倒竖的酒瓶后面露出喜悦的眼睛。

“天哪！中国老百姓真是世界上最好的老百姓。”于观激动地说，“他们其实并没有什么过奢的要求。”

爵士鼓惊天动地响起来，势如滚雷，管弦齐鸣，群塑活动起来，像听到号令的团体操表演者奔跑穿插站住，以不同的摆幅摇扭着，渐次亢奋狂热，像一锅滚开的粥。

“跳，跳，都起来跳。”于观像活动木桩似的跳着密宗迪斯科，充满内心激情严肃地对纷纷坐下来的众人说，“这没有一定之规，只要跳起来。”

夜晚，雨仍在下，但是小了。亮着路灯的马路上水雾蒙蒙，街上的行人都耸肩缩颈匆匆而行，商店的霓虹灯在雨雾中红绿模糊一片。

于观、丁小鲁、宝康等人挤在一辆计程车里又说又笑。司机提心吊胆地注视着路边驶过的一个个朦胧的交通警岗，抱怨说：

“一下上来六个，警察看见非罚我钱。”

“你老嘟囔什么呀，烦不烦？”坐在前座回头扒着说话的马青说，“再嘟囔你下去。不就罚两个钱嘛。”

“又不是罚你，你当然没事。”司机一面小心地驾驶，一面回嘴，“换我我也会说。”

“跟你们在一起真快活。”宝康感慨地说，“什么都不在乎，活着真舒心。”

“无赖呗，你要是无赖了也就什么都不在乎了。”被杨重和宝康紧紧挤着的林蓓说。

“不不，我认为这个无赖的意思应该是无所依赖。”宝康沉思地说，“噢，你写的那些诗我都看过，我很喜欢。”

“我才没有写过什么诗呢。”林蓓笑着说，“我才不是什么诗人，你被他们骗了，我是临时被抓了差冒名顶替的。”

“真的？真有意思。那你也不是梦蝶了？”宝康问坐在他另一边的丁小鲁。

“不是。”

“我说呢，我在台上还纳闷呢，梦蝶怎么换模样了，我记错了？

别露怯。”

“这可不怪我们，是于观干的好事，要算账找他算。”

“没关系，一点都没关系，哈哈。不过我一点都没看出你是假的。”宝康对林蓓说，“你的气质很好，很有诗人的风度。”

“瞧，开始诱了。”杨重伏在前座小声对马青说。

“嗯，咱学学，跟作家好好学学。”马青盯着宝康。

“你们这几个里，我发觉杨重风度最好。”宝康又说，“比较深沉。”

“得得，哥儿们，你别骂我。”杨重拍拍宝康的肩膀，“我知道我傻。”

“喂，作家，你到了。”计程车在路边停下，马青对宝康说。

“等一下。”宝康伸头看了看窗外，急急掏出记事本和笔塞到林蓓手里，“你把你的电话留一个给我，我有事可以找你。”

“我只有团里电话，而且你打这个电话不一定找得着我，我没排练一般不在团里。”林蓓一边说一边把电话号码写上，连笔带本还给宝康，“你要打这个电话找不着我，就打电话给小鲁，她知道我在哪儿。”

“那你也把你电话留给我吧。”宝康把记事本和笔递给丁小鲁，丁小鲁潦草地写了串阿拉伯数字。

“你们的电话我都有了，不用留了。”宝康把本笔装回衣兜，扒开人腿往车外钻，“再见，哥儿们。”

“再见。”马青咕噜着，隔着车窗向站在马路牙子上的宝康招招手。车开走了，林蓓从后车窗向他招了招手。

车上的人都沉默着，唯有林蓓活跃话多：

“我觉得这宝康人挺好的，你们那么骗人家，人家也没生气。”

“反正你是看谁就觉得谁好！”马青不回头地说。

“本来，我就是觉得谁都挺好——就你不好。”

“咱们去哪儿？”马青回头问一直没说话的于观，“是不是找个地界儿一齐下了，别让人师傅拉着咱们转来转去，人师傅这已经是满肚子不高兴了，是不是师傅？”

“您这会儿又心疼我了。”司机只顾看着前方驾驶，“没关系，你们爱怎么转就怎么转，到末了交钱别甩过一个绳套勒住我脖子就行了。”

“不合适，您是客气，我们不能不懂事。”

“到我那儿去吧。”丁小鲁说，“你们要是还想聊。”

“我不想去。”于观说，“我想回家。”

“那你回家吧，我们去小鲁那儿，师傅你给他撂马路边儿上。”

“别回家，回什么家呀。”杨重对于观说，“回家多没劲儿，你也没媳妇儿，你爸也不待见你。”

“停不停？”司机问。

“不停，捡直开。”杨重说。

“谢谢啊，师傅。”在丁小鲁家楼前，马青交完费，最后一个从车里跨出来，回头弯腰冲车内的司机说。

司机笑着摆了摆手：“没事。”欠身过来关了车门，熄灯发动开走。

老太太正要上床睡觉，只听门锁一响，一阵杂沓的脚步声夹着说笑声直进客厅，忙披衣出来。

“妈，您还没睡？”人群中的丁小鲁问。

“没哪，来了这么些人。”

"阿姨好阿姨好阿姨好。"

"小声点，小伙子姑娘们。"老太太手指着紧闭的嘴说，"天晚了，轻点折腾，别吵了邻居。"

"小声点,都小声点。"于观对放声说笑的马青杨重说。转过身，"您歇着去吧老太太，我们不闹。"

"我这就去。小鲁,这些人今晚住这儿,我把被褥给你找出来。"

"用的时候我自己去找吧。"

"不用找，我们随便在沙发上将就一夜就成。"

"那可不行。"老太太说,"年轻人不知厉害,会睡出毛病来的。"

老太太回屋把箱子打开，搬出被褥摞到小鲁房内，交代清楚了才抱起溜出来四处走动的白猫回房关门睡觉。

"沏点茶，小鲁。"于观说。

"这就去。"丁小鲁去厨房拿来暖瓶，从茶几下端出茶壶茶杯茶叶筒，抓了几撮茶叶搿进茶壶，灌进开水，盖上盖儿闷着，又搬出一个大饼干筒，"谁饿了谁吃。"

马青伸手抓了几块饼干回到沙发上一块块放在嘴里嚼着。杨重斜倾着身子靠在沙发上摇手说不吃，问小鲁："你这儿有牌吗？"

"有，在写字台抽屉里。你想玩？"

"你们想玩吗？"

"可以呀。"马青斜着眼儿说，"玩你还不板输。"

"别玩牌啦，你们聊天吧，我爱听你们聊天。"林蓓蜷缩在一边说。

"聊天没劲，老聊还有什么可聊的？你同意玩牌吗，小鲁？"

"我无所谓，你们说玩牌就玩牌，你们说聊天就聊天。"

"玩牌。"马青说。

丁小鲁找出扑克扔到茶几上，把沏好的茶斟进茶杯。

“怎么着，玩什么？”杨重洗着牌说，“抠？”

“玩‘抠’一个人没事干，不玩‘抠’。”于观说。

“那玩‘三尖’也还少一个人。”

“你们玩吧，我在一边看着。”丁小鲁说。

“那多不好，你不能再找一个人吗？你们邻居有没有还没睡的，给叫来。”

“我去敲门试试。”丁小鲁站起说。

丁小鲁出了单元门去敲对门的门，在楼道里喊喊喳喳和人说了会儿话，领着一帮男女回来。几个小伙子一进门就笑着说：

“听说这儿有人叫份儿？”

“嘿，这晚上净是一帮一帮闲得没事的。”马青笑着对于观说，“练吧，人家找上门来了。”

“哟，没我们女的份儿了。”后进来的一个笑眯眯的女孩说，“你们人手够了。”

“你来玩我的，正好我不想玩。”于观说。

“你别不玩呀。”杨重说。

“我真的不想玩。”于观说，“你们要人不齐，我可以凑一手，人多就算了。”于观把那个笑眯眯的女孩拉到自己身旁坐下，“你玩——我帮她看着牌。”

“你来给我看着牌。”马青招呼林蓓坐到自己身旁，“看我怎么赢。”

一圈人开始洗牌摸牌，对方一个小伙子问：“咱玩光记分的还是挂点血？”

“挂血的。”马青说。

“别挂血。”丁小鲁说，“挂血不好，光记分得啦。我给你们找纸和笔。”

头儿把双方都还斯文，静静地出牌，分出高低后气氛开始热烈，会说的也都开始拿对手插科打诨，真真假假，互相进行神经战。

“动？动就剁你！赶紧走，疙瘩在他们那儿就带牌，大供给车不算臭！”

“别闯牌，疙瘩就想带牌？握着‘猫儿’的还没说话呢，削坍了吧？谁闯削谁！”

早晨，天已经大亮，楼下传来公共汽车的行驶声和自行车的铃声以及行人的说话声。丁小鲁、林蓓已经回房睡觉了，那个笑眯眯的女孩也早由于观替换下来回了家。六个男人仍在全神贯注地玩牌，一根接一根地吸烟，眯着眼睛搓捻着手里的牌，屋内烟雾腾腾，每个人脸上都失去了血色。大白猫无声无息地走进来，瞅着他们，于观招手叫它过来，它扭头走开。

这一局又是于观这方输了，大家把牌纷纷扔到茶几上。

“到这儿吧。”对方一个小伙子说，“我顶不住了。”

“到这儿吧。”于观把牌拢到一起装盒，“有机会再练。”

那几个小伙子猛吸几口把嘴里的烟抽短插在搁满烟蒂的烟灰缸里，站起来和马青杨重道别，陆续走出去敲对门的门。

于观把灯关了，打开窗户放烟，雨夜里就停了，清凉的空气飘溢进屋。杨重站起来打着呵欠伸懒腰，笑着说：

“又过了一夜，打牌是好混。”

“其实最后一局本来咱们能赢，都是于观太坠。”马青上了趟厕所回来，系着裤扣说，“攥着‘吊儿’不卖，等着看画儿。”

“他玩牌是臭，就跟不会玩似的。”

“我怎么没卖，没法儿卖，‘猫儿’都坐在人家手里，卖也白卖，最后也走不了。”

“怕着你不是也没走成嘛！这时候就不能管那么多了，专削一家，从大往小抻牌，扛着，不让他们垫小牌。你走不了别人还能走呢，逃一家是一家，怎么也不能让他们打十零。”

“得，跟着您长学问。”

“嘿，他来劲了。”马青看着杨重说，“咱们是不是得治治他？”

“得治治。”杨重同意。

“来呀。”于观在窗前横转过身，拉开架势，“您二位要不怕弄伤了自个儿就来。”

“真挤对活人。”杨重边说边凑过去，“我就当生下来就是残废吧。”

杨重、马青一下扑了上去，三个人紧紧扭在了一起，较了会儿劲儿，于观被制伏了，笑着说：“别闹别闹。”

“这叫什么？这叫‘捂笼抓鸡’！说，说你臭。”

“我臭。”

马青、杨重笑着松开于观。马青鼓着胸脯子说：“也不看哥哥是练什么的，职业空手道。”

“牛逼。”杨重横着身子扔在沙发上，“我得睡会儿了。”

“你们睡吧，我得去公司看看。”于观说着往外走，“你们要是下午不来，中午给我打个电话。”

“我说你也睡会儿吧。”马青说，“权当今儿全公司学习。”

“我不困，不想睡。”

“你什么都‘不想’，睡觉也不想，你想干吗？”

“我记得你没担任过圣职。”

“你不正常！”

“你才不正常！”

于观蹑手蹑脚穿过堂屋，大白猫“噌”地从饭桌上跳下地，碰倒了一瓶牛奶，于观三步并作两步过去把牛奶瓶扶起来，牛奶已洒了一桌。丁小鲁在她的房内叫于观，接着把房门推开一道缝：“你来。”

于观走进丁小鲁卧室，丁小鲁穿着睡衣蓬着头坐在床边，林蓓脸冲墙睡得正熟，长长的黑发散在枕上。

“你睡了会儿吗？”丁小鲁小声问。

“睡了会儿。”于观也小声回答，“你干吗也这么早起？”

“我今儿得上班去，不能老不去。你要不要吃点东西？外屋有牛奶。”

“牛奶已经让猫吃了。”

“是吗，这个馋猫。”丁小鲁脸上露出微笑，“我再给你搞点什么？”

“不用了，我不想吃。早饭吃不吃无所谓，不是必不可少的。”

“你这样生活太不规律了，对身体不好。”

“反正我也不打算活一百岁，管他好不好。”

“于观，有什么……算了不说了，我知道你也没什么需要我帮忙的。就这样吧，尽管来。”

“知道。”于观看了眼丁小鲁，抬腿走了。

于观走在遍洒阳光的街上，一辆载满客的公共汽车从他身后驶过，他拼命跑步追上去，挤入车站混乱的人群。

三

天空湛蓝，万里无云，城市街道上刮着暖和干燥的风，行人都显得懒洋洋的，步态悠闲，任风把头发和裙边裤角吹得飘拂鼓起。马青和杨重坐在花房般镶着通体玻璃窗的咖啡厅的临窗座位上，看着来来往往的行人，听着一位老兄胡侃：

“想想吧，万人大餐厅，多么壮观！多么令人激动！就要在中华大地矗立起来！不要总说外国的月亮圆嘛，我们也有一些世界之最。我豁出来了，工作也辞了，不惜一切要把这件事促成，咱不就为了把事办成吗？不惜浪费！长城当时不也是劳民伤财嘛，现在怎么样？全指着它抖奋了。干就干史诗性的东西！”

“可能骗来那么多老外吗？”

“能，关能！你以为老外们一天到晚在干吗？不就憋着到咱们中国来大快朵颐。”

“于观！”杨重看见穿着件皱巴巴夹克衫的于观正从外面的街上慢慢走过，又敲玻璃又喊。

于观回头往这边张望，看见像关在兽房里的猩猩一样扒着玻璃挥舞着手臂的杨重和马青，离开人流向这边走来。

“正找你呢。”于观绕过咖啡厅里散布的桌子走到他们座旁，杨重说，“中午别回公司了，有饭局。”

“谁的饭局？”于观坐下，端起杨重的残剩咖啡喝了一口，放回去。

“宝康请咱们，丁小鲁上午来的电话，说一定要叫上你。”

“他怎么想起挨这份宰？”

“他给丁小鲁打电话让叫上林蓓，懂啦？”杨重眨眨眼儿，“不吃白不吃。”

于观看马青：“你们上午就在这儿闲泡？”

“这哥儿们正跟着我们说他们要搞的万人大餐厅的事呢。”

“万人大餐厅？”于观五官挤到了一起，“又是故事。”

“不是故事是现实。”那人心平气和地说，“花旗银行已经答应贷款了，利率百分之六，只要求中国银行担保。”

“不可能吧？”于观说，“你当这是中国借钱给越南打美国佬？商业贷款没听说过有这么低的，不定谁蒙着谁呢。再说万人大餐厅？好家伙！就算一天两餐，一餐一巡，每年也得七百多万外国鬼子，得组织多少支八国联军？”

“你可能不太了解现在世界上的情况，无产阶级队伍在壮大，资产阶级人数也在剧增，客源你不用操心，只希望你们帮我把中国银行担保办下来。”

“办不了，中国银行从来不为这种野鸡项目担保。”

“我记得你好像说过你们家小保姆原来在中国银行什么副行长家里当过保姆？”

“没错。”于观扭脸对杨重说，“你要拐他们家孩子我可以跟她说说。”

“办不了就办不了吧。”那人看着杨重，“不用过于为难，你们办不了我再找别人。”

“的确不是不愿帮忙，是没办法。”

“没关系，这事我经多了，人的能力是有限。说实话，我就是抱着办不成的决心来办这件事的，办成了，意外之喜，办不成，早已料到，永远充满信心。”

“现在这事还就得这样。”三个人奉承地笑起来。

“你那件衣服没退掉？”马青看着于观身上的夹克说，“怎么你自己穿起来了？”

于观揪揪夹克的袖子，“售货员说领子脏了不给退。我想我已经答应人家肯定帮人家退掉的，钱都先给人家了，再找人家要也不好意思，算了，反正我也正缺春秋穿的衣服。”

“可你穿着不合适，袖子也短。那孙子也够孙子的，穿过的衣服拿来让咱们退，你接活儿时也不仔细看看。”

“一件衣服什么大不了的，我也不需要好看，凑合穿吧。”

“你们聊，我走了。”那人站起来说，把桌上的烟装回自己口袋。

“走啊？”杨重、马青都说，“别走了，待会儿和我们一起吃饭。”

“不用了。”那人笑着说，“我已经过了为吃一顿饭什么都可以不干的年龄了——我还有事。”

“这也是空手道。”于观说。

那人刚走到咖啡厅门口，林蓓像只花蝴蝶似的一阵风冲进来。那人为她闪开道，回头看了她一眼，出去了。林蓓灵巧地穿过各个桌间，带着全厅被吸引过来的视线来到他们桌旁，一屁股坐在刚离去那人的座位上：

“我在剧场走台刚完就跑来了，没迟到吧？”

“没迟到。”三个男人一起微笑着看她。

“谁请客，你吗？”林蓓问马青。

“我哪请得起，宝康请。”

“他请？他为什么请？”

“你不知道我们更不知道了，我们是沾你的光。”

“沾我的光？我跟他也没什么关系。”

“谁也没说你跟他有什么关系。”于观笑着说，“你何必紧张。”

“我紧什么张？你们说话怎么阴阳怪气儿的，就好像我怎么啦似的。其实我根本不会和宝康有什么，我一点没觉得他那人好，我觉得他特可笑。”

“别解释别解释。”

“真是的，我不跟你们说话了。”

林蓓越着急，三个人就越逗她，最后还是马青为她解了围，问她晚上是不是要演出。

“演，你们还不去给我捧捧场？”

“那当然得去，你不让去都不成。”

“请你们捧场要收我费吗？收费我可没钱。”

“不用收费，过会儿吃饭给你三个哥哥一个斟一杯酒就行。”

“这容易，那就说定了。”

“你发觉没有？演员笑起来和一般人不一样，别人笑都是眯着眼，她们笑是睁圆眼。”

“宝康！”于观手拢成喇叭喊出现在咖啡厅门口的宝康。

宝康转过身，喜洋洋地微笑着，他身边站着一个面目和蔼、文质彬彬的中年人。

“这位是赵尧舜，我的老师。”

这群人换了间中国式金红色调的餐厅，围着檀色的大圆桌团团坐下，宝康为于观介绍中年人。

“早就听宝康说起你，非常想结识一下你，所以就来了。”

赵尧舜边说边从裤袋摸出一盒烟一个打火机放到桌上，抽出根烟含在嘴上，用打火机点上，连续按动了几下打火机点不着火：“怎么搞的？”

于观把杨重的火柴扔给他，宝康捡起火柴擦着火给赵尧舜点着烟。

“赵老师就是爱和年轻人交朋友。”

“是啊。”赵尧舜吐出烟说，“今天的年轻人和我们年轻那时候大不一样，很多心态、想法需要重新认识。我不认为现在的年轻人难理解，关键是你想不想去理解他们。我有很多年轻朋友，我跟他们很谈得来，他们的苦闷、彷徨我非常之理解，非常之同情。”

"赵老师对青年人的事业也非常之支持。"

"我们不过是一群俗人，只知饮食的男女。"

"不能这么说，我不赞成管现在的年轻人叫'垮掉的一代'的说法，你也是有追求的，人没有没追求的，没追求还怎么活？当然也许你追求的和别人追求的不一样罢了。人这个东西是很有意思的，总是靠希望生活，不管是生活得好还是不好，都希望自己的环境变化，变得新一点，不可捉摸一点，否则便会觉得平淡、空虚，你也一样。"

"噢，是这样，怪不得。"

"要不无法解释人类为什么会不断进步！"

于观注视着赵尧舜，笑起来："看来我自己都不知道我对人类进步有不可推卸的责任。"

"好好聊聊，有空好好聊聊。"赵尧舜像牧马人爱抚自己心爱的坐骑一样轻轻拍着于观的背，"年轻人，很有前途的年轻人。"

"赵老师，您别光夸他呀，是不是也夸我几句。"马青探着头笑着说。

"都不错，你也不错，今天在座的都是很可爱的青年。"

"丁小鲁怎么还没来呀？"于观直着眼大声问宝康，"你告她是在这儿吃饭吗？"

"告她啦，我也不知道她为什么这会儿还不来。"

"这个丁小鲁是不是我认识的那个丁小鲁？"赵尧舜手夹着烟问宝康和于观。

宝康没说话，于观低头摆弄筷子："女的，《能干妇女报》的。"

"那就是她，我跟她很熟。放心，她会来，她知道我来一定会来。她知道我来吧？"

"知道，我专门跟她说了您来。"宝康说。

“噢，你们跟她也认识。”赵尧舜逡巡看着每个人的脸，“那是个很不错的姑娘，她妈妈过去跟我是同事。她岁数也不小喽，个人问题大概到现在也没解决。”

“我们跟她也不熟，一般认识。”于观说。

“那姑娘心眼儿不坏，就是……”赵尧舜含笑指指脑袋，“这儿慢一点。”

“上菜吧，宝康你叫服务员上菜吧，我都饿了。”林蓓叫着，用手撑桌向后翘起椅子看着厅顶密集深嵌的灯眼。

“上菜上菜，服务员，上菜。”宝康叫穿着红制服的服务员，“你怎么着急了？下午还有事？”

“晚上演出，下午得早点去装台。”林蓓把椅子落回地，从纸套里抽出筷子，小学生握铅笔似的攥着竖在桌上，翻着白眼说。

服务员很快上齐了冷拼，又开始一道道传热炒。林蓓端着酒瓶站起来说：“我给大家斟酒。”笑眯眯地从马青斟起，斟到赵尧舜问：“您喝吗？”“来一点吧。”赵尧舜说。林蓓一倒倒溢了出来，接着往下挨个斟。

“我是不是先说几句？”宝康端起酒杯站起来，环顾问。

“有什么可说的？”马青夹着大片牛肉往嘴里塞，“甭玩那虚的，咱就各吃各的。”

“那好那好，大家随意。”宝康坐下去，用手在桌面上请着，拿起筷子先给赵尧舜夹了块松花蛋。

“自己来。”赵尧舜边吃边侧头问于观下手的杨重，“你是哪儿的，也是‘三T’公司的？”

“我就是傻波依。”闷头吃喝的杨重粗鲁地回答，“您甭为我费心。”

“年轻人总是过低估计自己。”赵尧舜哈哈笑着，伸臂去夹海茄子。

“你怎么不喝呀？”宝康问吃一筷子就放下筷子坐一会儿的于观，“吃得也不多。”

“我不会喝酒，从不喝，这他们知道。”

“哪有男子汉不会喝酒的，不行。”宝康端起酒杯，“我跟你干一杯，不喝酒算什么男人。”

“可以喝一点嘛。”赵尧舜也说，“我原来也不能喝，后来老要去应酬，也就练出些酒量。”

“人不喝酒你别强迫人家。”杨重冲宝康说，“什么男子汉不男子汉，我就烦这贴胸毛的事。其实那都是娘儿们素急了哄的，咱别男的当着男的也演起来。”

“我跟你干这杯吧。”马青站起来和宝康碰了下杯，一饮而尽。

“非常有意思啊。”宝康坐下来，赵尧舜笑着对他说，“——你这些小哥儿们说话。”

“要不我怎么喜欢和他们待在一起呢。”

“直爽，好交，难能可贵。”

“老赵，我给你发个妞儿吧。”

“别别，我可干不了这事，这是你们年轻人的勾当。”

一群人酒气冲天地混在街上的人流中稀稀拉拉走着，马青搂着赵尧舜的肩膀。

“别羞涩，我看出来您其实心里特愿意，您尚有余勇可贾——您看这大街上哪个不错？”

“那个穿牛仔裤的小姑娘气质很好。”

“不就是她吗？我给您擒来。”

“小马别胡闹，我可不是这意思。”

马青已撇下赵尧舜，快步跟上前面那个像踩着弹簧行进的少女。

“请问，去扁壶胡同怎么走？”

“扁壶胡同？”少女边迈着有弹性的大步走边皱起眉头寻思，“有这么个胡同吗？”

“有，没错，我去过，可现在想不起来了。我只记得胡同口有个包子铺。”

“啊，那你往前走。”少女抬起头看了马青一眼，“前面过了红绿灯的第二个路口有个包子铺，不过我记不清那是不是扁壶胡同了，你到那儿再找人打听吧。”

“谢谢，首都人真好。”

少女斜马青一眼，嫣然一笑走了。

马青停下来笑嘻嘻等赵尧舜。

“老赵，我可跟你和人家约好了，明儿下午五点鹫峰，不见不散。”

“真有你的，你都和人家说了些什么，那么快就搭上了。”老赵笑着说。

“我跟小姑娘说我们这儿有位赵老师想跟您认识认识，赵尧舜赵老师，全国都有名的。小姑娘说：‘嗯，赵老师，我知道他，他在哪儿？’人家立刻就要见你，看来是特仰慕您。我说赵老师哪能想见就见，人家特忙，又要接见中央首长又要写文章，你们得约一下。小姑娘说：‘约就约吧，什么地方好我也不知道，干脆鹫峰怎么样？那儿远，也静，赵老师教诲我我也专心。’”

“你瞧你都胡说些什么，传出去影响多不好。”

“老赵您别嫌那儿条件不好不安全，我端枪给你站岗，不成我再给您以身当床。”

“别拿人岁数大的人开心。”于观和杨重和他们走成并排，于观对赵尧舜说，“你别听他胡扯，他跟你瞎逗呢。”

“我活这么多年还听不出他话真假吗？饭后散步开开玩笑，没有关系，我也是很爱开玩笑的人。”

“老赵，说真的，”马青笑着问，“你这辈子肥水流没流过外人田？”

“没有，不敢，我这种身份的人你们不了解，看上去有名有地位令人钦慕，其实很受束缚，自己就把自己束缚住了，不像你们年轻人可以无所顾忌。我们年轻的时候和你们现在不一样。那时人都很拘谨，谈恋爱也要向党组织汇报。我那个老婆……不说啦，这些说起来没意思，我们这代人个人生活都是悲剧——宝康呢？他怎么不见了？”

赵尧舜停下来回头张望：“他和那个小林去哪儿啦？我们要不要等等他们？”

“我真不喜欢和你一起来的那个人。”林蓓低头捂着坤包，和宝康并排慢慢走在稠密的人群中，“假模三道的。”

“我也不喜欢。不过对他你完全不必用喜欢不喜欢衡量。”

“他真是你老师？”

“就那么回事吧，我叫老师张口就来，这世道上老师也太多了。你跟于观、马青他们认识多久了？”

“不太久，没多久，跟认识你时间差不多。”

“我还以为你们很熟呢。你觉得他们怎么样？”

“挺好的，挺逗的。”

“你没发觉他们其实顶无聊、顶空虚？”

“早发觉了，我一接触他们就发觉了。”

“别看他们一天到晚嘻嘻哈哈，什么都不在乎，其实才不是那么回事呢。我太了解他们这种人了，心里特苦闷，特想干点什么又干不成什么，志大才疏，只好每天穷开玩笑显出一副什么都看穿的样儿，这种人最没出息！——你别跟他们搅在一起，什么都学不到反倒把自己耽误了。”

“我没跟他们搅在一起，我不过是没事去凑凑热闹，我还不知道自己应该多学习、上进吗？”

“你别不承认，其实我也不是要责怪你，我只是觉得像你这样天资这么好的女孩子要能够把握自己。你漂亮、单纯，很多人都会围着你转，很容易就滑下去了。真的，我是一片诚意才对你说这番话的。我不忍看你到头来落到像有的女孩子的地步：满身疮痍，无其归所。”

“我知道。”

“你知道什么？你什么也不知道。你就会每天跟在人后面，人家乐你也乐，人家愁你也愁，把时间花在打扮、穿戴、吃零食上，任青春落花流水而去心不在焉。”

“你说得真深刻。那我怎么办呀？我又没毅力。”

“我帮助你，想不想学着写小说？”

“噢，太想了。可我行吗？”

“慢慢来嘛，有我教你。”

“太好了，说话算数。我一直就想写小说写我的风雨人生就是找不着人教这回有了人我觉得要是我写出来小说别人一定爱看别看我年龄不大可经的事真不少有痛苦也有欢乐想起往事我就想哭。”

“你们干吗去了我们等你们这半天是不是宝康又教人家怎么写小说去了作家就会来这套。”

在街口，马青冲刚赶上来的宝康和林蓓嚷。

“没说这个没说这个，我们只是随便聊聊，走得慢点。”

“林蓓你小心点，宝康不是好东西，你没听说现在管流氓不叫流氓叫作家了吗？”

“赵老师他们呢？”

“等你们老不来，去逛商场了。”

在百货商场皮鞋柜台前，赵尧舜反剪着手边走边弯腰细细看着每只造型不同的鞋。和身后两步远跟着如同一对保镖的于观、杨重说着话。

“你们平时业余时间都干些什么呀？”

“我们也不干什么，看看武打录像片、玩玩牌什么的，要不就睡觉。”

“找些书看看，应该看看书，书是消除烦恼解除寂寞百试不爽的灵丹妙药。”

“我们也不烦恼，从来不看书也就没烦恼。”

“烦恼太多不是什么好事，一点烦恼没有也未见得就是好事——那不成了白痴？不爱看书就多交交朋友，不要局限在自己的小圈子里，有时候一个知识广博的朋友照样可以使人获益匪浅。”

“朋友无非两种：可以性交的和不可以性交的。”

“我不同意你这种说法！”赵尧舜猛地站住，“天，这简直是猥亵、污秽！”

“您说得极是。”

“杨重！”

“谁叫我？”杨重回头，看到对面柜台后一个女售货员在冲他微笑，走过去，立刻又满脸带笑地大声喊于观："过来，瞧咱们碰见了谁！"

女售货员笑盈盈地看着于观："都把我忘了吧？"

于观也微笑起来："没忘，想起来了，你就在这儿工作啊。"

"可不就在这儿，你要买手绢吗？"

"不买，谢谢。你好吗？"

"挺好。那个小马呢？没和你们在一起？他好吗？"

"都好。你还和那个什么人谈恋爱呢？"

"是呀，我们快结婚了。见到你们真高兴，那一天过得真快活，我现在还老想着那天的事。杨重，我后来还给你打过电话。"

"我怎么没接到？我每天都在呀。"

"谁知道？我老想去找你们玩，又不好意思，就老没去。我想你们大概早把我忘了。"

"怎么会？来吧，我们也老念叨你，还说什么时候吃你喜糖。"

"真的？真这样我就去，我觉得和你们待在一起特愉快。"

"她叫什么名字来着？我怎么想不起来。"离开手绢柜台，于观问杨重。

"我也想不起来，只记得见过。"

"妈妈，您怎么就不理解女儿的心哪！"扎着马尾辫，穿着工装裤白球鞋的林蓓从坐在纸板沙发上戴着花白发套脸上画着皱纹的"老太太"身边急速跑开，在台口冷不丁站住，追光打在她的身上，她面对着脚下黑压压的观众，慢慢抬起脸，深情地望着半空，一字一句地念：

"我们是新一代的青年，要用自己的眼睛去看世界……"

"可妈妈是爱你。"

“卢梭是怎么说的？”林蓓一拧身，伸着脖子冲“老太太”嚷，“你要那么多东西干吗？你把它搁哪儿？”

“老太太”噌地站起来，回嚷：“布里南是怎么说的？‘结婚的美妙之处在于它能使一个人独处时也不感到孤独。’斯特里马特怎么说的？‘草地开满鲜花，可牛群来到这里发现的只是饲料。’”

“塞万提斯怎么说的？‘我从不把鼻子插到别人的稀粥里，因为那不是我的麻酱花卷儿。’罗兰怎么说的？‘自从她的体重达到140磅那天起，一个女人生涯的主要刺激就在于发现比她更胖的女人。’”

“毛主席怎么说的？‘莫怕莫怕——有我哪！’”

“一个背老太太过河的小伙子怎么说的？‘您舒服了，我可什么都看不见了。’”

台下掌声一潮高过一潮，甚至演员念完了台词也仍有那么几个人拼命鼓掌、喝彩，“妈妈”被掌声鼓得惶惶的，悄悄问“女儿”：

“这两天有地震预报吗？”

“听说中国女排又赢球了。”

四

天气越来越热了，强烈的阳光劲射每条马路、街角，繁茂起来的街树在热风中摇曳翻滚，绿得刺目，已经有人穿着短裤汗衫上街了，蝉鸣终日不绝于耳。

“三T”公司办公室里，敞开的窗户吹进来的热风使每张办公桌上都落满灰尘，人们淌着汗把胳膊肘压在桌子上相互交谈。

“您说怎么办呀？我爱她她不爱我，可她明明该爱我因为我值得爱她却死活也明白不过来这个道理说什么全不管用现在的人怎么都这样男的不干活女的不让喇。”

“不破不立，破字当头，立也就在其中了。”

“我们不能派人去打那个不让你调走的领导的儿子，那不像话，我们是体面人。我建议您还是去找领导好好谈谈，到他家去，耐心地、和颜悦色地谈谈。不要拎点心匣子，那太俗气也不一定管事，带着铺盖卷去，像去自己家一样，吃饭跟着吃，睡觉跟着睡，像戏里的那样：‘在沙家浜扎下来了。’”

“你还是去交通队一趟，警察说什么你就听着，别自尊心那么强，就当你还小，你爸爸骂你一顿。替他们想想，马路上一天天站着，除了电线杆子再没第三个这么倒霉的，钱也不多挣，再不让人家得词训训人也太不人道了。他训够你自然就把自行车还你了，毕竟是维持秩序不是盗车团伙。”

“实事求是讲，人民生活水平是提高了，过去您没觉着肉贵那是因为过去您压根不怎么吃肉，割两毛钱肥膘就全家包饺子了。要是肉价还是前两年那价，国家就是把全国变成大猪圈也不够您狠吃的。”

“您瞅着您媳妇就晕那就去吃些丸药‘六味地黄’‘金匮肾气’‘龟龄集’之类的抵挡一阵，再不成就晚上熬粥时给你媳妇那碗里放点安眠药让她吃饱了就犯困看唐老鸭也睁不开眼不洗脚就想上床没心思干别的最多打打呼噜不至于危及您下半生健康。”

“不要过早上床熬得不行了再去睡内裤要宽松买俩铁球一手攥一个黎明即起跑上十公里室内不要挂电影明星画片意念刚开始飘忽就去想河马想刘英俊实在不由自主就当自己是在老山前线一人坚守阵地守得住光荣守不住也光荣。”

“是的是的，爱情和婚姻是两码事，一是一二是二——你怎么不长得一是一二是二？噢对不起我走神了想到别的方面去了实在对不起您千万别生气……您接着说吧。”

“我不生气，我一点也没生气的意思。”王明水望着满面倦容的于观宽容地说，“没关系。”

“您接着说吧。”于观用铅笔在纸上乱画着圆圈，“爱情和婚姻不是一码事，完了呢？”

“我看我还是简单点说吧，我够了，不想再自欺欺人了，我跟她——吹了。”

“和谁吹了？”

“当然是那个想和我结婚的姑娘。这没什么了不起，谈一阵又吹了。”

“是没什么了不起，吹就吹吧。”

“你没听懂我的话。我是说我和她吹了可我还没告诉她，我不想伤害她，至少不想亲自伤害她。我不知道该说什么，这种场合怎么做才得体，可我想你们行，你们不是专干这个的吗？都油了。”

“交给我们办吧，我们会给您编出一套冠冕堂皇的说辞。”

“太感谢了，你们可算救了我的驾，我会给你们用左右手各写一封感谢信的。你们要让她理智地接受现实，最好是快乐的，别让她哭，我最见不得女人掉泪。”

“这个恐怕我无法打保票。”

“是啊，我也觉得这是奢望。这样吧，哭可以，愿意掉泪就让她掉几滴，但不要让她哭得背过去，在大街上引起围观，这样影响不好。你们多陪陪她等她情绪平稳下来再撒手。你不知道她多爱我，要是听到我不跟她好的消息那无疑是晴天霹雳，搞不好会出人命的。”

“我们是按熟练工种五级工的工资标准计费，不足半天按半天收费，超过八小时要收加班费，另外误餐补助和夜班费一律按国家现行规定，公出乘车实报实销。”

“没问题，我如数付钱。需要几天你们就工作几天，她总不会一辈子想不开。”

“顺便问一句，你和她的关系发展到了什么程度，有没有，嗯，横的关系？”

“我不能骗您，我不能说没有，希望没和您的道德观冲突。其实这不重要不碍事很流行她不会在乎这点的她是个好姑娘只知奉献不知索取……”

“把她的名字、电话号码告诉我。”

“你们见过她，实际上我有一次约会没空就是拜托贵公司代劳的。她叫刘美萍，卖手绢的。”

“等等，您该不是那个什么屁眼保养方面的行家吧？”

“我对您这种措辞很遗憾。”

“我怎么总也写不好，笔一落到纸上脑子就空了。”林蓓回头盯着笑眯眯望着她的宝康，在街上倒退着走，“写作有什么窍门吗？”

“舍得自己。”

“喂，于观不在，出去了。”马青拿起电话粗声粗气地喊。

“去哪儿啦？”

“你是谁？问得这么仔细。”

“你别管我是谁，告诉我他去哪儿啦？”

“去你妈的吧！”马青摔下电话。

“我们都是为别人活着的对不？”于观手揣在两边裤兜，在大街上边走边问比他矮半头的刘美萍。风吹乱了他们的头发，街上到处走动着打着鲜艳阳伞的漂亮女孩子。

“是的，我们都是为别人活着。”

“别人的幸福就是我们的幸福。”

“是的，都这么说。”

“要是为了别人幸福需要我们忍受不幸，我们也在所不辞。”

“在所不辞。”

“真这么想？”

“真的。从小我就发誓不管让我去做刘胡兰还是花木兰我都义无反顾。”

“比她们二位逊色点的呢？”

“也干！”

“现在有这么个机会，一个人需要你，需要你给他幸福。”

“谁？他要买手绢？”

“不不，不是买手绢，我当然知道你服务态度一向是很好的，待客如亲人，不是买手绢，是别的。他需要你的帮助，唯有你的帮助他才能免遭痛苦，获得新生。”

“我有这么有用吗？”

“你比你想的要有用得多。你不但善良而且仁慈，总是替别人考虑得多，心中没有自己只有别人。”

“说吧，叫我干什么，我什么都肯干。上刀山，下油锅……”

“很简单，你什么都不用干，只要你什么都不干，不要再去找他就齐活儿。”

“你说的是……”刘美萍声音颤抖了。

“没错，我说的就是王明水。他委托我来对你讲，他不想再见你了，也希望你不要再去找他。”

"你不是开玩笑吧？"

"不是，我没心思开玩笑。能办到吗？"

刘美萍脸色苍白，倏地转身快步离去。于观疾步赶上和她并排：

"你最好别去他家找他。"

"……"

"你最好别去他家找他。"

"我不去他家！"刘美萍停住脚，一副尖嘴小兽的神情，"行了吧？"

"别激动，这不算什么。"

"我没激动，我知道这不算什么，用不着你来说三道四，我要走了我还有事，请让开——请让开！"

刘美萍笔直地向前走去，于观走上旁边一家水果店的台阶，看着她消失在熙熙攘攘的人群中，走进水果店。他在水果店里浏览了一圈镜子、日光灯下的五颜六色的水果，出来慢慢往前走。太阳很毒，迎面而来和从后面擦肩而过的少女们的阳伞边不时杵着他。他走过一家橱窗摆着家用电器和穿呢大衣的塑料模特儿的自选百货商场；走过一家陈列着形形色色杂志的邮局报刊门市部；走过一家餐馆一家照相馆一家鞋帽店一直走到街口在拐角一家冷饮店的玻璃窗外看见刘美萍正坐在湿漉漉的桌旁边喝酸奶边哭。

他走进潮湿的冷饮店，也要了瓶酸奶，在刘美萍桌旁坐下，不喝，看着窗外川流的行人和车辆，茶色玻璃使阳光褪色，外面就像阴天。两个穿裙子的姑娘手挽手走过，在窗前站住往里看，说着什么走开；一个低头走路的男人蹭着玻璃窗走过，抬头往里瞟了一眼。刘美萍已不再哭，手扶吸管吮着酸奶，眼睛不看他。

"我有点卑鄙是吗？男人都卑鄙。"

刘美萍闭了闭眼睛，仍在喝酸奶，跷起二郎腿。

“你知道我不是出于什么好心、同情、怜悯等等，只是在尽职责。”

“我又没怪罪你。”刘美萍小声说，“这里也没你的责任。”

“我倒是诚心诚意想使你好过点——有点痛苦是吗？”

“怎么会不呢？”

“别痛苦。”

“你说得倒轻巧。”刘美萍扑哧一笑，随即嘴角一咧，要哭，“事儿又没碰到你身上。”

“那就痛苦一会儿，不过时间别太长。一小时够吗？”

刘美萍哭着笑起来，“不够。”

“一个半小时？一个小时四十五分钟？一场电影的时间总够了吧？”

“人家心里难受着呢，你还说笑话，真不称职，你应该安慰我。”

“那就再喝瓶酸奶。”于观把自己买的那瓶酸奶推给刘美萍，“你一难受就要去吃东西吗？”

“你怎么知道？”刘美萍咬着吸管看于观，“要不去干吗？总不能去死。”

“说得对，好好活着，气气他们。”于观微微地笑。

“刚才是谁接的我的电话？”一个腰板笔直的穿着摘去领章的军装的老头子气势汹汹地闯进“三T”公司办公室，“居然敢骂人，他娘的。”

“怎么回事？”马青装傻充愣地说，“您老别动气，有什么事坐下慢慢说。”

“我不坐！”老头子咆哮着，“别来这套！刚才哪个骂的站出来，说说为什么骂人。”

“他，他已经出去了，刚才接电话那个人出去了。”马青赔着笑脸说，“您要办什么事我给您办。”

“出去了？我听声音就像你！”

“不不，不是我，我刚来。”马青脸上出了汗。

“的确不是他，他刚来。”杨重连忙帮腔，给老头搬来一把椅子，“那人回来我们批评他。”

“于观呢？”老头叉着腿笔直着腰坐下，“他小子去哪儿了？你们把他找来。”

“于经理？”杨重和马青交换了一下眼色，“他也出去了，您有事跟我们说吧。”

“跟你们说？”老头子横眼上下打量杨重和马青，“好哇，那就让你们说说，他这阵子都在搞些什么鬼名堂？和什么人混在一起？是不是又让公安局盯上了？吓得连家都不敢回。”

“于经理他没有，他挺好，谁也没盯他，倒是常听夸他，说他净办好事。”

“我就知道你们会互相包庇，你们是一伙的对不对？一伙骗子！我早听人家传你们这个荒唐公司的事。笑话，要你们替人解难，那还要共产党干吗？于观回来马上让他去见我。”

“你是哪庙的和尚……”

“我是他爸爸！”

于观和刘美萍头挨头地兴致勃勃俯身观看长长的玻璃展柜里的裹在树脂里的蜘蛛和已成化石的甲壳虫。他们身处富丽堂皇、四壁挂满彩绘图表和实物照片的博物馆大厅内。大厅里空空荡荡，游人寥寥，光可鉴人的水磨石地面几乎可以滑行。顺墙排列的玻璃展柜里密密麻麻摆着各色矿产，在灯光的照耀下，那些粗糙黯泽的岩石断面闪烁着星星点点鲜艳非凡的异彩，特别是有些共生矿的样品真可说是五彩斑斓。于观和刘美萍缓缓走过一间又一间似无尽头的展室，忽而进入由彩色泡沫塑料别具匠心地浇注堆塑的原始地貌植被天穹的逼真环境中；忽而在拐弯处迎面而遇一尊栩栩如生的凶猛古动物模型；忽而身后左右布满舞棍弄棒、龇牙咧嘴的光腚猿人。在博物馆三层最后一间展室内，他们一进去便呆住了——仿佛置身梦中：雪亮的电灯光下，竖起的四壁玻璃柜内有无数精致美丽的钻石光芒四射、耀煌夺目，其灿烂辉煌无与伦比。这都是世界最著名的钻石，每块钻石都有一个令人神魂颠倒的名字，那真是个惊心动魄的场面——唯有美丽的赝品才会达到使人透不过气来的效果。

“别回头。”宝康对林蓓低声说。他们正站在一家糖果店的橱窗前看琳琅的酒芯巧克力和奶油蛋糕，从橱窗玻璃的反光看到于观和刘美萍从他们背后走过。

“那不是于观？”

“你别叫他，我不想让他看到咱们，还得打招呼——我烦他。”

“你不是说过你喜欢和他们在一起？”

“那是恭维他。我现在不想理他理他没用。”

两个人转过身。于观已经走过去。

“我说什么来着，无聊的下一步就意味着堕落。”

“噢，于观，你回来了。”杨重抬头看到于观进来大声说，“刚才你没瞧见我们这儿大闹了一场。你爸爸来了，马青和他干了一架。”

“于观，你爸怎么这操行？”马青走过来说，“豹子似的逮谁咬谁。”

“进来吧。”于观回头说，刘美萍怯怯生生地走进办公室。

“你好马青，你好杨重。”

“你来了，快坐，杨重给人家倒水。”马青热情地拉开一把椅子让刘美萍坐下。杨重殷勤地端来一杯水。

“我不渴。”

“喝吧，我们都不喝茶，只有白开水。”

“谢谢。”

“那么客气干吗？到这屋你就算到家了，这屋里的全是你的老朋友。于观，你爸大概恨透我了。”

“别理他，他就那么个狗脾气。”于观走到自己办公桌后坐下，“你这辈子别跟他见面了，在家我们也很少理他。”

“哟，怎么哭了？”杨重弯腰看刘美萍的脸，“马青你又胡说什么惹了人家。”

“我没哭。”刘美萍抬起挂着泪痕的脸，“我没事。”

于观、马青都围到她身边哄她。

“别听马青的，他整个一个不可救药的口腔痢疾患者。”

“是是，我口臭，我那臭胳肢窝长嘴上了——我说什么了？”

“真的没事，他说的是好话，我只不过是自个儿忽然心酸了。”

“你还是回趟家吧。”杨重对于观说，“你爸可能找你有事。”

“我不回去，他没什么正经事，无非闲得嘴痒成心起腻找我逗逗咳嗽。”

“你还是回趟家吧。”马青说，“要不你爸还不定认为我们怎么黑着你呢。”

于观板着脸进了家门，进到客厅脱鞋换拖鞋，接着挨个解衬衣扣子，一声不吭，横眼瞧着摊手摊脚坐在沙发上微笑着的老头子，然后猛地脱下衬衣，穿着小背心去卫生间拧开水龙头哗哗地洗，片刻，拿着大毛巾回到客厅用力地擦，继续用眼瞧着老头子。

“瞧我干什么？嫌你爸爸给你丢人了？”

“没有，您给我长脸了，这下谁都知道我有个底气十足的爸爸了。”于观把大毛巾扔到沙发扶手上，打开电扇站在跟前吹，“我可算知道您为什么练气功了。”

“小心感冒——你那些狐朋狗友告我的状了？”老头子站起来，满意地围着房间踱起步，“其实我对他们很客气。”

于观鼻子哼了一声，没说话。

“我是关心你。我怎么不去管大街上那些野小子在干吗？谁让你是我儿子的。”

“所以呀，我也没说别的，要是换个人给我来这么一下，我非抽歪了他的嘴。”

“你瞧瞧你，照照自己，那副玩世不恭的样儿，哪还有点新一代青年的味道？”

“炖得不到火候。”于观关了电扇转身走，“葱没搁姜也没搁。”

“回来！”老头子伸手挡住于观去路，仰头看着高大的儿子，“坐下，我要跟你谈谈。”

于观一屁股坐在沙发上，抄起一本《中国老年》杂志乱翻着：“今儿麻将桌人不齐？”

“严肃点。”老头子挨着儿子坐下，“我要了解了解你的思想，你每天都在干什么？”

“吃、喝、说话儿、睡觉，和你一样。”

“不许你用这种无赖腔调跟我说话！我现在很为你担心，你也老大不小了，就这么一天天晃荡下去？该想想将来了，该想想怎么能多为人民做些有益的事。”

于观看着一本正经的老头子笑起来。

“你笑什么？”老头子涨红脸，“难道说得不对？”

“对，我没说不对，我在笑我自个儿。”

“没说不对？我从你的眼睛里就能看出你对我说的这番话不以为然。难道现在就没什么能打动你的？前两天我听了一个报告，老山前线英模团讲他们的英雄事迹。我听了很感动，眼睛瞎了还在顽强战斗，都是比你还年轻的青年人，对比人家你就不惭愧？”

“惭愧。”

“不感动？”

“感动。”

“我们这些老头子都流了泪。”

“我也流了泪。”

“唉——”老头子长叹一声站起来，“真拿你没办法，我怎么养了你这么个寡廉鲜耻的儿子？”

“那你叫我说什么呀？”于观也站起来，“非得让我说自个儿是混蛋、寄生虫？我怎么就那么不顺你的眼？我也没去杀人放火、上街游行，我乖乖的招谁惹谁了？非得绷着块儿坚挺昂扬的样子才算好孩子？我不就庸俗点吗？”

“看来你是不打算和我坦率交换思想了。”

“我给您做顿饭吧，我最近学了几手西餐。”

“不不，不吃西餐，西餐的肉都是生的，不好嚼。还是吃咱们的家乡菜砂锅丸子，家里有豆腐、油菜、黄瓜和蘑菇。”

“这些菜应该分开各炒各的。”

“不不，我看还是炖在一起好营养也跑不了。”

“不是一个味。”

“哪有什么别的味，最后还不都是味精味。”

“到底是你做我做？”

“你才吃几碗干饭？知道什么好吃？”

“得，依你，谁让我得管你叫爸爸呢。”

于观懒懒地站起来，去厨房洗菜切肉。老头子打开袖珍半导体收音机，调出一个热闹的戏曲台，戴上花镜，拿起《中国老年》仔细地看。于观系着围裙挽着袖子胳膊和手上湿淋淋地闯进来问：

“您就一点不帮我干干？”

“没看我忙得很？”老头子从眼镜后面露出眼睛瞪于观一眼，“我刚坐下来你就让我安静会儿。”

“没活你也不忙，有活你就马上开始忙。你怎么变得这么好吃懒做，我记得你也是苦出身，小时候讨饭让地主的狗咬过，好久没掀裤腿给别人看了吧？”

“你怎么长这么大的？我好吃懒做怎么把你养得这么胖？”

“人民养育的，人民把钱发给你让你培养革命后代。”

“你忘了小时候我怎么给你把尿的？”

“……”

“没词了吧？”老头子洋洋得意地说，“别跟老人比这比那的，你才会走路几天？”

“这话得这么说，咱们谁管谁叫爸爸？你要叫我爸爸我也给你把尿。”

五

于观老丫的：

老子等你好几天了想让你再带我找个好玩的地方去玩可你老不来害得我白等妈拉个巴子现在老子去上班了下班回来收拾你。

“这是谁留的条子？”于观笑着说，“太野了。”

“刘美萍呗。”杨重笑着说，“这姑娘这几天跟长在这儿似的，天天来。你上次带她去什么圣地了？招得她念念不忘。”

“马青。”于观扭头对马青说，“我一看就知道你这几天没少熏陶刘美萍，把你那身武艺都传给她了。”

“没有没有。”马青从看着的小说中抬起头，“我这几天跟她说的都是新华字典上的词儿。”

“你这反革命口淫犯能闲着？”

“他？”杨重笑着说，“他要拉出的是金子银子倒奇了。”

“这两天还有谁来过？”

“老赵老来，一来就坐半天。我们跟他也没话，就听他吹，吹得没劲了也不走，干坐着，那么大岁数我们也不好意思轰他，才尴呢。”

“他干吗摽上咱们？”

“谁知道，是不是觉得咱们特需要他？”

“再来我叫警察把他拘起来。”马青说，“太烦了，我妈什么时候给我生过这么一个哥……”

“啊，三位，好啊？今儿都在。”赵尧舜儒者风度地进来，笑呵呵地和大家打招呼。

屋内三个人都不说话了，散开各回各桌。赵尧舜走到于观桌旁坐下，打开纸折扇扇着：

“于观，这几天怎么没来呀？”

于观看着他“哎”了一声，没说什么。

“小马，给我来杯水。”赵尧舜回头说道，“你们今天很清闲。”

“下午我们要参加一个追悼会。”

马青把一杯白开水放到赵尧舜面前，走开回到自己桌后往这边看。

“谁死了？”

“一个不会水的孩子。”

“噢，这样的人也要开追悼会吗？看来你们每天的工作确实没有什么意思。”

“的确没意思。”

“这不奇怪。像你们这种年轻人，没受过什么教育，不可能再有什么发展，在社会上备受人歧视，内心很痛苦，但又只好如此，强颜欢笑。”

于观慢慢点着一根烟，抬脸凝视赵尧舜。

赵尧舜诚恳地望着于观：“这不公平，社会应该为你们再创造更好的条件。我要大声疾呼，让全社会都来关心你们。我已经不是青年了，但我身上仍流动着热血，仍爱激动，这些，我一想到你、马青、杨重这些可爱的青年，我就不能自已，就睡不着觉。”

“你说我们内心痛苦？”

“当然，这太明显不过了，你不说我也能感觉到。”

“要是我们内心并不痛苦呢？”

“这不可能——这不合逻辑，你们应该痛苦，干吗不痛苦？痛苦才有救。”

“那我告诉你，我们不痛苦。”

“真的？”

“真的。”

“那只能让我感到可悲，那只能说明你们麻木不仁到了何等程度。这不是苏生而是沉沦！你们应该哭你们自己。”

“可我们不哭，我们乐着呢。”

“无产者挣脱的只是锁链……”

“听着，我们可以忍受种种不便并安适自得，因为我们知道没有完美无缺的玩意儿，哪儿都一样。我们对别人没有任何要求，就是我们生活有不如意我们也不想怪别人，实际上也怪不着别人，何况我们并没有觉得受了亏待愤世嫉俗无由而来。达则兼济天下，穷则独善其身。既然不足以成事我们宁愿安静地等到地老天荒。你知道要是讨厌一个人怎么能不失礼貌地请他走开吗？”

“最好是不说话，表示你已对他失去兴趣。”

“……”

“那我走了。”

“我想打人，我他妈真想打人。”赵尧舜退出后，马青从桌后跳出来，撸胳膊挽袖子眼睛闪着狂热的光芒说。

“我也想打，想痛打一个什么人。”杨重双手握着拳哆嗦着说，“要不是我不停地对自己说你打人得进公安局付医药费特别是上了岁数的人弄不好要养他一辈子就像无端又多出一个爹我早冲上去了。”

“可我实在想打，我顾不了那么多不想想办法我只好和你们俩对打。”

“好吧，这样吧。”于观猛地站起，握着双拳往外走，“我们就到街上去，找那些穿着体面、白白胖胖的绅士挑挑衅。”

“真舒服，真舒服，老没这么干了。”

马青、杨重摩拳擦掌、一脸兴奋地跳跃着跟在后面。

街上，三个人肆意冲撞着那些头发整齐、裤线笔挺、郁郁寡欢的中年人，撞过去便一齐回头盯着对方，只等对方稍一抱怨便预备围上去朝脸打，可那些腰身已粗的中年人无一例外地毫无反应，他们只一眼便明了自己的处境，高傲地仰起头，面无表情地变线走开。如此含忍不露彼此差不多的表现使三人更有屡屡得手所向披靡的良好感觉。

马青兴冲冲地走到了前面，对行人晃着拳头叫唤着："谁他妈敢惹我？谁他妈敢惹我？"

一个五大三粗、穿着工作服的汉子走近他，低声说："我敢惹你。"

马青愣了一下，打量了一下这个铁塔般的小伙子，四顾地说：

"那他妈谁敢惹咱俩？"

街的另一端，赵尧舜失神地漫无目的地走着，他走过一个街头电话亭又折了回来，在街边一个卖烟酒的小铺里换了一大把硬币，紧紧攥在手里，走进电话亭，仔细掩好门。他喘匀了气，摘下话机，塞入硬币，把其余硬币装进裤袋，开始拨号，电话通了，他拿正话筒，紧贴着耳朵，听到里面有人说："喂？"便严肃地说："去你妈，去你妈去你妈！"

宝康在家里拿着话筒涨红脸大声骂："去你妈！"

林蓓惊诧地从桌前回过头："你在骂谁？"

"去你舅舅，去你姥姥，去你们家祖宗八代！"

宝康的脖子像阳具般勃起怒张，"啪"地摔下电话，激动不已地在屋里大步来回走着：

"卑鄙！话都不说上来就开骂，以为憋着嗓子我听不出是你马青狗日的。"

赵尧舜翻着电话号码本认真查看搜捡，掏出硬币塞进投币孔，沉着地拨号。

"喂？"一个苍老庄重的声音说。

“去你妈！”

“我们的祖国是花园，花园里花朵真鲜艳，和暖的阳光照耀着我们，每个人脸上都笑开颜，娃哈哈，娃哈哈，每个人脸上都笑开颜。”

“这女子好音道。”

在大柱簇立的古式大殿里，乐队奏着欢快的舞曲歌手在纵情唱，衣着华丽的人们陀螺般地对对旋转着，舞会已进入高潮。于观、马青、杨重、刘美萍一进入舞场便被这热烈的气氛感染了，杨重拉起刘美萍，于观和马青各自拽起一个坐着观看的姑娘加入了人群的涡流。在大圈巡回中，他们遇到了也在旋转的宝康和林蓓，看到了和一个陌生年轻姑娘坐在角落安详地观舞的丁小鲁，在演奏台的旁边他们还看到了瞪眼望着人群的赵尧舜。

再次从丁小鲁面前舞过时，她看到了他们，笑着招手，冲于观喊：“行嘞，惨不忍睹。”

于观笑着松开舞伴，走出场子，杨重也跟着走出来，刘美萍立刻让别人接走，马青也继续随着人流边舞边转远去，“好久没见，你都上哪儿啦？”

“我天天都在家待着，别说上哪儿都找不着我。”丁小鲁笑着说，“杨重你好，你请我们这位小姐跳一圈。”

“请吧。”杨重牵起丁小鲁身边那个姑娘的手，搭膀扶腰舞走。

“哎哟哟我累坏了。”舞了一圈回来的刘美萍汗津津地拿手绢扇着风下了场，在于观身边还未坐稳又让人请走了。

“看见林蓓了吗？她也来了和那个宝康。他们快结婚了。”

“她没跟我们说。到底修成了正果。”

“她有点怕你们。”

“我们有什么可怕的？你还不知道我们是怎么回事？”

“我是不怕你们，可不了解你们的人就觉得你们形象狰狞。”

“小鲁。”林蓓脸通红地一个人沿着舞场边走过来，“你怎么不跳？噢，于观你好，好久不见。”

“听说你快结婚了？”

“啊，就那么回事吧，结结看，不成就离。”

“别那么回事呀，这是人生大事。”于观笑眯眯地说，“人家说自杀的办法有一百种，其中一种就是和作家结婚。”

“是吗？”林蓓笑弯了腰，“你说得真逗。”

“屁！屁！”马青指着林蓓笑叫着，从她们面前舞过。

“讨厌。”林蓓白了已远远而去的马青一眼，回头甜笑着。她穿了一件印着个大大“P”字的棉织圆领衫。

“哎，杨重，你别坐下。”丁小鲁走开叫住刚下场的杨重，领他到一个枯坐着的姑娘面前，“你再请我们这小姐跳一圈。”

“来吧。”杨重牵着那个姑娘的手带入场中，调整了一下步伐，急剧舞起来。

舞曲变为探戈，舞场上节奏慢下来，紧搂在一起的人们分开，小心翼翼地共同举步，哈腰蹭行。

“宝康呢？怎么不过来？”于观问林蓓。

“噢，他在那边和人说话，他碰到几个熟人。”

“你别听他们说的。”宝康和赵尧舜并排站着，注视着舞场内神采飞扬、互相大声说着话自如支配着舞伴变着步伐的马青和杨重，“这些人已经完了，他们嘴里没一句真话。”

舞曲再度变快，人们又开始集体旋转，滚滚流动。刘美萍几乎全身被一个宽胸脯的男人满把搂在怀里，刮风般地旋着，痴痴地笑着：“不不，我不是歌舞团的，但我小时候就喜欢舞蹈，因为我腿长我们单位的人都叫我仙鹤。”

“胡大，我真的不行了。”舞伴又换了一个胖姑娘的杨重竭尽全力地旋转着，满头大汗对在他身边美滋滋迈着步的马青说，“丁小鲁把全世界最重的大翠瓜都悠给了我。”

宝康笑吟吟地远远伸着手，像刚下飞机的国家元首快步走向迎接他的要人们行列那样奔向林蓓。

赵尧舜阴着脸带着一个中年妇女不时看着脚下和身后左右的人进入舞场。

所有的人都在舞，在咧嘴欢笑，人头汹涌，胳膊腿横飞，音乐已经到了震耳欲聋的程度。从人们脸上挥洒出来的汗水在灯光下形成一片蒙蒙的亮闪闪的雾，使人们的脸变得模糊不清、混沌一团，只间或有鼻子或眼睛等局部清晰、一闪即逝地显露，在这层雾的下面是成百上千疯狂扭动的身体和不停跺地的脚，交织在一起，无律杂沓地变换位置。

“我们也跳一会儿吧。”于观张开双臂。

丁小鲁站起来，拉拉衣襟，搭上于观：“我只能跳我们最熟的——慢四。”

两人沿着舞场边缘缓缓游动。

夜里，于观家，老头子半睡半醒地调着袖珍半导体收音机，调着寻找台，每个台的播音员都在说：“这次节目播送完了……”

（原载《收获》1987 年第 6 期）

一点儿正经没有

——《顽主》续篇

一

“你说，”我问安佳，“如果一个人吃饱了饭没事干，他怎么消磨时间最好？”

“睡觉。”

“睡过了呢？已经睡得不能再睡了？”

“他有没有别的本事？譬如治理国家、弹棉花、腌制猪头等等。”

“没有，一概没有，四体不勤，五谷不分。”

“他是不是很有追求？”

“追求得一塌糊涂。”

“他认多少字？”

“加上错别字有那么三五千吧。”

“那就当作家吧。”安佳平静地望着我，“既然他什么也干不了又不甘混同于一般老百姓。”

“也只好这样了。”我赞同道，“看来确实别无选择。”

“那就当吧。”

“当吧。”我站起来，走到大衣柜的镜子前怜惜地看着自己，“瞧瞧你都成了什么样子。”

“我问你。”安佳也站起来，走到镜子前仔细地瞅瞅镜子里的我，问道，“如果一个人两手攥空拳，无财无势无德无貌，他怎么才能一夜之间小家乍富平步青云摇身一变什么的……”

“去偷去抢去倒腾国家嫁大款什么的。”

“既没偷抢的胆儿又没做生意的手腕还阳痿。”

“脸厚不厚？心黑不黑？”

“厚而无形，黑而无色。”

“那就当作家，他这条件简直就是个天生的作家坯子。”

“那你还犹豫什么？”

“不犹豫了，下决心了，干！蒙谁不是蒙？”

“对，就得有这种一条道走到黑的勇气。”

“唉——”我叹道，抚摸着自己的脸颊，“我这人吃亏就吃亏在太善良，干了缺德事就睡不好觉，老在梦里哭醒，怕遭报应，下地狱。”

“没关系，作家也不光你一个，下地狱你们也有伴儿。”

“有没有什么办法能作家也当了地狱又不下？”

“不下是不可能的，弄好了也许能楼层住得高点。”

“我要写了，喂，我要写啦！”

正叠被扫地洗衣服热奶喂孩子吃饭的安佳一头蓬乱地回过头来看我。我坐在舒适的椅子上悠闲地抽着烟，桌前放着一本稿纸和一把五花八门的钢笔圆珠笔铅笔和毛笔。

“我要写啦。”我笑眯眯地说。

“写吧。”安佳看着我说，“你脸也洗了手也净了屎也拉了连我的早饭都一起吃了抽着烟喝着茶嘬着牙花子你还有什么不合适的？”

“我还没吃药呢。”

“……有这个讲究吗？”

“当然，写作是要用脑的，没药催着脑袋不是越写越小就是越写越大，总而言之是要变形。”

“咱家有我吃的阿司匹林胃得乐扣子吃的速效伤风胶囊红霉素另外还有你小时候用剩的大脑炎预防针牛痘疫苗你是吃啊还是打啊？”

“也打也吃。我不在乎形式,问题是这些药补吗？我不太懂药。是不是搞点中药吃，据说中药一般都补。”

“这样吧，我这儿还有点乌鸡白凤丸你先吃着，下午我再出去给你扒点树皮挖点草根熬汤喝。”

“那就拜托了。”

安佳乱翻一阵抽屉找出一盒丸药：“吃几粒？”

“只管大剂量服下，补嘛，就得强力补。”

我吞丸子、喝水、伸直脖子、闭眼、痉挛，继而喘息不已眼泪汪汪劫后余生般欣慰地笑。

“感觉如何？”

“果然爽快了一些。”

“那就趁着劲儿没过写吧。”

“你是不是把屋里灰再擦一遍，被子也叠得方正点，尿布什么的晾得离我远点，这样，我心情也愉快点。”

“可以。”

安佳迅速把屋里归置了一遍，使一切井井有条，一尘不染。

“还有什么要求吗？”

“我写什么呀？”

扣子坐在小推车里闹了起来。手指着自己吃了一半的稀粥咿咿呀呀叫着，手扶着车栏使劲往起站，一次又一次跌坐回去，弄出很大声响。

“不许闹！”我呵斥她，“无知的样子，除了吃就知道吃，哪儿有点书香门第小姐的感觉。”

“扣子不闹。”安佳过去哄孩子，“你爸给你办大事呢。妈得保他，他混好了，咱们都成吃干饭的了，忍耐一下。”

要不说穷人的孩子懂事早呢，安佳一席话，扣子便安静下来，乖乖地坐着，一副顾全大局的样子。

“写什么不知道？”安佳捋捋头发，在我旁边坐下，看着我，“就写你最熟悉的吧。”

“我熟悉的就是三个饱两个倒吊膀子搓麻将。”

“那不是挺好的嘛，当反面教材。”

“可社会责任感呢？哪里去了？我是作家了，我得比别人高，教别人好，人民都看着我呢。”

“依着你，教点人民什么好呢？怎么过日子？这不用教吧？”

“得教！告诉人民光自个儿日子过好了不算本事，让政府的日子好过了那才是好样儿的。譬如吧，政府揭不开锅了你一天三顿赞助出一顿行不行？街上有坏人政府的警察管不过来你舍身取义成不成？得跟人民讲清楚，现在当务之急是让政府把日子过下去。你想啊，两亿多文盲，五千多万残疾人……容易吗？大家伸把手……”

“不会让人民得出政府累赘的感觉吧？”

“哟，这我倒没想到。”

“瞧瞧，我不提醒你你又要犯错误了。”

“就是就是。”

“想帮政府分忧，用心是好的。但帮忙也要策略，谁没有点自尊心？说出去也是个响当当的共和国，不能拿人家当叫花子打发，咱人民脸上也没光啊，还是多从自豪骄傲什么的入手。”

“你是说写古代？”

“我看可以，写古代人民的改革创业，劳动爱情。”

我扬起脸怔了一会儿，抽了口烟：“现在这国家是哪年成立的来着？”

“一九四九年吧。”安佳说。

“一九四九年以前是谁？”

“好像是台湾那帮人。”

“这帮人不能写。”我深明大义地说，“写也不能夸他们。再往前呢？”

“再往前好像是一帮梳辫子穿马褂的。”

“对对，我想起来了，那帮人的头儿是老娘们儿，跟咱好像还不是一族。外国人不能写。”

“再往前我也弄不清了，好像全剩下书生小姐皇后驸马黑头白脸什么的，话说的跟咱现在都不是一个味儿，动不动还爱甩袖子踡靴子唱两嗓子。”

“我看咱还是回来吧。”我说，“古代净是有钱人，咱从来猜不透有钱人的心。”

“非得教人民学好吗？”片刻，安佳打破沉默问。

“非得！”我说，“我是铁了心要宣传人民教育人民鼓舞人民，叫他们都别管自个儿积德行善这辈子倒霉下辈子享福。”

“你这是不是有点玩世不恭？”

“那我不这么着又怎么着啊？仔细想啊，要不号召大家奉献，让自个儿甘心吃亏蔚然成风，我怎么占便宜？”

“政府说过这话吗？别忘了政府可是为人民的。”

“当然，要不我们作家干吗？就是让我们把那一说就炸一说就翻脸的话拐弯抹角柔声细语地对人民呢喃着。”

“敢情这跟文学没什么关系。”

“文学？什么文学？野生的还是人工栽培的？多少钱一斤？”

“连文学都不知道。你不是要当作家吗？”

“我是要当作家，当作家和文学有什么相干？你真该好好学习了。”

“我又不当作家我学那干吗？”安佳站起来，走回扣子身边，继续给她喂已经凉了的粥，“不管你了，你爱怎么写就怎么写吧。”

“这个问题不弄清我没法写。”我终于给自己找了充足的理由离开书桌，一边看着扣子吃饭一边逗她，认真对安佳说：“糊里糊涂地动笔，费劲不说，一不留神搞成文学那才后悔莫及。”

晚饭后，太阳已经落下，天仍然很亮，院里马路上都是摇着扇子散步的男女。

吴胖子站在他家阳台上，一边抽烟一边拿着一架儿童望远镜四下瞭望。

他的镜头内先是一个少女又说又笑的娇嫩脸庞，接着是一个皮肉松弛的老头子……一群腿跨在自行车梁上双肘俯在把上头凑在一起抽着烟聊天的半大小子……两个对脸站着推着儿童车的少妇，然后，我的脸被他的镜头捕捉住了——那是一张深沉的脸，双唇紧闭，额发凌乱，两眼茫然，眉宇似有无限心事。走走停停，寻寻觅觅。

吴胖子转身回屋，迅速地倒了杯凉水，奔回阳台。此时，我已经走到了阳台下，他稳稳地瞄准我将杯里的水倒下。

我蓦地停住，悲愤地仰起头，吴胖子在他家阳台笑得前仰后合。

“你这同志怎么这么没公德？你是谁家的孩子？”我在下面指责他。

他只是咧着大嘴呵呵笑，一边招手：“上来，你上来。”

我抖了抖身上的水，拐弯往楼后门里走，正碰见拎着竹椅出去乘凉的吴胖子他妈。老太太一见我愣了一下，瞅天：“怎么，落雨了？”

“嗯，落了几个雨点，全叫我赶上了。”

我上楼，吴胖子家门没锁，推开进去，吴胖子还在阳台上瞭望着呢。

“又看什么呢？”我穿过房间走上阳台，“天这么亮，打立杆的都还没到位呢。”

“不是，我发觉你们怎么一个个都那么深沉，遭了雹子似的。”吴胖子放下望远镜笑着对我说。

“今儿除了我还有深沉的？”

“你看哪。”吴胖子把望远镜递给我，叉着腰抽烟，指给我看对面楼上。

我举起望远镜瞄向对面一扇窗户，只见刘会元躺在床上看书，遮着脸一动不动。

“给他打一电话，叫他过来。”

吴胖子回屋拨电话，我继续看着刘会元。只见他从床上翻身坐起，走到另一间屋子接电话。

“你是刘会元吗？”我听到吴胖子拿腔拿调地说，“我是那个《婚姻与家庭》杂志的，准备采访你……”刘会元在那边换了只手拿电话。

“听说你离婚了，非常痛苦……”

刘会元抬头看见了我，我冲他招了下手，他回头飞快地对着听筒说了通话。

吴胖子在这边哈哈大笑：“不要那么粗野嘛刘会元同志。”

接着换了正常声音说：“你过来吧……有什么事啊，不就是看本破书嘛，我们这儿对你的一举一动都了解得一清二楚，快过来啊，等着你。”

吴胖子放下电话，拉开屋里的灯，打开电视，拿着遥控器选着台，在《新闻联播》节目上停住。

刘会元磨磨蹭蹭，又看了两页书，拿了盒烟，带上门出去了。

我也从阳台回到屋里，就手把望远镜扔沙发上，站在吴胖子的组合柜前挨个拉柜门拉抽屉翻看里面的物件。

“你怎么有这毛病,到人家就乱翻。”吴胖子一边看电视一边说。

我翻出一个精致的工艺打火机，拿在手里掂量着，啪啪打着火。

“这打火机怎么跟我刚丢的那个一样？”

“什么你刚丢的，这是我们哥儿们从汤加给我带回来的——搁下。”

我用这打火机点着一支烟，在吴胖子旁边坐下，“送我啦。”

“不成，我就这一个。”吴胖子探过身来抢，“我们这打火机是有意义的。”

“你这人怎么这么没劲？”我躲闪着，到底还是被吴胖子把打火机抢走。

“我送你一件衬衣吧。”吴胖子说，“小领圆摆你穿一定好看。”

“你穿过没有？”

“就穿过一次，水都没下。”

“是，你穿半年不下水，都能再揭出一件衬衫了。”

刘会元进来，进屋就说：“敢情就你们俩，我还当三缺一呢。”

“你来了不就三缺一。”吴胖子指使我，“你去到我们家对门叫一下丁小鲁。”

“这事都应该你去。”我批评吴胖子，“也是劳动人民出身，别养成指使人的毛病。”

“你说这人怎么这么斤斤计较？”吴胖子站起来，“那你们搬桌子铺毯子拿牌。”

“一点亏都不吃。”刘会元手指点着吴胖子说。

我和刘会元搬桌子摆椅子铺好毯子，把一盒麻将牌哗啦倒在桌上，从里往外拣“混儿”。

吴胖子丁小鲁一边说笑着一边进来，我们看见于观也跟着进来，便冲他点头：“噢。”

“你们打你们打。”于观又拉了张椅子坐在一边，“我给丁小鲁看着牌。”

大家坐定，码好牌，立好规矩，开始玩。

“最近干吗呢？”我打出一张“风头”，问于观，“老没见你。”

“惭愧，不值一提。”于观帮丁小鲁打出一张牌，冲我道：“说出来臊人。”

“人现在写小说了——碰！”丁小鲁忙不迭地碰出三张“白板”。

我和刘会元相视而笑。刘会元说：“咱怎么都混得这么惨啊？”

“怎么，你们几位也开始写小说了？”于观笑着说，“不至于吧？你们几个不是混得不错吗？”

“红中！我这字头没完了。”吴胖子直起腰抽了口烟，对于观说，“不行啦，生意不好做啦，你没听说吗？现在全市的闲散人员都转业进文艺界了，有嗓子的当歌星，腿脚利索的当舞星，会编瞎话的当作家。国家也是没法办，临街房都开铺子了，实在没法安置了，给政策吧。”

“咱这些人也是。”于观点头咂嘴地说，“明知道寒碜可也得干，老吃闲饭心里有愧呀。”

“唉。”我颇有同感地叹口气，“逼良为娼啊。”

“你这话我可不同意。”刘会元打出一张“九筒”，整整牌说，“再脏再累的活儿总得有人干，咱们不干就得有别的倒霉的干，你忍心吗？”

“就是就是。”大家一齐赞同道，“反正咱们也好不了，就让咱们粉身碎骨吧，能少一个青少年下水咱们也算值了。”

“别人瞧不起咱们也就算了。”刘会元激动地对我说，“咱们不怨命，怪咱自个儿，谁让咱小时候没好好念书呢，现在当作家也是活该！但咱不能自个儿瞧不起自个儿，咱虽身为下贱，但得心比天高出污泥而不染居茅厕不知臭历尽劫难兄弟在相逢一笑泯恩仇……”

“不过我就是难过。”我含着泪，泪眼婆娑地胡打出一张牌，“我从小那么有理想有志气，梦里都想着铁肩担道义长空万里行，长大了却……现实真残酷……”

我泪滴下来：“我爸要活着，知道我当了作家，非打死我。”

“你别这样。”吴胖子也红了眼圈说，“你这不是让我们兔死狐悲嘛。”

“都怨我。”我连忙拭去泪，强颜欢笑地说，“打牌打牌。咱们不说这丧气话，说高兴的，前天我上街捡了一钱包。”

“对不起，我和了。”我刚打出一“三条”，丁小鲁不好意思地慢慢把牌推了。

“你们打算怎么写？”第二圈牌时，于观抽着烟问，“我是说玩什么主义？”

“我们是准备忧国忧民的。”我代表那哥俩儿回答。

“撞车了不是！”于观说，“我们哥儿几个也是准备忧国忧民的。”

“没办法。”我拆了一对“幺鸡”说，“谁让咱跟了共产党这么多年，一夜夫妻还百日恩呢。”

“上了岁数学新派也难。”刘会元也打出一张幺鸡，“跟熟张儿吧。”

“可中国也就咱们这几个孤臣逆子了，虽九死而不悔。”我把牌按倒，“哥儿们上‘听’了啊。”

“忧国忧民难写。”于观说，“哥儿们写了七篇‘正气歌’看着都跟骂人似的。”

“可不。”刘会元盯着牌说，“倒霉事一写一串串的。都知道有病，缺的是药方子，给国家开药那可不是玩的。”

“我说你们都忧国忧民是不是单调了点？”丁小鲁打出一张“二万”，也把牌按倒，“是不是分几个人出来搞点现代派乡下嗑什么的？”

“乡下嗑我倒能唠百十万字。”刘会元也趴了牌说，“一九六八年我插过俩月队，乡下那点龌龊事听过见过也干过。”

“那你改唠乡下嗑得了。”我说，“不就是野合私奔吃不上饭下不来炕让支书操互相操那一套城里人不干的事全糊乡下人脑门子上反正乡下人也不认字。”

“乡下人不认字城里人瞧新鲜。”吴胖子也趴了牌，“故事一律发生在黄河边高土坡饶用笔操了人还得夸你有历史感。”

“都上‘听’了。”我紧张地盯着每个人打出牌，用力拎起一张牌，嘴里喊着：“自摸！”

“自摸！”所有人都喊着，满怀希望地用力摸牌。

“自摸！”刘会元“啪”地把刚摸出的一张“七条”亮在桌上，随后把自己趴着的牌立起推倒，“收钱。”

我一边交钱一边对上家的丁小鲁说：“你手也太紧了，一张牌也吃不着你的。”

“我又吃着谁的了？”丁小鲁笑着说，“下回喂你点香的。”

“谁也不指了。”我码着牌说，“永远自摸。”

“你倒是写不写乡下事？”吴胖子问刘会元，“你要不写我可写了。”

“让给你了，你不就憋着拿你爷爷奶奶开涮。”

“我不同意吴胖子写乡下事。”丁小鲁说，“他那语无伦次的劲儿不如改现代派顺茬儿。”

“你怎么就不明白呢？”刘会元对丁小鲁说，“人就好写裤裆底下的事。”

“那就单开一路吧。”于观说，“当性文学专家。”

“行啊。”吴胖子笑呵呵地说，“现代派加性文学——瞧好儿吧。”

“就剩咱俩忧国忧民了。”我冲于观笑着说，“他们都奔高枝儿了。”

“不，我也不忧国忧民了。”于观摇着手笑着说，“我‘垮掉一代’得了，整点反社会文化的，逆风千里。”

“那多不好啊，到时候我们台上戴红花你台下挨批判。”

“没关系，繁荣文艺嘛，那多热闹。到时候你们千万别客气，照死了打棍子，拿出那势不两立深恶痛绝劲儿——一打棍子我就名扬天下了。”

“数他机灵。”吴胖子说，“我们不，我们就照死了夸你，说你是毛委员派来的。”

“我让你们夸都找不着下嘴的地方。”

“我们可以牵强附会。说你其实很善良很纯洁，不平则鸣爱之深恨之切嘛。”说到这儿，吴胖子掉脸对我说：“我发觉咱们还缺一个搞评论的，专业淘井的。”

“这里闲人就剩丁小鲁了。”我看丁小鲁。

“好吧，那我就扮这搞评论的。”丁小鲁说，“不过你得凑钱给我买点洋书看。”

“没问题。”我说，“这样吧，咱们今天晚上就算是义赛，赢的钱全都捐赠给丁小鲁置洋炮。”

那天夜里，我们玩了一通宵。夜里两点，安佳找来了，叫我回去。我说你别打岔，我们这儿切磋艺术呢。然后我们把刚才的决议和分工告诉了她。安佳听了十分不乐意，说净欺负我们方言，好事没他，倒霉的差使老轮着他。我正色训斥安佳：你怎么能这么说呢？大家派我当文人是大家对我的信任，也是我的光荣。这几个人里拍马屁的功夫就数我到家，这么重大的事情换个生手干我还不放心呢。

“我倒不是不想让你当御用文人。”安佳说，“问题是养狗还得管饭呢，没有白使唤人家的。你现在去和上边商量，如果上边答应好好养你，给政治待遇给房子给津贴，你当大茶壶我也不管。”

“咱不是得先做出点成绩人家才能给好脸吗？要不怎么巴结得上，万一你大奸似忠呢？得给人时间观察。就说养狗这道理你不也得喂一阵儿才能看出是忠心耿耿的看家狗还是喂不熟的白眼狼。”

“贱！”安佳白我一眼，“你这叫贱！”

“我就贱了，怎么啦？”我一挺胸脯，“贱得光荣！我不怕骂，我又没贱外人，自个儿的国家，当孙子我都干！”

“你们小公母俩也别吵了。”吴胖子拉架，“安佳呢，的确有苦衷，方言呢，也是大义凛然烈火金刚。”

“你不知道。”安佳泣诉，“我们家除了孩子还能一天三顿，剩下总共五顿饭，我们俩就得抢，谁动作慢点，有一顿就得抗着。我不是反对拍，拍你倒是拣个有钱的拍呀？现在纯粹是穷拍。”

“你这话是什么意思？”我蹿了起来，“还有没有原则？国民党给你钱你也去拍？知识分子的人格、气节什么的还讲不讲？”

“你们俩都有理，都没错——我错了我没理还不行？”吴胖子急赤白脸地说，“我混蛋我不是人，你们全他妈是好人老实人受欺负的人。”

“我看咱们也别让方言为难了。”刘会元说，“咱抓阄算了。谁抓着什么就玩什么，也别争也别躲。”

“同意同意。”于观和丁小鲁附和。

于是我们弄了五个阄，分了五个主义五个流派，搁刘会元手里摇了摇，一齐扔桌上。

大家纷纷下手抓，抓到手里打开，于是文坛新格局从此确定。吴胖子和刘会元对换，他写乡下事刘会元写现代派加性，我接了于观的衣钵重点写社会，丁小鲁接了我的位子当文人，而于观改搞评论了。

“就这么定了，不许换了。”刘会元说，“大家回去分头发奋吧。”

黎明，一轮红日在窗外群楼之间冉冉升起，把阳光洒向人间。大家互道珍重，握别而去，相约记住这日子，二十年后再相见。

“还是这点儿，还是这地方，到时候咱们不玩麻将了，举杯赞英雄，欢歌笑语绕着彩云飞。”

二

于观正在马路边儿一个平板车书摊旁翻看着各种“阴阳合璧”、“阴阳裂变”之类的书，双膝突然被人从后用力顶了一下，两腿一弯差点没跪下，勃然大怒举拳转身四处张望：“孙子……”

“这儿呢这儿呢。”有人在他鼻子尖儿前提醒。

于观正眼一看，马青一脸幽怨地瞧着他。

“是你呀。”于观露出笑容。

“别，别跟我套近乎。”马青皱着脸摇手，盯着于观难过地说，“哥儿们你太不够意思了。”

“怎么啦？”于观茫然不解，“我最近也喝着粥呢，见了饭馆就自卑。”

马青根本不听于观解释，只是一个劲儿盯着于观反复问：“你说好事我什么时候忘过你？你说，好事我忘过你没有？”

“我什么时候来好事了？”于观摊着两手诉说，“我有小半年净倒霉了。”

“你们搞文学为什么不叫上我？”马青痛心地说，“瞧不起我？”

“咳，这事啊。”于观如梦方醒，“这是好事吗？我这还是头一回听人这么说。”

“我怎么就不能当个作家？”马青不依不饶，“大街上我都坐了，坐家算什么？”

“我是怕耽误你。耽误我也就耽误了，你还年轻，还有希望，吃碗干净饭不行吗？”

“我不怕耽误，我就是奔耽误来的。谁让咱是朋友的？哪能光同欢乐不共患难呢？人生一世嘛，不遭点罪哪知日子甜啊？”

“你要这么说，”于观动容，“那我答应你了。”

马青顿时露出笑容，亲亲热热搂着于观肩头：“换了你，见我走向深渊，你能不挺身而出吗？救不了起码能做到同归于尽吧。”

于观连连使劲点头，“不过我一人说了还不能全算，还让其他人认可一下，我们现在也相当于一个组织了。”

“你们算把我害了。”丁小鲁一脸憔悴地从书桌前抬起头，对于观和马青说，“我不吃不喝坐这儿七天七夜了，总也拍不到马屁股上，一写就在蹄子上一写就写在蹄子上。”

“看来不承认这是门学问是不行了。”于观叹着气说，“咱又拿自己当作家要求，总不能拍得太一般太浅薄。”

“就是。”丁小鲁愣愣地看着稿纸，“也就是题目还像那么回事，剩下的没一句人话。”

“什么题目？”马青凑过去翻稿纸，念小说名字：“《特深沉》，名字果然好，文章不作是可惜了。”

“实在不行只能这么发表了。”丁小鲁若有所思地说，“标题：《特深沉》；作者：丁小鲁；括弧：此处删去一百二十万字；结尾：某年某月写于秋风秋雨斋。”

“实在不行只能这样了。”于、马二人赞同道，“要不名字可惜了。”

“噢，对了。”于观转移话题，“我们来是为一件别的事想跟你商量商量。马青想入咱们作协。”

“我确实是走投无路了。”马青诚恳地说，“但凡还能混下去我决不加这塞儿。都五尺高汉子，谁不要个脸？张嘴申请救济我已经愧得不敢拿正眼瞧您了。”

“我是没意见的。”丁小鲁说，“有饭大家吃，这道理我是懂的。

问题是方言他们同意不同意，这我可心里没谱。”

“咱一起去跟他们说呗。”于观说，“这帮家伙黑是黑，恻隐之心总还是有吧？”

“你能约上他们吗？上次说好了二十年后再相见。”丁小鲁对马青说，“你要早点来就好了，那咱就一起入会了。现在只怕他们都在分头进行创作，怕受打扰不见人。”

“我这不是才听到信儿嘛。昨天我上街上打酱油捎带着买两张当场开奖的彩票，听存车的老太太嚷嚷：‘全市的流氓都转业当作家喽！’我酱油瓶子一扔撒腿就跑，转了大半个北京城，好容易才找着于观。”

“咱找他们一下试试。”于观对丁小鲁说，“争取一下，创作再忙，一会儿工夫还是有的。”他转脸问马青，“你跟方言有交情吗？”

“幼儿园的时候我们俩在一班。”马青说，“我们俩净打架。”

“有交情就好，那这事好办多了。”

“嘘——”我用手指按着嘴唇对吴胖子说，“小点声，别让隔壁听见。”

我、吴胖子、刘会元三人轻手轻脚地洗着麻将牌，一点声音没有地码着牌，悄悄地出牌：“发财。”

“咚咚。”有人敲门。

“假装不在家，别理他。”我们三人闷头不吭声地玩牌。

“咚咚咚！”门越敲越响。丁小鲁在门外喊，“吴胖子，开门！我知道你在家。”

“碰——四筒。”

“吃——大饼。”

“和了！”

“吴胖子，你开不开门，不开我可卸门板了——于观拿改锥去。”

“不行我得去看看了。”吴胖子坐不住了，“不然我们家改过道了。”

“这丁小鲁怎么那么烦哪？”我恼火了，“不好好在家创作，串什么门啊？不让串还不行。”

“你们俩别吭声，我去看看她有什么事？”

吴胖子带上房间门出去。

“来了来了。”吴胖子喊着走去开门。对丁小鲁说，“正思如泉涌呢，全让你给打断了。”

“方言刘会元在不在你这儿？”丁小鲁领着于观、马青往里闯。

“不在。”吴胖子堵着门说，“说好了下半辈子再见，就你不守规矩，这礼拜我见你八回了。”

“安佳可说是到你这儿来了。”丁小鲁推开吴胖子，“你让开，让我进去看看。”

她很快走到我们藏着的紧闭的房门前。

“别进去，我们里头那姑娘还没穿衣裳呢。”吴胖子在后面喊，“这人怎么这样？直接就往人家男同志卧室钻。”

“你骗谁呢？”丁小鲁哐地把门推开，冲着笑嘻嘻坐在屋里的我和刘会元说，“好啊，把我诓去关禁闭，你们几个倒悄悄闷这儿乐上了。”

“我们这儿研究工作呢。”我一本正经对丁小鲁说，“别净老把我们往坏处想。”

“是是，没说你们干别的，就知道你们是在工作。国家麻将队的嘛，不干这个那才叫不务正业呢。”

“马青。”我们没理丁小鲁，站起来和马青握手，“今儿怎么有空儿上这儿来了？”

“给几位爷请安来了。”马青扑通倒地就跪。

“哟，别别别，这是怎么话儿说的？”我忙抢上一步搀扶，“你这不是逼着我趴下打滚吗？”

“今儿你要不答应我，我就把我这头在这地上磕出脑浆子来。”马青指着脑门子发誓赌咒。

“我答应，我全答应！您就是让我即刻跳楼我也没二话。”

“没那么严重。”马青腿儿一直站起来，笑嘻嘻地说，“我就是想入你们这作协，这么说，你答应了？”

“这个嘛，”我松开马青，在屋里踱起步，一手食指按着腮帮子，“这事可得研究一下了。你有著作吗？”

“我？”马青四下屋里望望，奔床就去，连连把头往床垫子上撞，边撞边嚷，“我不活了，我死了算啦。”

“可别！”我大惊失色又抢上一步拦腰抱住他，冲吴胖子刘会元他们嚷，“你们怎么光看着？快接一下啊。”

吴胖子上来，狗熊掰棒子似的把马青夹住。马青还跳，确实跳不动才停下来万念俱灰地闭着眼喘气，腮上挂着泪——不时瞟我一下。

我站在旁边作揖打躬地解释：“不是我们嫌您瘦不要您，我们是敞开大门的。关键在您，您得考虑好了，别一时冲动，干这事是要让人指脊梁骨骂祖宗八代的。”

“我帮伙里都待那么些年了。”

“是啊，按说我们不该再怀疑您了。问题是您不是老早被清除了吗？我们又有点拿不准了。莫非您变了？”

“我没变！”

“那干吗清除您？这逻辑上说不通啊？”

“这他妈纯粹是误会。当然了，还有一个原因，就是能人多呗。跟那些新来的比，我们这些老同志都算夹生的。”

“好。”我看了看刘、吴二人，表态，“要是您还是老样子，那入我们这会富富有余——我们拜您为师。”

吴胖子松开马青，马青喜笑颜开，极推心置腹地对我们说：

“我这人就有一条好：不爱吹牛，专办实事。只要你们信得过我，我让你们占够了便宜。”

“这你是老手。”

“这么着吧。”吴胖子说，“你先给我们哥儿个开顿饭吧。”

“这算什么呀？这是最低档次的要求了。我还告你，不出仨月，我让你见饭就晕见饭就吐。再不出仨月我让你们个个见妞就哭见妞就跑。”

“好好。”大家一起笑着说，“这回算是用对人了，我们等着。”

“我还告诉你们，”马青得意地说，“一应闲事一概不用你们操心，你们只管专心创作。写出好作品则罢，写不出也没关系，咱们照样出大名让人敬着让人爱着，这就叫光棍闯天下，空手套白狼！”

“那你先给我们把今儿的午饭奔出来吧。”刘会元说。

宽厚结实黄琉璃瓦顶的朱红宫墙。墙内是气象森严的皇家园林，墙外是嘈杂热闹的摊贩市场，不远处是车水马龙人群熙攘的繁华商业街。

一家旧货商店的台阶上，一群背头管裤尖皮鞋的闲人双手揣在兜里站在那儿东张西望，马青和于观也混在里边同样装束同样神态。

有男女老少走过来，这帮人就各选对象迎上去，诡秘地小声问：

“有美子吗？”

“有日子吗？”

“有港子吗？”

马青和于观问的则是：“有请作家吃饭的吗？”

“没有！”一个时髦女郎怔了一下，茫然离去。

“刚请过。”一个老绅士客气地回答，“这会儿只想请自个儿吃饭了。”

“刚请过。”一个体面的小伙子也同样回答，“要是你们手里有歌星影星什么的我倒愿意再请。”

“看来全市的作家除了咱们那拨都已经分头吃上了。”于观说。

“我看这么等不是事儿。”马青绞着脑汁说，“咱们得换一个方式——有了！”马青一拍脑门，豁然开朗地笑，低声对于观如此这般地说了一通。

“合适吗？”于观不太赞成。

“事到如今也只好这样了。”马青拉着于观走，“来吧，咱拣个人多的地方。”

二人过了一条街，来到最繁华的路口，于观径自走入人群，马青默诵了一遍词儿，扬起脸拉开嗓子喊起来：

“瞧一瞧，看一看啊，花钱不多，乐趣无穷——二十块钱请五个作家吃饭啊！名额不多，欲购从速。”

于观拔腿从人群中冲出，作迫不及待状，边跑边喊：“给我五个给我五个！”

“这位同志要了五个，还有要的没有？机会难得，售完为止！”马青对着纷纷停下观看的行人声嘶力竭地嚷。

“真不贵。”于观也对旁边的人群说，“好一点的花布四块钱还扯不了一米呢。”

“就是。”两个中年男人说，“我们饭量也不是很大，一人来八两饺子加点凉菜啤酒就行了。”又对马青嚷，“我们就自愿结合了，五个人一组五个人一组。”

围站在马青旁边的男女闲人都掏出作协会员证自动按所属分会的不同排成一队队的，安详耐心地站着。

马青撒腿就跑。

于观在一条僻静的胡同找到躲躲藏藏心有余悸的马青埋怨道：

“你倒跑得快，我衣裳也撕了，脸也挠破了，差点就没命了。幸亏派出所民警来得及时，把我抢了出来。”

“出师不利出师不利。”马青探头探脑往前后胡同口张望，见确实没有作家追杀而来，这才放下心，对于观说，“谁想到今儿作家全出街了。”

于观摸着自己脸蛋上的血道子，滋滋地吸着凉气，看着手上的血珠儿说：

“国乱思良将啊，要是杨重在，我哪至于遭这份荼毒。”

“要是杨重在，我也不至于这么孤掌难鸣黔驴技穷。”马青也叹，“他小子到哪儿去了？到处找不着杳如黄鹤无影踪。”

“没准也正在哪儿想着咱们呢。”于观说，“怎么着？咱是就此罢休还是再生一计？”

“再生一计吧。”马青说，“这次失败是咱这地儿没选好，撞作家窝里了。咱们去西单吧。我还是这么叫卖，你扮工商的取缔我，就地贱卖，咱把价儿喊到四十。”

“你除了这些损招儿就没别的什么光明正大的吗？”

“干的就是骗吃骗喝的事劳动光明正大你就不怕遭报应？”

“有作家画家记者导演我买——”随着一声悠长的吆喝，一个呆头呆脑肩上挂着褡裢的老帽儿敲着梆子挨家挨院地叫着问着走过来。

“这都是作家，特有名的作家。”马青把我们一一引见给那个老帽儿，同时小声地对我们说，“实在对不起哥儿几个，中饭正餐确实来不及办了，哥儿几个对付着吃点夜宵，打明儿起，明儿咱一天三顿。”

“告你我们可是等了你一天，抗了一天。”我对马青说，“不求鸡鸭鱼肉吧，这夜宵总得让我们吃饱了。”

“没问题，一人一斤炒疙瘩够不够？”

“让厨子多搁点盐差不多。”

“一人一斤炒疙瘩多搁点盐！”马青冲伙房里嚷，伸手从脏得看不清眉眼的女招待手里接过同样脏得都能站起来的抹布大刀阔斧地扫除着桌上的山山水水，“你们谈你们谈，有什么心里话都掏出来。”

“几位是干什么的来着？”老帽儿犹犹豫豫地试探。

“作家。”我说。

“噢。”老帽儿傻张着嘴，“作家，这得记住了，要不一转眼又把你们当成劫道的了。”

“我们都特清高。”我对老帽儿说，“一般我们从不跟人吃饭。今儿能来，还一齐来了，真是给你脸了。”

“那是那是，我懂这道理，原来你们都是自个儿吃自个儿的，几位平时忙吧？”

“忙！”我说，“天天都是后半夜才睡，创作嘛。”

“几位都写过什么呀？”

“说了你也不知道。”我眼睛盯着伙房出口，肚里敲着鼓，手指打着点儿，“不能让你看见，我们都是写给圈里人看的。”

“让你看见就坏了，让你看见的全是通俗。”其他人也都跟我一个架势，心不在焉怒气冲冲就丁小鲁还内在点。

“你是干什么的？”吴胖子“啪啪”摔着筷子问老帽儿，“问我们半天了我们还没问你呢。”

“我嘛，什么都干，今儿卖‘减肥灵’明儿卖‘肥得快’，有时还同时卖两样儿。”

“有上当的吗？”

“多，数都数不过来。”

“赶明儿我们给你宣传宣传，上当的就更多了。”

“对对，我今儿请大家吃饭就为这个，你们都是专家。我这点手艺跟你们比起来那真是小巫见大巫。早听说没见过这回见了算真服了。”

“我们也不容易。”吴胖子斜着眼儿说，“你以为编瞎话是个人就能干？就能那么炉火纯青一点马脚不露？”

“是是，我晓得，这也得练，也得一点点培养。学好容易学坏难光脸厚心不黑也不行百年树木十年树人嘛。”

“像你们这卖假药的是不是也挺不容易？”刘会元问。

“不容易。”老帽儿深为感慨地说，“要说起来比你们难。你们嚷嚷出去还有市场，我们名声都搞坏了，所以得跟你们结合着来，你们有人信啊。”

“所以我们特珍惜呢。”

“是得珍惜。”老帽儿说，“要让人认出是骗子在明处那就没法骗了。你譬如说，谁见我都知道我是个骗子，我还骗谁去？一不留神还得让人骗了。”

老帽儿坦诚地望着我们几个：“本职工作都没法儿做了，心眼儿全使在小心别给别人骗上了。”

“真不容易。”我们大伙感叹，“要不怎么说一心不能二用呢。”

“我可没一点旁敲侧击各位的意思。”

“没关系没关系。”我们七嘴八舌说，“你就真旁敲侧击我们我们也不在乎。”

“怎么饭上得这么慢？”吴胖子掉脸喊起来，“饭馆饿死人啦！”

“来了来了。”老板娘闻声赶过来，“稍等稍等，马上就来，疙瘩太多，且得炒会儿。”

“不是你们瞧不起人是不是？”吴胖子指着老帽儿发脾气，“我们这位先生有钱，多给你一倍饭钱也不在乎。”说着就动手翻老帽儿褡裢，“把钱都给她，有什么呀？”

“别别。”老帽儿捂着褡裢央告，“咱们再等会儿再等会儿我倒没觉得慢。”

“你们真得快点了。”我说，“这儿都是作家，来吃一回不容易，真发了脾气砸了你的饭馆，告到哪儿都没人管。”

“你们头儿是谁？”吴胖子不依不饶，“叫他出来，一块儿上派出所。我还不信了，明儿就给你们见报，头条新闻：著名作家一群活活饿死在某饭馆。”

“我就是头儿。”老板娘说。

“那就拉你上派出所！”吴胖子拍桌大喝，“方言刘会元你们俩先拉着她头里走。”

“闹什么闹什么闹什么？”随着一连串不耐烦地诘问，两个民警晃着警棍走进来，“谁想上派出所？咱们一路。”

“闹什么闹什么你闹什么？”我站起来指着老帽儿对民警说，“他想上派出所。”

“过去我老以为自己是流氓。”一个一直坐在一边就餐看了全过程的汉子对女友说，“今儿算见着真流氓了。”

半夜，我们一干人被派出所放出来，气哼哼地回到吴胖子家，搬椅子铺毯子围着方桌坐下把一盒麻将哗啦倾倒出来，七手八脚地码牌。

“我看你们先不必急着玩麻将。”在一旁沙发上坐下的丁小鲁说，“还是好好总结一下前一段的工作吧。”

“是得好好总结一下了——七，七对穿。”我一边欠身抓牌一五一十地摆着一边喝问，“马青来了没有——东风。”

“来了。”马青从角落里惭愧地站起。

“瞧你干的这叫什么事？真他妈有辱斯文——吃，红中——你下回还这么干吗？”

“不不，我下回不这么干了，下回改干别的。”

“我觉得马青这人不能用了。”丁小鲁直截了当地对我说，“他老是八路军打鬼子那一套破路诱歼化装奇袭什么的一点拿上台面的本事都没有。”

“就是，要狠狠批评，什么作风？下回可得改了——七万，喂你一香张。”

“老是八路的干活不行嘞。”刘会元看着自己的牌自言自语，“现在八路对鬼子也玩笑里藏刀了——三万，谁爱吃谁吃去。”

“碰！”我推倒自己跟前的两张“三万”，撸胳膊挽袖子大伸着手恫吓庄家，“下面马上就开始‘提’庄运动。”

“我也准备开始‘提’庄运动了。”吴胖子也趴了牌笑眯眯地说。

“那我就准备‘提’大家了。”身为庄家的于观趴了牌笑着说。

“我走了。”丁小鲁站起来说，“你们玩吧。”

“哎哎，别走啊。”我运足气摸起一张牌，看了一眼打出去。回头对丁小鲁说，“工作失误总是难免的，我不是已经批评了马青？他也答应改，要不你再批评批评他，大伙儿再批评批评他。”

“马青你太不对了。”刘会元打出张牌看着上下家说，“你们和去吧——你怎么能一点不痛心呢？起码应该有个表示哪怕红红眼圈儿同志们也好原谅你。”

“瞧把我们丁小鲁气的——哎，庄家上‘听’就放‘冲’。”吴胖子瞅着犹豫不决拿不定出哪张牌好的于观说，“还不快向人家赔不是，说‘我对不起你我心里有愧再不敢了’。”

“我对不起你我心里有愧——我再不敢了。”

“你不必对不起我也别有愧——继续敢吧。”

“集体负责集体负责。”刘会元说，“反正也没外人，咱们互相对不起完了。”

“不不，还是严肃点好，咱们都没责任，就马青一个人不是东西——换‘听’就放‘冲’，记住我这句话。”我对刘会元笑说。

“我走了。”丁小鲁站起来，“我真走了。”

“别走别走，千万别走。”大家坐着看着自己的牌一齐挽留。

丁小鲁出屋，开门，回自己家去了。

“多不好，多不好。”大家纷纷念叨着，继续全神贯注地打着牌。我抻着脖儿看着面儿上的牌难以置信地说。

“怎么就‘提’不上来呢？跟熟张儿。”

“和的就是熟张儿。”于观笑着把牌推倒，拿起我刚打出的“四条”放到他那堆“条子”上。

“操他妈，我‘听’半天了，就是不上张儿。”

“我也‘听’半天了，砍单儿‘五条’，‘听’得太窄。”

“我不该换‘听’，坚持对倒‘七条’‘八万’要不早‘和’了。”

大家议论牌局，“哗啦啦”地一齐伸手洗着牌。

“马青你玩不玩？”于观回头对坐在一边抽烟的马青说，“你玩我换你——我不想玩了。”

“别别别，别走。”我们一起拉于观，“刚上瘾不能走，才两点，早呢，马青要玩可以加‘磅’。”

“甭操心丁小鲁，她没事，她也是属狗熊的——撂爪就忘。我们多少年了？比你了解。”

“不是为了丁小鲁，我是真困了，打叫你们扣这儿后就没合过眼。还是让马青上吧，一样。”

于观站起来，把位子让给马青，我们仨瞅着他说：

“没劲，你这人没劲。”

“就算我没劲，”于观笑着说，“你们就让我没劲一回吧。”

于观走了，我们四个接着玩，一直玩到天亮。当我从吴胖子家出来，看什么都俩影儿了。我对马青说：“去吧，上街吧，不干出个样儿来别回来见我！”

三

“哎哎，你过来。”马青倚在马路边的蓝白铁栅栏上，冲两个从他眼前走过的妙龄女郎招手，“我跟你谈谈。”

“你跟我谈什么？”脸白一点的姑娘停住，迟迟疑疑和女伴走来，警惕地问。

“我特想帮助你——见你。”马青诚恳地说。

“帮助我什么？”白脸姑娘不自信地低头看看自个儿身上的“咸菜裙”，摸摸腰上的裙扣，扭脸在旁边一家高级餐厅的贴太阳膜的大玻璃上照照自己的嘴脸，“我挺好啊。”

“你不好，这我知道。”马青说，“你表面看上去部优产品的感觉，但你心里其实特苦恼，对自个儿特不满意。”

“没有。”白脸姑娘说，“我不但表面上对自己特满意心里对自个儿也特满意，混成这样不错啦。”

“好，就算我看走眼了吧，你一切都好，可你不想好上加好吗？就是俗话儿说的锦上添花画龙点睛什么的。”

“不想了。”姑娘也极诚实极坦白地说，“见好就收，再好就好过去了。”

“实诚。”马青热情洋溢地赞道，“看得出你有很多美德，除了实诚还善良，扶危济贫扶老携幼特别见不得别人受苦。”

“是是，我是这样儿，这回算让你说着了。”

“菩萨心肠侠女风骨圣母情怀。”

“对对。”姑娘连连点头，“越说越像了。”

“要不怎么这大街上这千奇百怪之芸芸众生中我谁都不叫单叫住你呢？就知道你是好样儿的。尽管自己有今儿没明儿，但一看见别人受苦坚决不答应！喜欢什么只管说，只要我有……”

“不不，这也就是话赶话那么一说吧，一般来说我全答应。”

“人活着要有志气有追求。”马青温和地责备白脸姑娘，“不是我批评你，人活着怎么能光为自己吃好穿好呢？还得让别人也吃好穿好大家都讲吃讲穿才算完事。”

“那‘别人’干吗非得别人‘让’才能吃好穿好？自己混不上吗？”

“你太让我失望了，看来你的心灵没有你的外表那么美，在我眼里你丑了——还不如她。”马青转脸一指白脸姑娘旁边的黑脸姑娘，“别看她长得寒碜，外表上有点残次，但心灵一准比你美——我问你，看见别人受苦，譬如我吧，你忍心吗？”

"我忍心！"黑脸姑娘怒视着马青说，"不但忍心还幸灾乐祸！"

"可我不忍心！"马青飞快地说，"看到你们灵魂有罪我心都碎了。所以我说我要帮助你们呢，你们还认为没什么可帮的。这样吧，咱们作个交换，谁也别吃亏，我拯救你们灵魂你们保护我的身体，都尽力而为，有多大劲使多大劲。"

"我看咱们还是谁也别管谁拭目以待吧，看谁烂得快点。"黑姑娘一拽白姑娘，二人联袂离去，黑姑娘还对白姑娘说：

"我早告诉你过，但凡大街上有人热情诚恳地叫你，千万别停下理他，准都是憋着要害你，掏走你点什么。"

"你们就坐失良机束手待毙后悔莫及吧！"马青跟在姑娘们后面大声喊，"自私自利的人垮掉的一代多余的玩意儿！"

姑娘们拐过街角不见了，马青掉头往回走，兀自愤愤不已，嘟哝着：

"就这种境界怎么能指望你们挺身炸碉堡舍命堵枪眼儿剩下我们过幸福生活。"

"我深深地爱着你，这片多情的土地……"

马青吟唱着，双手插在裤兜里，拖着步子在大街上漫无目的地晃荡着。逆着潮水般的人流毫不避让地走，方向、步态、节奏与他四周急匆匆拥来拥去的人群恰成鲜明对照。还是那些商店房屋，还是那些车辆人群，还是那些装潢广告，还是那些色彩形状那样的空气味道那样的神态举止口音嗓门。马青的吟唱变成尖锐响亮的口哨，仍然吹着那首歌，同一旋律反反复复。人们从五花八门形状各异颜色不一的商店涌出涌入，大声喧哗窃窃私语，人流中马青若隐若现，市声中口哨时断时续。

同一条街另一端的一家高级工艺古董店里，杨重油头粉面西服革履鼻梁上架着副金丝眼镜彬彬有礼地牵引着一个珠光宝气十个手指戴满钻戒一头一脸翡翠玛瑙的重量级老妇人在琳琅满目堆积如山的金银玉器名贵印石象牙雕刻地毯瓷瓶中穿行，不时端详着一件玩意儿品味着。

“您瞧这地毯怎么样？丝织的，越磨越新，越踩越厚，才巴掌大就三千。”

“便宜。”老太太鄙夷地瞧了一眼说，“上回我买一挎花呢手绢还八千呢。”

“这大花瓶怎么样？”杨重指着一个比他还高上面彩绘着足有一个营的古代儿童大瓷瓶说，“一万二。”

“便宜，”老太太说，“上回我买一陶夜壶还一万三呢。”

“您再瞧这一百多斤的鸡血石，三万。”

“瞅着还挺喜欢，就是太便宜。”

“没关系，只要您喜欢，咱可以跟他们砍价儿呀。”杨重转身冲垂手侍立一边的伙计招招手。伙计忙满脸堆笑地小碎步凑上来。

“你这鸡血石卖多少钱？”

“三万。”伙计指指标签，“上面标着呢。”

“太便宜了，你能不能给往上涨涨？”

“这可不行。”伙计低三下四地说，“我们这是国家的买卖，要涨得一起涨，五行八作蔬菜副食小百货——单价涨不允许。”

“可你这也太便宜了，不值当我们掏回钱。”杨重对伙计说，“咱好好商量商量，你贵点我们多买你几件。这样吧，你要实在为难，咱们就少涨点，六万！六万怎么样？起码也得涨百分之百吧？”

“百分之百可不行。”老太太说，“怎么也得百分之二百。这么沉的东西我才花六万就买了回去我先生又该埋怨我不会买东西了。”

“九万吧那就。”杨重和伙计磨，“要不八万五？不能再低了。”

“这我确实作不了主，只能卖三万。”

“算啦。”老太太说，“既然他不肯涨，咱们就甭买了。”

“这官商作风是霸道，一点儿价儿不肯还。”杨重冲伙计说，“就你们这么做买卖，买卖好不了。”

“手里有钱生是花不出去。”老太太在杨重的搀扶下边往门外走边唠叨，“钱花不出去还一劲儿涨利息这不是逼着我把人民币砸手里吗？”

“就是，成心坑人，没法不有意见。”

杨重把老太太送出古董店，扬手叫：“三轮。”

一辆三轮驶过来，杨重双手托老太太腰，咬牙用力一举：“起！”把老太太稳稳地塞进车座。对三轮车夫说：“甭不好意思要钱，下一千你都对不起这位夫人。”

“可北京就没有价钱合理的地方吗？”老太太在三轮车上还抱怨，“白上一回街一分钱也没花出去。”

“我再给您留心打听。”杨重在马路边上向老太太致敬，“听说政府要采取措施了，有希望。”

老太太乘着三轮一溜烟走了。

杨重看了看表，倏转身向另一个方向匆匆而去。他边走边把眼镜摘下来揣兜里，系上衬衣领扣掏出条艳红的领带花哨地打上，又满身上下摸兜，最后找出一朵皱巴巴的红花别在胸前。

这时，他已经来到了一个艳俗艳俗的大饭庄门口。饭庄门口站着一群艳俗艳俗的新郎新娘。其中一位尤其艳俗的老姑娘已经十分焦急了，一见杨重立刻浓眉倒竖，用刘秉义都相形见绌的嗓子喝问：

“你怎么才来？合同上不是规定了要提前十五分钟到达结婚

现场？”

“你扣我百分之十五吧。”杨重上气不接下气地说，没顾上多解释，立即站到新娘身旁的工作岗位上开始勤奋工作——新娘的第一个女友已经到了。

他们和饭庄门口其他新郎新娘一起向各自的前来赴宴的亲朋好友作揖欢迎。

“祝贺祝贺。”

“同喜同喜。”

满面笑容一片殷勤充满喜悦。

“我深深地爱着你，这片多情的土地……”

马青哼着小调走到饭庄门口，走过去又转回来，瞅见台阶上的杨重，似曾相识又不敢相认，打量着判断着往最坏的地方想了半天仍然难以置信。

杨重携着新娘转过身，新娘的手从背后找着杨重的手拉着往自己的腰侧搂——杨重够了够手勉强搂住新娘的腰。二人一同进了饭庄。

马青跳下栏杆，奔到饭庄临街窗前，扒着往里看。只见杨重坐在好几桌老姑娘中间，风度翩翩地笑着，一杯接一杯喝着酒。大家起哄，新娘蛮大方地迅速在杨重脸上亲了一下……

照相馆拍照室里，杨重涂着红脸蛋拥着身穿白纱裙手捧一束塑料花的新娘站在推车式照相机前，背景是大海高山和白云，山上有花，海里有浪，两边各有一排照明灯烤着他们。

“再给女同志垫两块砖。”照相师从照相机后面的黑布罩里钻出来指挥说。新娘迷人地笑。

“男同志脑袋往女同志那儿靠靠，眼睛睁大点——让你睁大点眼睛没让你张大嘴。”

“没法再睁了，长的就是丹凤眼儿。”

“丹凤眼儿就丹凤眼儿吧。”照相师咕哝着，挂好底片板，举着快门说，“照了啊，笑，笑开点。”

“喀嚓”一按快门，“噢——”众人哄。

新娘拉杨重来到场子中间，作欢跳华尔兹状，二人像两朵大花瓣似的左右开放着，侧脸对着镜头笑。

“噢——”再哄。

“如果我再给你加百分之十五，”新娘意犹未尽地说，“你愿意增加一服务项目吗——入洞房？”

“我们卖艺不卖身。”杨重严肃地声明。

“真恐怖！”

小酒馆里，马青对疲惫不堪坐在他对面的杨重说：“说实话我没想到你堕落到这种地步。一个人怎么能这样呢？就算不求有功，总得但求无过吧？人家会对咱们新一代青年怎么看？”

“你就别批评我啦，你也是乌鸦落在猪身上，光看见我黑了。”

“你就别一个人混啦。”马青语重心长地说，“咱们还是一起混吧，人多力量大，敢教日月换新天。人心齐泰山移蚂蚱还有四两肉一个萝卜一个坑咱们怎么就不能从无……”

“……“

“我们大伙儿可都特想你，特需要你。”马青盯着杨重说。

杨重仍是不语，只是一个劲儿用手搓着被新娘锛过的那半拉儿脸。

马青叹口气：“唉——我知道你是伤心了，不愿意再跟宝康那号人打交道了。可问题是天下哪有干净人？你给我找一个响当当洁白无瑕确实值得咱侍候的人我跟你走！我投奔你！——方言他们相比之下还是不错的，起码人家承认自己是流氓，除了打麻将不动别的坏心眼儿。不贪污不受贿不逼着大家学这学那的——这就好合作。”

“你究竟是想当作家啊还是决心当麻将运动员？”

“当然作家了。”我对安佳正色道，“专业作家业余麻将运动员，这还不明白？”

“没法明白，你可曾写一个字了麻将倒打得昏天黑地。”

“你真是不明白。我那哪是打麻将我那是手上打着麻将心里琢磨小说。这不，八个长篇的构思都出来了，再酝酿几天就同时上马了。”

“你也别八个长篇了，你先弄个微型小说——真写出来给我看看。”

“短期行为是不是？急功近利是不是？”

“方言！”有人在楼下叫，“方言！”

我停止和安佳斗嘴，踱上阳台往下看，见吴胖子马青杨重在楼下仰着脸儿。

“下来，”吴胖子说，“开会。”

我回到屋里对安佳说：“瞧瞧，这可不怨我吧？想寂寞点环境还不允许。”

一进吴胖子家我就第一个去拿麻将匣。

“别急齁齁的。”吴胖子说，“咱们先说点正经的。”

“好好，说正经的。”我把麻将匣搂在自己胸前，“有什么正经的？”

“杨重准备参加咱们一伙儿。”马青说。

“参加吧。”我说，“再找一个咱们就可以开两桌牌了。”

“他有些想法儿，把咱们的事儿煽起来。”马青转脸对杨重，“你自个儿说吧，我也学不好。”

“我先问一句。”杨重瞅瞅我，又瞅瞅我怀里的麻将，“咱哥儿个是真想干番事业呢还是就起一道哄？没别的意思，就为好掌握这分寸。事业有事业的办法，起哄有起哄的办法。”

“管阴沟不叫阴沟叫地道——当然是干事业了。”

“不是，我在这里解释一下啊。”于观插话说，“杨重我们都是特好的朋友，有什么话完全没必要藏着掖着。”

“真是干事业。”我看刘会元吴胖子，“再不能这么混了。”

“确实是想干事业。”他们俩一起说，“不想混了。”

“咱跟哥们儿是不是就别装了，留着劲儿冲外人使去。”马青说，诚挚地望着我。

“好吧，那咱就打开天窗说亮话。”我极诚挚地看着杨重，“我们就是起道哄。”

“干事业您找别人。”杨重说，“起哄交给我，保证还给您哄好，”

“那就哄吧，哄得越大越好。”

“我是这么想的。”杨重有板有眼地说，“既是起哄咱就得像个起哄的样子，哄得专业点，该成立组织就成立组织该刻公章就刻公章。一人来个小证件，一人来打小名片，一人来身新衣裳，到哪儿一站，证件一掏名片一送，站有站相，坐有坐相，横竖怎么看都像那么回事。”

“同意，就这么办吧。”

“杨重认得很多人民币砸手里的人。”马青说，“急得直哭，恨不得一晚上把钱全撕喽。”

“好啊，他一人花不动咱大家帮他花。这方面在座的都具备很好的基本功。”

“可有一条。”杨重说，“人家扔钱是要听响儿的。得有好名分，花多少不在乎，得花得有道理。”

“赞助艺术家这名分还不够好道理还不够多？咱们有组织嘛，有证件嘛，你信不过我还信不过我们组织？”

“是这个理儿，所以说成立组织是首要的。”杨重说，“再有，咱们还要和文艺界广为联络，最好有个活动地点。大家到那儿可以吃呀喝呀砍呀，谈谈艺术，交流交流创作信息。”

“那就搞个沙龙，买几套桌椅儿斤茶叶。”

“我也是这意思，如果大家没意见，我立刻就着手办了。”杨重说，“地儿我都看好了，我们家街坊有个小厨房，盖得是永久性的，洋灰顶子水泥地一砖到底，地儿也够宽。都站着能塞十来个人。”

“最好再找几个漂亮妞儿。”吴胖子说，“招待大伙儿。”

“那是必不可少的。”杨重说，“这我已经考虑在内了。”

“这些事我和杨重已经跑起来了，已经进入到具体安排了。”马青说。

“三T公司的老班子是过硬。”我夸道，“我们做梦想想的事儿你们全当真事办了。”

“咱们成立组织，申领营业执照能批下来吗？”刘会元问，“你们工商局有人吗？”

“这好办。”杨重回答，“三T公司原来有照，现在成立新组织不用另起新照，到工商局改个照就行了，把名称换一下。”

“对了。”我说，“咱要成立个新组织你们打算叫什么呀？”

“起个鸟的名字吧。”吴胖子说，“别致一点，白头雕信天翁什么的。”

“鸟不好，我的意思还是起个走兽的名字，咱们都属于走兽。”我说。

“獾？”于观说，“獾怎么样？要么猞猁？”

“还是不要找太熟悉的动物。”杨重说，“太熟悉的动物习性广为人知容易让人把咱们的所作所为和该种动物等同起来引出寓意。”

“我看咱们找个不三不四的动物，非驴非马谁也不好说是什么。”刘会元说，“海马！海马怎么样？有个马名但从不四蹄生风一贯暗地游着走。”

“就海马吧。”我说，“挺好，‘海马创作中心’。”

“海马海马。”大家同说，“就海马了。”

这时，丁小鲁推门进来，见坐着一屋子人转身要走。

“回来回来。”吴胖子叫，“你还不赶快归队，我们这儿已经有组织有纲领了。”

“什么乱七八糟的。”丁小鲁看见杨重，笑着说，“杨重你也混这儿来了？我一向以为你是好人。”

“我跟他们学学坏。”杨重说，“别让几位老师绝了后。”

“谁跟谁学呀？”我们一帮人笑着说，“我们全跟你学坏了——本来挺好。”

“说正经的说正经的。”马青嚷，“待会儿再聊。”

“就是丁小鲁没正经的，一进来就搅。”大家转回话头，“咱们继续说咱们的。”

“你也坐下来听听。”于观拉丁小鲁，“别忙着走——回去你也没事。”

“像你们！”

“再有件事也得大家议议，我和马青没敢做主。”杨重说。

“跟真的似的。”丁小鲁笑，“你们能有什么正经事？”

“别搅别搅。”我制止丁小鲁，对杨重做倾听状，“吗事？”

“我和马青奔这儿来的时候，在礼士路口电线杆子上看见一帖子。”杨重道，“说有一杂志办不下去了，招人承包，爱登什么登什么一概不管只要赚钱。”

“我们想揭来着。”马青补充说，“当时我们就想，既然咱搞文学，手里有个杂志不挺好？又怕哥儿个嫌办杂志累，你们是作家，稿子还得你们写，心说还是回来先跟你们商量商量吧。”

“这杂志要接过来稿子就得我们哥儿个写？”我看看刘会元和吴胖子，他们俩跟我面面相觑。

“难吗？”杨重不解地看我，“这写小说不就是把汉字串起来吗？我要没事我也写了。”

“是，你说得也对。”我说，“那就揭吧，把榜揭了。”

“登不了字书还不能登连环画吗？”于观说，“不怕。”

“那我们可得立马走了。”杨重叫上马青站起来，“别让人捷足先登。快去快去。”大家一起送他们。

丁小鲁在一旁笑，瞅着我们大伙儿笑，我脸一红，讪讪地对她说：

“有点历史上今天的感觉是吗？”

“有点儿。”丁小鲁笑着说。

四

那小厨房的确是个非常像样儿的小厨房，在全市的小厨房里也是数得上的。我们第一次去的时候非常激动，因为你根本拿不准在那儿会碰见什么人。

我们在去小厨房的路上遭了雹子。

出门的时候天气很好，地上刮着晚风，天上挂着晚霞什么的，谁都没想到这中间会有什么变故。

我们挤在公共汽车里蹒跚前进时天仍然很好，周围互相贴在一起的男女老少身上都散发着臭汗味儿。接着，眼瞅着天迅速阴了下来，一团团乌云低而浩荡地从高大建筑物的顶端疾驰而过。大家都说："真凉快真凉快，快下场雨吧，要不麦子该旱死了。"

我们下了公共汽车时还很乐观，尽管街上已腥风四起，行人抱头鼠窜，我们仍认为不过是场能湿地皮的雨。吴胖子还仰天呼唤："让暴风雨快点来吧！"

话音刚落，第一批雹子就齐刷刷砸了下来，回头再想回公共汽车，车已经开走了。

往前跑，前面倒是有一排商店，但等我们跑到，商店内外已挤满了中国人，狗都钻不进去。这期间，雹子一点没闲着愈下愈密，马路上白花花一片蹦着跳着四处飞溅着。最后把我们砸急了，确实走投无路，索性站住，脸红脖子粗地嚷："你砸死我们得了！"

有心地善良的大妈顶着雹子来劝我们："还是避避吧。"

"就不！"我们赌气地说，"让它砸，今儿它要不砸死我们我们跟它没完！"

当我们最终走进做沙龙状的小厨房时那模样儿十分悲壮，连马青都没认出我们，冲我们嚷，"你们哪儿的？"

"连我们都不认得了？"身子骨最硬朗的刘会元勉强挤出这句话，就一屁股坐旁边一人身上了。三个正坐着砍的人被我们挤走了。

“别走别走，一块儿坐，一人半拉。”我过意不去地对被我挤走的那位说。

“怎么回事怎么回事？”马青认出我们，杨重于观也忙从人群中挤了出来，扒着我肩膀，托着我下颏问，“被谁打了？”

我昏沉沉地往街上一摆头。

他们仨立刻冲了出去，片刻骂骂咧咧回来：“没人啊？”

“都是游击队，那还不打完就跑。”一个姑娘愤愤地说。

“查查是哪部分的跟这一带活动。”于观对杨重说，“伏击咱哥儿们那还了得老百姓还不定被他们打成什么样儿呢？”

“没跑，准是二蛋子那伙儿。”那姑娘又说。低头问我，“你怎么样？要不要来点鸡尾酒？”

“非常需要。”

“这是美萍。”马青在一旁给我介绍。

“美萍是谁呀？光听说有美龄。”我接过一杯花花绿绿的液体，呷了一口，“扑”地喷出，“这怎么是广告色的味儿？”

马青忙扑上来捂我的嘴，“小点声儿。”对美萍说，“给他换杯不搀颜色的——噢，对了，你没见过美萍，她是新入咱们伙儿的，过去跟我们三T公司特熟。”

杨重从外边进来，一脸太平，对于观说：“问清楚了，不是人揍的，遭了雹子。”

“天揍的那咱就没办法了。”于观说，“谁管得了天呀？”

“你们怎么净弄熟张儿？”我再次从美萍手里接过一杯无色透明的水，看她一眼说，“敢情我们成立组织光给你们解决困难了？”

“这人怎么这么说话？”美萍纯洁无邪地望着于观，“你们说的跟我想的怎么不一样？”

“刚遭了雹子，胡说八道的。”于观安慰美萍，“平时不这样——

不老这样儿。”

“这我还觉得有点奔头儿。”美萍转身走开。

“丁小鲁在哪儿丁小鲁在哪儿？”随着一连串发问，一个端着杯颜色水的大脸女人奔了过来。

“丁小鲁没来。”于观说。对我们介绍：“《文才报》记者。”

“那刘会元在哪儿刘会元在哪儿？”大脸女人没看我们，只是一个劲儿纠缠于观。

“刘会元在你屁股后头。”于观指正昏昏欲睡的刘会元给女士看。

“太好了，认识你真高兴。”女士拉起刘会元的手就握，“刚看了你《海马》季刊上的小说，写得真好。”

刘会元猛地惊醒，痴笑着站起来：“你写得也好，我也刚看了你《河马》月刊上的小说。”

“我是谁呀？”

“谁知道你是谁呀？”刘会元一甩手，“嚯，手劲儿够大的。”

“随便聊聊随便聊聊，都甭刨根儿问底儿。”杨重出来打圆场。

“今儿来的都是什么人呀？”我看着周围神头鬼脸的一帮帮男女，问杨重。

“我也不知道。”杨重说，“反正就传下话去，让全市的人渣子今儿晚上到这儿聚齐。”

“你是方言吧？”大脸女记者笑眯眯地转过脸看着我，“你，我也早听说了。”

“是是。”我欠身和她握手，“有段时间我是表现不好，在社会上捣乱。”

“你们的小说我全看了，印象特深，我发觉你们都特有风格，同样的风格同样的思想同样的语言同样的篇幅同样的事件同样的题目。你们平时是不是常在一起交流？”

“是是，我们对生活看法比较一致，写出东西来嘛看上去也就有点相同，生活都是相同的嘛。”

“怪不得你们的东西都像一个人写的。”

“不不，这是误会。我们写东西时旁边都有监考老师，不许抄。因为题目相同内容也就不约而同了，大家都觉得《特深沉》这题目喊出了我们的心声，所以就决定创刊号出成《特深沉》专号。”

“下一期你们打算百花齐放吗？”

“我们考虑再三，还是决定出专号。”

“这期专什么号呢？”

“这期专号的题目长点语型上也复杂点，叫作：《我们是真深沉不是假深沉》。”

“看来你们是坚持走自己的路了？”

“嗯，不准备变，岿然不动认死理儿不管山下旌旗是否在望。”

“你们是怎么想的？”

“怎么想的？”我看刘会元吴胖子，他们都把眼睛往别处看，“你们是怎么想的？”我问他们。

“怎么也不怎么。”刘会元躲不过去，吭吭哧哧地说，“我们就这么活着、写着。”

“比较执著的那种。”吴胖子补充。

“我能和你们照个相吗？”女记者从包里拿出个傻瓜相机，给闪光灯充电，滋滋叫着。

“别了吧？”我说，“相就别照了，咱们就这么聊会儿，我们都不太上相。”

“照一张照一张。”女记者热情地说，“读者都想知道你们这几个长什么样儿——见你们之前我也特想知道。”

“也是一个鼻子两眼儿没多长什么。”

“来，杨重你给我们合个影儿。”女记者把相机递给杨重，往我们怀里凑，“还是照一张，读者看见人了就知道不是我瞎编。”

我把手搭在女记者肩上，冲着相机笑。

“都笑，别光方言一个人儿笑。”杨重举着相机瞄着说，“怎么按不动啊？”杨重直起腰左右看相机。

“噢，没过卷儿呢。”女记者跳起来，夺过相机过卷，又坐回我怀里。

“照了照了——照了！”杨重嘴里喊着一按快门，我们全体被晃了一下。

“咱们继续谈文学吧。”女记者讨回相机，对我们说。

“哎哎，你好，你也来了。”我跳起来，抓住一个正从我身边走过的男人，握着他的手，小声对他说：

“其实咱们不认得，但你得假装认得我，跟我说笑——别回头，后边人正看着咱们呢。笑，笑得再开点。”

那男人笑，我也笑，俩人相对傻笑，片刻，我对他说：“你可以走了。”

我钻进人群，找到刘美萍：“美萍，咱除了色水自来水还有别的什么喝的吗？”

“墙根儿那儿还有人家做菜剩的半瓶料酒。”

“料酒就算了。”我看着墙上挂的菜刀、漏勺什么的，问刘美萍，“这的人就这样儿还是你们布置的？”

“按原始艺术风格布置的。”

“噢，怪不得有所触动。”

旁边两个一模一样儿的大胡子正在和于观聊：“文学，就是排泄，排泄痛苦委屈什么的，通过此等副性交的形式寻求快感……”

“你丫太不对了。”杨重和马青一起来找我，“咱今天来就是砍文学的，你怎么能躲起来呢？”

二人把我押回女记者那里，刘会元吴胖子已经焦头烂额了，他们周围坐了一圈人。

“方言来了，让他说。”二人一起指我。

“文学就是痛苦——”我坐下，慢慢回忆着说，“得排泄，大大的快感，性交一样的……干活！”

“关键在于……”杨重谨慎地揭示。

“关键在于……”我仰脸望着天花板，“关键在于……得你操文学——不能让文学操了你！”

“你这得算高论吧？”一个戴眼镜的男青年说。

“算高论算高论。”马青替我回答。

“你们要把我拉到哪儿去？”我在夜深人静的马路上大叫大嚷。

一帮戴眼镜的男女学生有人乱往上冲并拦阻前来救我的刘、吴、马、杨诸将，有人拽着我胳膊用力往前拖，我使劲坐地上索性不走。

“我招你们惹你们了？连话都不能说了吗？”

“那你敢不敢到万人大会上去说——阐述你的文学观？”一个女学生指着我鼻子斥问。

“我干吗要到万人大会上去说？我怕见生人。”

“你敢不敢吧？既是真金何必怕烈火炼？”

“我不敢！”我理直气壮地说，“既是真金何必再用烈火炼——你别掐人呀！”

“非去不可非去不可！”学生们固执地要求，一齐动手拉。

"你们怎么这么倔啊？"我骨节咔咔响着哀鸣。

"小将们小将们。"于观闻讯跑来，对学生们说，"有话好说有话好说，别这么生拉硬拽，拽脱焊了到那儿他也说不出话了。"

"我们有办法叫他开口——只要到了我们那儿。"

"不能让他们得逞。"我隔着人墙对刘吴马杨们恳求，"你们快想办法。"

"我们确实也无计可施。"刘会元无奈地说，"咫尺天涯。"

"你们能保证他的人身安全吗？"杨重问为首的学生。

"最多扒两层皮自尊心受点摧残，命还是能保住的。"

"闹！闹！"我一急，急出了英语。

"那你们就把他带走吧。"杨重同情地望着我，"好好去好好回来。"

"闹！闹！"我挣扎着，被学生们抬起，扔上一辆平板车，七手八脚绕了几道绳子固定住，飞快地驶去。

"这是什么地方？"我洋腔洋调地哆嗦道，"少管所？"

学生们把我从车上弄下来，几人架着，脚不沾地儿地拖进一个四周挂着帷幕的黑屋子，松了绑。

我立刻四处乱跑，但所有门都被学生们堵住，一齐大声发啸："去！去去去！"

我无处逃遁，只得向唯一一扇无人把守的门跑去，冲出门外，立时愣住了——台下黑压压一礼堂学生见我出现，立刻哈哈大笑。

我想再折回那扇门里，门已从里面锁上了。我只得回过身来，看着台下的观众，镇静地露出微笑。

"哗——"台下一片掌声夹着笑声。

我看到台中央已经布置好一个讲台，麦克风，茶杯，一应俱全。

我慢慢走过去，台下的观众安静了，好奇地望着我。

“这么晚了你们大家在这儿干吗？”我问观众。

一片笑声，接着一片掌声。

“等我哪？”

又是一片笑声。有人大声问：“你是谁？来干吗？”

“我也不知道我来这儿干吗——我是被绑来的，不是自愿的。”

台下笑声更大了，有人吹口哨。

“你们都是学文学的？”

台下笑。

“看来不是我一个人走上邪路。”

台下大笑。

“那咱就谈谈文学吧，既然咱们搞文学的和搞文学的碰到了一起。”

台下观众笑得前仰后合。

“我是主张文学为工农兵服务的。”

台下一片嘘声。

“也就是说为工农兵玩文学。”

笑声四起，夹着口哨。

“像我们这些老一代的人，没办法……”

笑。

“忧国忧民成毛病了。从来不拿自己当人，要不为戴顶什么冠冕堂皇的帽子那简直是诸务无心一切都觉得没劲——没劲！什么都没劲！”

台下笑。

“一辈子都是这么过来的，八十了你再叫我改，我改得了吗？就这么老死算了。”

台下鼓掌。

“要依了你们，我这辈子不白活了吗？让我一生的追求付诸东流？我不干！”

笑声。有人问：“你多大了？”

“大到还没大到诲人不倦的地步，但诲人不倦的心是早生了根儿拿镰割拿锄刨仍然春风吹又生。”

嘘声。

“年轻人哪，你们是真不懂历史，难怪你们容易见异思迁。”

嘘声，夹着窃笑。

“几十年来，我们是怎么取得一个个成就从胜利走向胜利的？那就是始终如一支持玩文学的创作方针。”

笑声。

“我建议同学们重新学习古今中外文学史和文艺理论，写得多么清楚多么明白。不玩文学的人是没有出路的。从那时到现在，形势并没有起很大的变化嘛，不是喊文学要走向世界吗，不玩文学，诺贝尔文学奖会发给中国人？”

嘘声。

“看看我国现代文学宝库中的经典之作大师之作，哪一篇不是在玩文学？要有社会责任感嘛！我们是作家，作家是什么人？那就是人上人！总是比一般人机灵点高雅点背负着民族的希望充当着社会的良心指点着国家的未来。我们要不站在高处指手画脚品头论足上挂下连左右方向那全国人民是进退维谷不知所措求生不得欲死不能——那还不得活活憋死！”

嘘声更大了，有人在底下喊：“去你妈的吧！”

“真的真的，我跟你们说的都是真话，你们不能瞧不起我们。说实在的我也就是不计较，你们正眼瞧我其实都是不应该的。老得这样——你们在台下我在台上。”

“不玩文学不行吗？”一个女孩子脸红红地站起来大声问了一句，又迅速坐下消逝在人群中。

“不玩文学不行？不可能不玩，非玩不可。”我回答。

“我们就不玩。”前排一群纯真可爱的女孩子说，“偏不玩。”

“那你们玩什么？”

“什么也不玩，见玩就跑。”

“家待着？”

“我们学西方现代派。”一个勇敢的女孩子说，“两眼一抹黑两耳不闻窗外事就在文学本体上倒腾先谓语后主语光动词没名词一百多句不点标点看晕一个算一个！”

“那你还是玩啊，只不过是玩的对象不同，玩给自己及其同类看。”

“那，那就算玩吧，可我们喜欢这么玩，不喜欢你那么玩，我们这么玩能玩出哲学来。”

“那随你便，爱怎么玩怎么玩吧。不过既然同是玩何不给多数人玩？”

“我们就爱跟精英玩。”

“问题是老百姓比精英更需要咱们跟他玩。老百姓多惨哪，咱们要不跟他们玩就没人跟他们玩。精英嘛，总能找着点自我陶醉的招儿，再不成看洋书解闷儿去。”

“我不同意你这个观点。”女学生慷慨激昂地说，“精英就不惨吗？看了一火车洋书，档次上去下不来了，前不见古人后不见来者，一壁萧索拔剑出门高山流水知音难觅怆然涕下那是轻的一头撞死那也说不定。”

“由此可见呀，那根本不是你玩精英而是精英玩你。好的二道贩子是两头在外的二道贩子，欺负中国人的事认得三千字就干了看那么多洋书也是瞎耽误工夫。我多次在一些会上语重心长地讲：什么时候也不能忘记百分之九十九，八亿农民三百万解放军稳住了天下就太平了。”

“噢——”台下一片哄声。

“你们要老这么起哄我可就不讲了。”

“噢——”台下仍是一片哄声。

“玩世不恭是不是？”我喝口茶润润嗓子，等哄声平息下来，“现在有种风气很不好，动不动就起哄，也不管人家说的是什么，有没有道理。”

“噢——”

“越有道理哄得还越欢。”

“噢——”

“在文学界内部也是这样，玩文学的和玩文学的打得最厉害，连点党同伐异的气魄都没有——越是玩文学玩得彻底的越是不承认自己在玩文学还对别人玩文学气得要死。”

“谁他妈关心你们呀！”几条嗓子在喊。

“骂吧，我让你们骂够了。骂人谁不会？我要骂起来比你们可花式多了。有理讲理，不讲理咱们就都不讲理。”

“到此为止到此为止。”绑架我的学生头儿跳上台，对我说，“你走吧，你还是挺真诚的。”

“我他妈当然真诚了！”我瞪眼，“我要不是真诚我早跟你们谈理想了。”

“操你妈！”一帮男学生挤到台前指着我骂。

“操你们的妈！”我一摔杯子破口大骂，“你们他妈有本事打死我！”

“算啦算啦，别跟他们斗气儿。”一群温和派学生上台劝我，拉着我。

“谁他妈也别想跟我这儿装大个的——我是流氓我怕谁呀！”

我甩开众人，拂袖而去。

五

那景色很美，但我只认得雪松和丛柏以及飘飘拂拂的垂柳，至于那些栽在地上种在坛里的花儿一概叫不上名儿，只笼而统之地分辨得出红黄绿粉有个姹紫嫣红争奇斗艳的印象。

安佳抱着扣子站在花丛前嬉玩，扣子伸出小手去弄花。阳光照在花园里，使人和景物都显得明媚动人。扣子几乎被阳光照得透明了，娇嫩欲滴，在花朵前咯咯笑着露出两颗洁白无瑕的小牙，天真无邪，无忧无虑浑然不知人事——令人不忍久视。

“生活多好啊。”我迎着阳光眯起眼，喃喃自语，“真想为扣子跟谁拼了。”

“肉麻什么肉麻什么？”安佳闻声回头白我一眼，“先跟你自个拼了吧。”

“扣子。”我走过去捧着她的胖脸蛋狠狠亲了一口，“你躲什么我有权利亲你……扣子，你爸学坏可全是为了你，让你以爸为镜长大到社会上谁是坏人一眼就能认出来——可怜天下父母心。”

“你唠叨什么？”安佳说，“坑了我一个还不够吗？”

“正是为了扣子别再重蹈咱们的覆辙嘛。”我慈爱地看着扣子，“扣子，听爸的，街上全是坏人——他们都叫你学好，好自个儿使坏。”

刘会元吴胖子嘻嘻哈哈地从路上走过，看见我，停下来叫我：“摘花儿哪？”

“甭理我。”我对他们说，“关键时刻抛弃我，我记仇了。”

“哟哟。”吴胖子刘会元笑着说，“志气还挺大。”

“你要不去就算啦。”刘会元说，“今儿可是台湾人请客。”

两人往前走了几步，停下回头瞅着我：“给你个台阶儿下不下？”

“你要真有志气，”安佳抱着孩子说，“给梯子也不下。”

“都是朋友。”我说，“不下不合适，咱得让人觉得咱随和。”

我连跑带蹿地向他二人追去。

“怎么台湾人瞧上咱们了？不是发展咱们当特务吧？”

“管丫的，统吃！”

“我不是，就盼着他跟咱们使美人计。”

大街上，马青手攥着一块蜡染花布蹲墙根儿下，刘美萍穿件五彩坎肩在他身旁待命。一见有外国旅游者走过，就把刘美萍撒出去，在洋人面前招摇一番。果然，一个金发碧眼穿中式对襟衫黑布鞋足有一米九的大老外被刘美萍嗅过来了，跟屁虫似的跟着她，叽里咕噜地说洋话。刘美萍只是妖妖冶冶地走，不时飞个媚眼儿，把他一直引到马青跟前。

“跟我说跟我说。”马青迎上去，“我懂不太流利的中国话。”

“这个，”老外指着刘美萍身上的坎肩，“卖吗？”

“人不卖，家伙卖。”马青抖开手里的蜡染花布，“这怎么样？见过没有？”

“好儿！”老外眼睛一亮，“哪里卖？”

“别忙别忙。”马青收起花布，“我明白您那意思。您不就是想买中国的宝贝吗？我那儿有各式各样儿的，您跟我来吧，美萍，头里走。”

马青搀着大老外，指着一马当先往前走的刘美萍："咱跟着她，探宝去。"

"路多远？"老外看着曲里拐弯的小胡同犯蒙。

"拐弯就到。"

我们一行三人兴冲冲地迈进小厨房——海马沙龙。进门就找："台湾人在哪儿？台湾人在哪儿？"

正陪着大老外喝颜色水看花布的杨重转过身说："台湾人今儿来不了啦，改各国反动派了。"

我们仰脸看着高出一头的大老外发愣，大老外也看着我们犯晕。

"你不是就稀罕中国的宝贝吗——这全是中国最好的宝贝。"马青为我们介绍，"这是圣马力诺汉学家，哭着喊着要认识你们。"

"他，"我指指汉学家，"有饭吗？"

"就看你们的了。"杨重说，"人我们绑来了，砍得出砍不出饭就看你们临场发挥如何了。"

"他们要干什么？"老外指着我们问，"他们不卖花布？"

"不卖不卖。"马青把老外按坐在一张椅子上说，"坐下说别光站着。"

我们也分头坐下，傻呆呆地看着老外。

"别傻坐着，说话啊。"马青催促，"天南地北好容易碰到一块儿。见不着时想死，见着了又没话儿。"

"不知说什么好。"吴胖子说，"不知他爱听什么。"

"没话儿找话儿吧。"我说。比画着端碗拨食的动作，"好吃——中国饭？"

"好吃！"老外恍然大悟，露出微笑，"吃不够。"

“敢情这位也是饭桶。”我指指自己又指指他，“我们一起去吃——你请客。”

“你请客。噢，不好意思。”

“不，我说你请客，你有钱。”

“不好意思。”老外笑着摇头，“还是各吃各的吧。”

“A——还是你请客，我给你中国人的友谊。”

“就别老说吃了。”杨重插话，“说点别的，迂回点。”

“你，多大？”我比画着，确实无法表达年龄的形状，只好比着高矮。

“一米九。你哪？”

“我说年龄——年龄。”我比着下巴的胡子，又往下拉双眼，龇牙数着给他看：“几岁口？”

“他说什么？”老外看马青。

“咴！——”马青扬头作马嘶状，又龇牙冲老外，“他问你几岁口？”

“不买——咴——”老外也扬头嘶叫一声，“有笛笛。”

“树，知道吧？”杨重看不下去，插进来指外边的树，用手画着圈子，“年轮。”

“树？噢，知道。年轮也知道。”

杨重指我，又指老外：“他问你年轮——几圈了？”

“三圈。”老外伸出三个手指头，点点头，“你几圈？”

“也三圈。”我说。

“不。”老外不同意地举起四个手指头，“四圈。”

我急了，跳起来骂，“挤对谁哪你？”

“你别这样。”马青说我，“人外国朋友实诚，其实说你四张儿也没往高说。”

“他说什么？”

“他夸你呢，说你好眼力。”

“怎么看上去像骂我？”

“没有没有，我们中国人都这样儿，夸起来跟骂人也差不多——热情奔放。”

“那我们怎么分辨？中国人爱我们还是恨我们？”

“他们要跟您笑，那就是恨你；要冲您瞪眼儿，那就是爱你——不拿你当外人。”

“跟我们反着？”

“对，一概反着，连红绿灯都是反着的。上街您看见红灯就往前走，见着绿灯就赶紧停下来。”

“明白了。”老外冲我们瞪起眼，厉声说：“我爱中国！”

“好，爱吧，咱们互相爱着。”我瞪眼冲他嚷，“你爱中国，我们爱圣马力诺。”

“那就去吧，我不是都来了！”

“还是你会说话。”

“看来这顿饭是没戏了。”刘会元对我说，“怎么都说不到一起去，谁跟谁都不挨着。”

“没人想到你们国家去。”吴胖子对老外说，“我们在自个国家待着挺好。”

“是的，我很羡慕。”老外说，“也就是在中国，在我们那儿没人成天这么坐着说闲话——饿死了。”

“那你们也革命吧，一革命就全饿不死了。”

“革不起来，反正也全饿不死，看你们革了。”

“看我们热闹是不是？就知道你们大鼻子都安的这心。”

“又夸我？不不，不要老夸我。我们做得很不够，比你们不如。

你们把全国地主都斗了，我们也就是劫两架飞机，绑架个资本家。”

“你，你是干吗的——在你们国家？”

“在我们国家我是好孩子，在德国我是红军。”

“德国红军！”我们大惊失色，“恐怖分子？哎哟，怎么净碰上这人？我们还以为你是资本家呢。”

“又夸我？生晚了，没赶上你们中国红军革命的时候，只好就近入德国红军了。”

“你快走吧。”我们拉起老外往处推，“要不我们得把你扭送公安局，国际公约得遵守啊。”

“你们怎么这态度？”老外被轰出来，十分不满，“我们一向是只拣资本主义国家祸害。”

“我们今儿是等资本家呢，没等你。”我们轰走老外，关紧门，犹自心跳，“德国红军？那也是穷人的队伍了。”然后一起用眼瞧马青。

马青面无人色，连连向后退去：“几位爷饶命！几位爷饶命！我这就再去上街，死活拉一资本家来。”

“再找来洋红军，可别怪我们不客气！”

“其实你们不明白，外国那红军也都是有钱人。”杨重替马青圆场，“闹革命玩恐怖在外国都是有钱人的娱乐，时髦着呢。”

“不是你不知道我们恨极左分子？你讲话那是有钱人的娱乐，咱穷人起那哄干吗？先富起来再找乐儿。”

“这人穷啊就是志短。”我说，“连革命的精神都打不起来——除非能靠这吃饭。”

“嘿嘿，你们可他妈来了。你们胡写乱抹一通全颠了，我和丁小鲁屁股都坐大了。”

我们一行刚进“海马”编辑部，正愁眉苦脸处理稿子的于观就嚷。

“方言你过来，你自己认认你写的这叫什么字？你写的这是汉文还是阿拉伯文？”

“别一见领导就叫苦担子就往领导肩上搁。”我走过去，“领导叫你负责编领导的稿子那是领导对你的信任领导也没闲着啊刚跟德国红军攀了回道……‘柔’啊，领导写的这字是‘柔’啊。连‘柔’都不认得？还主编哪？虽说领导的笔画乱了点，大模样儿没走啊。”

“那我问你，这‘柔持’是什么意思？”

“‘柔持’就是特含蓄特有主心骨不太动声色的意思——‘柔持地笑’吗——表示特风度。”

“谁‘柔持地笑’？”

“我‘柔持地笑’啊，面对困难，毫不在乎。”

“那字念‘柔’吗？”

“不念‘柔’也差不多吧。”

“那字念‘矜’，告诉你——左边一‘矛’右边一‘今’。好好记住，下回别再现了，好歹也是个作家了。”

“有什么呀有什么呀？不就是个‘矜’吗？秀才识字还识半边呢。”

“你们俩也都过来看看自己的稿子，”丁小鲁叫吴胖子、刘会元，“你们那错别字不比他少。是不是小时候学字时跟的一个师傅？”

“急了我用英语写了。”吴胖子嘟哝，“写完了再翻译。”

“你们以后写稿子是不是认真点？”丁小鲁说，“咱这刊物是全国影响，太胡闹了不好。”

“我这已经很认真了。”刘会元趴着改自己的错别字，“再认真就没法看了。”

“噢，对了。”丁小鲁拉开抽屉拿出一封信扔给我，“这儿有你一封读者来信，昨儿收到的。”

“男的写的女的写的？”

“看这名像女的，郑文文。”

“念念念念。”吴胖子一把夺过信，“看写的什么。”

吴胖子抽出信，展开，一看，先乐了：“亲爱的方大哥，你好！”

屋里人全笑了。

“这叫什么称呼啊？”我笑着说，“直接套‘瓷’。”

“可能您不认识我……”

众人又笑：“这不是废话吗？”

“可我认识您，当然还不能算真认识，只是刚从您的作品中和您发生了一点关系。”

“瞧瞧，这就发生上关系了。”刘会元说，“要不说快呢。”

“我是第一次读您的作品。”

众人笑：“没法不是第一次，早先读的都是别人的。”

“第一次读就喜欢上了。”

“嘿，要怎么说勾人呢？”众人笑。

“我发觉您特有才气，观察事物特仔细，对话虽少，但一对就对在我们心坎儿上了。”

“夸的路子，现在这人全是夸的路子。”众人大笑，相视点头，“都知道这话儿人家爱听。”

“下面准是：‘我这不是夸你。’”

“我这不是夸你……”

大家哈哈大笑：“还不是夸呢！”

“听着听着，别闹。”我制止大家。

“哟哟哟。”众人瞅着我笑，“怪严肃的，是不是也被别人‘对’到心坎儿上了？”

“……是我的心里话。”吴胖子接着念。“其实我平时也挺傲的，别人都说我瞧不起人，但我一看你的作品……”

“就瞧上你了！”众人一起笑着说，“这回可逮着一个可以瞧的了。”

“你是不是很年轻？从你的作品中我感觉到你很年轻。”

“年轻年轻。”我笑着说，“不但年轻还有为。”

“我也很年轻。”

“瞧，年龄还挺合适。”众人笑。

“也爱好文学。”

“有共同爱好。”众人笑着说，“看来不发生点关系真是不应该了。”

“——但没写过什么东西。”

“不碍事，你这方大哥也没写过什么东西。”

“——我想拜您为师。”

“好好，这方大哥早想收徒弟倒贴还没人上门呢。”

“——您能不能教教我？”

“能教！”众人一齐说，“方大哥不但能教还爱手把手地教——就怕你不好好学。”

“哄我是不是？”我说，“你们这么起哄我可脸红了。”

“赶快回信吧。”吴胖子把信扔我怀里，“我也不念了，下面那词儿我看着都害臊。”

“你害什么臊？”大家笑吴胖子，“跟你有什么关系？”’

“不是，我就觉得气愤，对个鸡巴作家就这份儿德行，将来真见着敌人还不得当场跪下？”

“你打算给这主儿回信吗？”于观问我。

“回！”我说，“你顺手给我写吧，‘我倒不担心别的，主要怕你不够漂亮……’”

大家哄堂大笑，互相感慨着：“坏，这作家是坏。”

“嘿嘿，你找谁呀？怎么进屋门都不敲？”吴胖子冲一个走进屋东张西望的老头子说。

“我找方言。”老头儿说，“你们这儿是‘海马’的窝吧？”

“你是谁呀？”我问老头子。

“我是古德白！”老头子一字一顿掷地有声地说。

“谁认得古德白呀？”我问大伙儿。

大伙儿都说，“没听说过。”

“噢，我听说过。”丁小鲁站起身冲老头儿说！“您就是那个写过‘狂飙为谁从天落’的古德白？”

“《狂飙为我从天落》。”

“对对，‘狂飙为你从天落’。”丁小鲁对我们说，“你们没看过吗？那书多有名啊，八路军里认字的一多半都是看了那本书从家跑出来的。”

“是吗？”我们看着老头儿肃然起敬，“敢情三座大山是你推翻的。”

“古大爷，您坐。”我把自个儿的椅子让给他，“您找方言干吗呀？”

“找他算账。”老头子坐下说，“他讽刺我。”

“我什么时候讽刺您了？我连一分钟之前有你这人都不知道。”

“他就是方言。”丁小鲁指着我说，“有什么苦水您只管倒。”

“你就是方言？”老头子跟我上下犯照，“你丫有什么了不起的？”

“你丫有什么了不起的？”我也跟老头子犯照。

“你丫不就两肩膀扛一脑袋吗？再加上俩胳膊俩腿——挺一般的人。”

“你六指儿一个给我看看。”

“我还真不信这个。”

“再来劲我把你丫脑袋揪下来。”

“别吵别吵，方言你对老人尊敬点。”丁小鲁解劝说，“古老您也别动气。到底怎么啦？有什么话儿慢慢说，方言怎么讽刺您了？”

“怎么讽刺了？万人大会上说我玩文学，什么‘现代文学宝库中的大师之作哪一篇不是玩文学？’这话是不是你说的？”

“说你了吗？”

“还非得点名是怎么着？现代文学宝库中的大师除了我没别人。你没说我说谁呢？别跟我来这套，大爷心里明镜似的，哪天不开几次座谈会？开了一辈子了，别提座谈会，一提座谈会就跟我有关系。”

“他那是夸你们呢。”丁小鲁解释道，“说你们路走得对，要跟你们学。”

“不中！夸我们咋还说‘改不了’‘老死算’什么的。”

“您这都是打哪儿听来的？还怪详细的。”

“你以为你说说就完了？早有人把小报告打给我了。别看我上了岁数，谁在哪儿说了我什么我全竖着耳朵听呢。你说怎么办吧？你损害了我名誉，犯了诽谤罪——全世界都知道我玩文学了。”

“全世界都不干别的，光关心你？”

“反正你要不公开道歉，赔偿损失，我就上法院起诉。”

“你是不是玩文学吧？”

“不是！我一辈子辛勤笔耕从来都是教大家教咱们的人民充满理想无私奉献艰苦奋斗情操高尚做个完人甚至不惜编一个完人在作品里叫大家学——我怎么就玩文学了？”

“你这还不是玩文学？古大爷，确实我这么说有点不尊敬您，但要不这么说，我看您到了也明白不过来。您当您还小啊？编点瞎话说说大家还能原谅您？您也是一把岁数土埋脖梗子按老活儿讲棺材瓤子了，还不学着说点老实话办点老实事当会儿老实人您也不怕……”

“我不怕我什么都不怕！人死灯灭，物质不灭，当初上这条道我就早把脑袋掖裤腰带上了。”

“您是黑了心了，一点不考虑下一代，只管上下两个‘巴’痛快！真的，我恳求您了，再不能这么不负责任地蒙骗下一代了。社会都进步到什么阶段了？谁当好人谁吃亏！您不趁临死前传点坏招儿现身说法还一个劲儿赶着大家闭眼往悬崖下跳——您也太玩世不恭了，古大爷。”

“有什么呀有什么呀？别跟我说这个，我什么都不听什么都不信——我算看透了，想客客气气的，什么都办不成，该恶就得恶！你等着，我收拾不了你，我还不姓古了。光你们有哥儿们？我们也有哥儿们，哥儿们之间也仗义着呢！”

“都是流氓。”丁小鲁对于观说，“我算看出来了。”

“不服是不是？”老头子盯着我，“不服抽你丫的。”

“甭报警。”我按住丁小鲁拿电话的手，“这种流氓是不怕警察的。”

“识相点。”老头子挑着寿眉说，“别找不自在。要想还在这道儿上混，就得懂规矩。否则，砸了你的铺子，远远撵出去！”

“我认栽。赔礼道歉，赔偿损失。你还有什么要求吧？我全答应。”

老头儿走后，大家纷纷安慰我，劝我别往心里去，就权当咱们真错了，古德白骂对了。

“我不生气。”我说，“小流氓栽老流氓手里不丢份儿。”

六

“这屋怎么看着宽绰了？”

“美萍家小厨房也腾给咱们了。”杨重对我说，“各庄的地道连成一片了。”

“你真幸福。我真羡慕你。”我一边巡视着扩大了的沙龙一边对陪在一旁的刘美萍说，“不是谁家的厨房都能改沙龙的。”

“还是惨点，对不住大伙儿。”美萍诚心诚意地说，“快了，我爸没几天了，他头脚咽气后脚我就让你们搬正房。”

“没关系，斯是陋室，唯吾德馨。”

“对对，人好就行。”杨重说，“你瞧咱请来这些人一个赛一个德行。”

按常理儿，我应该用灯红酒绿郎才女貌什么的来形容沙龙里的气氛及其宾客，但如此形容，我怕是要逃不掉恬不知耻的谥称。我们的文学总是不真实，我们的汉语大都不严谨，稍一铺陈，便与目睹事实相去甚远，未免令知情者贻笑大方。索性啰嗦点，粗白点，反正我的才气也是有目共睹，不必在这一段落炫耀。

红灯是有，只一盏，就是那种业余摄影爱好者洗相片用的涂红漆的十五度灯泡，挂的位置类似公共厕所同时照耀男女双方的那种地方。酒完全不是绿的，是不是酒也大可怀疑，最有可能的是酒精兑“三精水”，一打一跟头炮弹似的——盛在绿瓶子里。郎们才不便妄作结论，的确有长头发也有秃脑门和大胡子，谈的倒都是艺术，微笑也很得体。如果宽泛点谈艺术就不易，考虑一下人家长得如此绝望实在不该再落井下石，归入才子一类也情有可原。女士们……如果不便无礼，这么说吧，比男士们稍好一点。看的出来走上这条道也是别无选择。公正地讲，不承认先天不足后天多少能有所弥补，那不是科学的态度。

分布状况是仨一群，俩一伙儿。那精神状态，那眉宇间流露出的神情皆为上等人的感觉，这点毫不夸张、货真价实。大言不惭的尽管普遍，落落大方的也比比皆是——如果你不恶毒地管这叫“觍着脸”的话。

“说实在的，你们对现代派文学的认识是非常皮毛的。”宝康对刘会元诚恳地说，“兄弟搞了一生现代派还没入门——不瞒您说。”

“是是，咱们都还在苦洼子里扑腾呢。”刘会元也同样极诚恳地说，“方言他也是胡说八道，穷开心，有枣没枣三杆子，人堆里抡板子——拍着谁是谁。您千万别往心里去，该怎么摸索怎么摸索，只当没他这人。”

“不是，你不知道我这人特脆弱，特别受不了同一阵营中射来的冷箭。咱都是苗苗，都需要阳光雨露。咱苗苗之间应该互相浇水互相上肥互相躲锄板子，不能互相盼着老农先把对方间了苗。”

“对对，方言他太不对了，我得跟他说说，他这是帮了谁的忙？”

“跟他说说，农民起义还知道先得了天下再内讧。”

“对对，先合力攻打官军。说实话，我比较了解方言。他那是嫉妒。自己写不了，就拿大师之作对照着挑后生们的疏漏，借维护正宗之名行扼杀新进之旨藏自己不能之实——老一套。”

“对对，咱年轻人都挺纯洁的，别学那老文痞的作风。”

“对对，等咱老了，咱再压制年轻人，不许他们冒头。”

“对对，那时咱们也德高望重了，也大大小小满视野了，再痞也没人敢管咱们叫痞子了。什么现代新潮先锋都是咱们玩剩下的，只要不改外语写作，写什么咱都告他‘狗剩儿’。”

“咱只培养文学女青年。”

“不不，一概打下去，那会儿咱肯定老得什么也啃不动什么也不爱吃了，天鹅肉端到嘴边也是干流口水馋着有劲使不上。”

“不不，还是培养女青年，干不了别的，摸摸手巴掌，捏捏辫梢儿总是可以的——那会儿就好这个了。”

“就依你，弄成台湾那样，牝鸡司晨。”

“你们台湾有什么呀？你们香港有什么呀？”吴胖子对站在他面前一个简朴的台湾女士和一个油亮的香港男人唾沫星子四溅地大声奚落，“弄着一帮半老徐娘在那儿言着情，假装特纯假装特娇，一句话就难过半天，哭个没完，光流眼泪不流鼻涕，要不就是一帮小心眼儿的江湖术士，为点破事就开打，打得头破血流还他妈大义凛然，好像人活着不是卖酸菜的就是打冤家的——中国人的形象全让你们败坏了。那点事儿也叫事儿？就欠解放你们，让你们吃饭也用粮票。”

“对对，还是你们作品深沉，我们无病呻吟。”台湾女士说。

“别挤对我们，就跟你们在这儿我们幸福过似的。”

“我们？”

“对，人们，国民党——愣不知道国民党是怎么去的台湾？”

“噢，不知道。”台湾女士摇摇头，尴尬地笑。

“中学课本没有？”

“没有，现代史一九四九年以前是空白。”

“不好意思？敢情国民党脸皮儿也薄！我给你上一课吧，说实在的，你们当年但凡有点人样儿……”

“别你们你们的，国民党就是国民党，我也不是国民党。”

“就全当你们是国民党！你们不还全当我们是共产党吗？是不是马青？”吴胖子转脸对马青说，“不能跟他们客气对不对！”

“不能！全部划入匪类。”马青斩钉截铁地说。

“别跟我们历史唯物主义者面前玩哩格愣。国民党也就是幸亏及时跑了，要不尿盆子也得扣他们脑袋上。有一个好人没有？”

“可是国民党在台湾搞得还是不错。尽管政治黑暗，但经济还不错，有人还是拥护国民党的。”

“他还不改呀？换了我也知道吃一堑长一智。”吴胖子说，“还老样子那太破罐破摔了——这就快成千古罪人了。”

“回去跟你们李登辉说，”马青冲台湾女士交代，“好好在岛上过日子吧，别老想着三民主义统一中国。统一了有什么好啊？十亿人都找你要饭吃你有那么大的饭锅吗？”

“不服就让国民党来试试——吓死他！我信那个！中国这块土地谁敢来改变颜色？谁来就让谁遗臭万年。别人不了解中国，咱们还不了解中国？混多少年了？”

“看来你们对民族前途十分悲观啦？”

“悲观？——一点不悲观。百足之虫，死而不僵。有什么说什么，要说全世界各民族让我挑，我还就挑中华民族，混饭吃再也没比中国更好的地方了。凭什么说我们一无所有？我们也有很多优越之处。说实话，能让我们瞧得起的民族还不多呢！不就是才过上二百年好日子吗？有什么呀？我们文明四千年了，都不好意思再文明下去了。”

“要不说中国人谦让呢。”马青接着说，“所以我特喜欢这民族。说实话这里也就我一个外国人，回民，阿拉伯人。”

“你是回民？”台湾人瞪大眼睛看马青，“阿拉伯人？”

“种儿是早叫你们汉人串了，除了眼珠子还有点波斯猫那劲儿，鼻子狐臭什么的全改了。”

“你什么时候来的中国？”

“他早啦。”吴胖子说，“那会儿咱还是唐朝呢。那会儿咱们是美国现在这感觉，外国人都奔咱这儿移民，咱们是杂种。你瞧那边站着那杨重没有？那是犹太人，也是头八百年就来了，憋着跟咱这儿淘金受教育呢，来了就不爱走。你以为咱这十亿人都是咱汉族大姑娘养的？多一半都是外国人。这会儿瞅着外国人眼儿热了？自个儿本身就是外国人全忘了。”

“你回过故国吗？”台湾女士问。

“没有。”马青说，“老家也没人了，回去也让人当外国人歧视。要不说没根呢，寻都没地儿寻去。”

“这就是杂种的悲哀。”

“一个外国人，为了中国人民的解放事业，老家有石油都不回去钻去，生陪着中国人混，有难同当，有福不享，这是多么伟大的情怀——你们中国人再不爱国那可太不应该了。”

“真是，咱们海峡两岸的中国人快握握手吧。”吴胖子和台湾女士握手。

“还有我们香港呢。”香港男人忙伸出手，“我们香港人也是中国人。”

“你们就算了吧。”马青说，“很难说你这样的是什么人。”

“啊，我们香港和大陆台湾两地的情况都不一样。”

“不一样就对了。赶紧巴结我们离台湾远点儿，否则看我们怎么收拾你。”

“这样吧。”吴胖子指着两个海外中国人说，“你们两家一家给我们每个人出本书吧，稿费开高点，用你们的货币支付，到时候我们也好为你们说话，不搞满门抄斩。”

“只怕你们的书在我们台湾也得被列为禁书。”

“没关系，我们给你们写就不写这种过激的书，用我们这儿的话讲：反动黄色。”

“放心。”马青对两位不同的“胞”说，“有写这个的，甭你们的党棍动手，我们就先把他掐死。这全是多面手，‘四人帮’回来也难不住我们。”

“不要认真，不要认真。”香港人对台湾人说，“他们这是开玩笑呢——你们是在开玩笑吧？”

“你错了，你们全错了。我们从来不开玩笑，说的都是真话。”

“你不了解大陆。”香港人一个劲儿对台湾人说，“我经常回来，比你了解。大陆现在很开放，年轻人要不说点过头话就不时髦。”

“你们要老跟我们打岔，不办实事，”马青说，“那我们只好以武力相威胁。”

“我下一篇小说的名字叫《千万别把我当人》。”我郑重其事地对几个洋人说。

洋人嘻嘻地笑：“为什么？为什么叫这个名字？”

“主要就是说，一个中国人对全体中国人的恳求：千万别把我当人！把我当人就坏了，我就有人的毛病了，咱民族的事就不好办了。”杨重替我解释后转向我，“是不是这意思方言？”

“是这意思。”我点头，“现在我们民族的首要问题还不是个人幸福，而是全体腾飞。”

“为什么？”洋人不明白，“全体是谁？”

“就是大家伙儿——敢情洋人也有傻逼。”我对杨重说，“什么都不明白。”

“嗯，他们傻着呢。”

“我们中国人说的大家伙儿里不包括个人。”我对洋人说，“我们顶瞧不上的就是你们的个人主义。打山顶洞人那会儿我们就知道得摽着膀子干。”

“你写的，就是，人民一齐飞上天？”洋人做了个夸张的飞翔姿势，“怎么个飞法？”

“拿绳拴着——我写的不是这个，我写的是一个男的怎么就变成了一个女的，还变得特愉快，特高兴。”

“嗯，这个在西方有，两性人，同性恋。”

“傻逼，噢，对不起对不起——我写的不是这么回事。既不是两性人又不是同性恋，就是一爷们儿，生给变了。”

“为什么？我不信。”

“你是不信，要不说你们这些汉学家浅薄呢，哪儿懂我们中国的事儿啊？骗了！为民族利益给骗了！”我比画着对洋人嚷，“国家需要女的。”

“为什么？女的哪儿去了？”

“真他妈累——女的哪儿也没去，都在，都没用！就瞧上他了，希望他代表妇女。”

“为什么？他长得漂亮？”

“算了算了，杨重你跟他说吧，我歇会儿去。”我走到一边。

“不是他长得漂亮，而是他有特殊本领，这特殊本领一般女的没有。”杨重比画着拳击动作，“拳击，懂了吧？派他和你们玩拳。”

“懂了。西方也有，拳击。”

“懂了就好。”我走回来，“跟你们说话真费劲。”

“为什么？让男运动员装女运动员？”

“又来了不是？为了赢你们呗。”

“他答应了？”

“答应了,组织上做了工作。”我指指脑袋,“这里面——通了。”

“噢，洗脑了。”

“什么洗脑啊？思想工作做通了！心情愉快了——干什么都可以了！”

“噢，原来你们的女排都这么训练出来的。”

“哎哟，这可不是，你别瞎说。我们的女排女篮女乒都是正经八百的娘儿们，我那是小说，说笑话儿。告诉大家，只要你不把自个儿当人就没人拿你当人找你的麻烦你也就痛快了没有迈不过去的坎儿。”

“你这个小说一定通不过审查。”洋人斜着眼儿看我，“反动。”

“一点不反动。”我哈哈大笑，“岂止不反动，还为虎作伥呢。”

“我不跟你说了。”洋人拔腿往别处走，“没正经。”

“你回来你回来。”我拉住洋人胳膊，“我怎么没正经了？”

“嗯，不严肃。”洋人瞧着我遗憾地摇头。

“我怎么不严肃了？没写德先生赛先生？”

“你鼓吹像狗一样生活，我们西方人，反感。”

“这你就不懂喽。我们东方人从来都是把肉体和灵魂看成反比关系，肉体越堕落灵魂越有得救的可能。我们比你们看的透，历史感比你们强，从来都是让历史告诉未来——没现在什么事。”

“语无伦次——你！”洋人用手戳点着我胸脯说，“穷欢乐！”

我哈哈大笑，戳着洋人胸脯说：“这回让你说对了，就是穷欢乐。穷且志坚，自个儿给自个儿找台阶儿下，可钦可佩吧？”

“这帮傻逼！”洋人们干笑着走开后，我对杨重说，“以为中国人都是没头脑和不高兴呢。中国人真跟他们抖起机灵一人能涮他们一筐。”

“方言你过来。”于观站在一边叫我。他正和一个小瘦子说话儿，小瘦子一边说话一边用手在牛仔裤上擦摸。他又脏又年轻，大概是个颓废的诗人兼手淫犯。

“他拿了份什么请愿书叫咱签名。”于观递给我一张皱巴巴的纸，那纸好像被尿过又阴干似的，发出一股骚味儿。

“是这样，”小瘦子十分紧张又装得挺坦然地说，“我们想趁政府正乱的时候跟他们多要点人权。好多人都签了，大尾巴狼一个没拉。”

“不签！”我把纸摔回小瘦子怀里，恶声恶气地说，“管你们那么多闲事呢！少拉着我们犯错误，我们这点人权够用了，多了还不会使呢！”

“你们就是鼓吹‘全盘西化’那帮吧？”杨重说，“回去告诉你们头儿，小诸葛亮脱裤衩——装明‘灯儿’！都想试巴着给中国指道儿，我们还哪儿都不去了！”

“什么东西？骂两句共产党就成英雄了。明告诉你们，今天的高家庄不是从前的高家庄，就是怎么着也轮不着你们坐庄。”

“他妈的！”我们骂走小瘦子，仍旧愤愤不已，“真是国难之时，妖孽四起，各种假龙天子都出世了。”

我们走到丁小鲁身边，看着她对面和她交谈的那个彬彬有礼的妇女问：

“你这个朋友是干吗的？”

“日本人。”丁小鲁忙给我们介绍，“日本记者。”

“日本人？”我们上下打量着这位妇女，“日本哪儿的？”

“北海道的。”日本妇女忙鞠躬递名片，“初次见面，请多关照。”

“初次见面？不对吧？”我说，“没侵略过中国吗？”

“噢，没有没有。一是那时我还小，二是前日本陆军中没有女子战斗队。”

“没有吗？噢，好像是没有——那也不能就因此认为自己没责任了！”我声色俱厉地说，“也应该好好反省。”

“你别这样。”丁小鲁说我，“你这是干吗？人家庆子是亲华人士。”

“是吗？你是亲华的？”

“是的。”日本妇女慌乱地点头。

“亲华的就算啦，本来我是准备打到日本，制造一次东京大屠杀，搞点国际性新闻。罢罢罢。”

“你是日本记者，我跟你反映一情况。”杨重说。

“请讲，请讲。”日本妇女连连哈腰。

“我买了一台先锋音响，没有几天坏了，你是不是跟日本报纸上登报批评一下厂家？太不负责了嘛，日本货还出质量问题，这不是叫我们中国消费者毫无指望了嘛。”

“太破坏我们的亲日感情了。”我插话，“照这样下去，二十一世纪我们就不准备跟你们友好了。”

“我们也就是现在还不够强大，真到强大那一天，咱们新账老账一起算。”

“行了。”丁小鲁说我们，“你们俩你一句我一句的都把人家吓坏了。你音响真坏了吗？”

“真坏了。”杨重说，“要不我干吗跟日本那么大仇——头仨月还亲着日呢。”

“真坏了就让庆子小姐帮忙跟厂家联系修理一下，别不着四六,胡骂一通。”丁小鲁带着庆子小姐离去,“别理他们,咱们走。”

我们一干人又走到吴胖子马青那里，指着那对男女问 :“这俩是干吗的 ?”

“一个台湾人一个香港人。”吴胖子得意地说，“都让我们灭了。”

“灭得好，继续灭吧。”我离开他们，去到酒吧台上找刘美萍又要一杯“四精”水，喝了一口，咽了下去，突然狂喊一声 :

“混蛋 !”

屋里的人立刻都静了下来，一起掉脸看我。我看着天花板，若无其事地继续喝酒。

屋里的人们又恢复了交谈，嗡嗡声一片。冷了，另外一角落又传来一声怒喝。

“混蛋 !”

我随着众人一起扭过头去，见杨重站在屋角若无其事地喝酒，见大家看他，微微一笑，做了个祝酒的姿势。

吴胖子和马青乐了，跟着也大吼起来 :“混蛋 ! 王八蛋 !”

刘会元在另一端也喊起来 :“操你妈 !”

我们这帮人乐着，在屋里各个角落彼此呼应着，此伏彼起，一声接一声声嘶力竭地骂着。

屋里的宾客全待不住了，纷纷站起来往外走。我们在后面骂着 :

“都他妈滚 ! 少跟我们套近乎 ! 我们谁的同志都不是 !”

宾客们云集门口，鼠窜而去，屋里就剩我们一伙儿了。大家放声大笑，互相厮打在一起，把酒杯酒瓶全摔在墙上地上抛向空中。

“你们都疯了！”丁小鲁冲进来，使劲冲我们嚷，“把人都骂走了，还想不想把沙龙办下去了？”

“有什么呀？”我醉醺醺地说，“最多不就是关门嘛。”

众人一起笑起来，都醉醺醺地说：“就是，有什么呀？最多不就是干砸了。不怕砸，没招儿了吧？最多就是回去还搓哥几个的麻将去。”

“你们都醉了。”丁小鲁气愤地说。

“对，我们都醉了。”我们笑丁小鲁，“众人皆醉你独醒。”

七

“你们是不是特自卑？”

“是是，我们特自卑。”

“海马”编辑部里，宝康正和我们对着话，据称他是代表有关方面特来与我们“对话”。我们昨夜回去又打了一夜麻将，此刻一个个脸色发绿，没精打采。宝康则红光满面神采奕奕很有几分苦口婆心的架势。

“是不是特扭曲？”

“是特扭曲，扭曲得不像样子。”

“你们昨天在那种场合那么闹很不好。”

“是是，不好。”

“现在知道错了？”

“是是，知道错了。”

“晚了！影响已经造出去了，你们看怎么办吧？”

“公开道歉，赔偿损失。”

“怎么个赔偿法？要知道你们主要是把大家的心伤了。心伤了你们知道是什么滋味吗？”

“你说你说，教教我们。”

“饭吃不香觉睡不好，一动就是一身冷汗，什么都不信了什么都提不起兴趣了，只想流泪不住想往外冲见河就跳见电门就摸——你们说有治没有？”

“用博大的心慢慢温暖——许还能焐过来。”

“要是颗冷酷的心呢？”

“冷酷的心伤了？——那倒霉的不是他了。”

“这儿有你一封信。”正在无聊地翻着信件杂志的丁小鲁抬头对我说，扔过一个牛皮纸信封。我拆开一看，没读几行，扔下信大叫：“哎哟，臊死我了。”

“怎么回事怎么回事？”众人立刻来了兴趣，纷纷抬头。

“我念给你们听啊。”我笑着说，展开信纸，“亲爱的方大哥方老师，您好……”

“又是她。”众人笑，“信回得还真快。”

“我觉得我真对不起你，您的一片心意我全领了全明白特感动，因而也就更感到对不起你。”

“怎么呢？”众人笑，“有主儿了？有主儿也没关系，方大哥好的就是二过一。”

“不是你们往下听着。”我笑着说，继续念信，“我觉得您可能误会了。当然这不能怪您,全怪我妈,给我起的这名像女名……”

“噢——”众人翻了天似的起哄，“敢情是一爷们儿，这是哪跟哪儿啊？”

“听着，这下边还有呢——方老师，我真觉得对不住您，我怎么就偏是个男的呢？”

“真是不应该。”大家笑。

“我特理解您的心情。但也特忧虑，怕您一失望就不待见我了。犹豫半天，本想瞒着您，但又不落忍，加上我又是个特实诚的人，从小到大没骗过人……”

“怎么长的？”众人笑。

“……更不能骗您了，我心中的明灯。”

“好好，夸得狠，夸的是地方。”

“……方老师，我跟您说实话了，您可千万不能因为我说实话就惩罚我……”

“不罚你罚谁呀？”

“……我现在可全指着您了。”

“坏了不是？”

“我已经决心为文学献身了。昨天离开家四处找您，今儿已经山穷水尽，饭吃不上水喝不上兜里一分钱都没了。麻烦您一定预备点钱和粮票，不定哪天我就会骨瘦如柴衣衫褴褛地出现在您面前……您要不救我，我就撞死在您面前！”

“我的天！”众人笑叫，搡我，“看你怎么办吧。”

“谁惹娄子谁顶着，我才不管呢。他要觉得上当，我跟他一起撞死。”我笑着、闹着，一眼看见宝康还坐那儿，忙说，“别闹了别闹了，让宝康接着说。人这是正事。”

“现在你们伤的就是颗冷酷的心。”宝康说。

“真的？那太不应该了。”

“我为你们难过。说实在的，我是真想帮你们——爱莫能助。”

“没事。真帮不上也不怨你，意思到了就行。”

“你们当作家真是历史误会。”

“是是，误会。我们应该种田做工去，让你们当作家。”

“不知道你们怎么想的，大千世界，无奇不有，清洁工淘粪工都招不满，那贡献多大干吗不去？非来夺我们饭碗，本来我们好好的，你一口我一口。”

“怪我们怪我们。你们客气我们把客气当福气了。”

“好好反省反省吧，人生的路蹉跎岁月一失足可成千古恨。悬崖勒马亡羊补牢知难而退有错必纠——反正就是这意思吧再多的词儿我也想不起来了。”

“你给我们指条明道吧，这回我们听你的。”

“我心里也乱着呢，刚才那番话好像头些年谁也对我这么说过。”

“是挥着拳头说的还是写大字刷墙上？”

“记不清了，没准是我自个儿对自个儿说的。”

“甭管谁说的吧，甭管对谁说的吧，有这么回事就行。”

“对对，历史的经验要牢记丑话说在头里勿谓言之不预。甭往这里瞎掺和，先打听打听规矩。我们遭多大罪，使多大心劲儿才形成这种颠扑不破的受难基督印象——在世人眼里，你们一上来就洒狗血，没大没小，没尊没卑——能不跟你们急吗？”

“是是，什么吹出来也不容易。青洪帮还有个辈分儿呢。老的对小的生杀予夺……确实是我们太不注意了。”

“回去好好反省反省吧，下一步怎么做好。不是我卖乖，何必呢？哥几个不傻不粘的，非当作家干吗？我也就是不会别的，否则也早奔高枝儿了。这玩意儿有什么好？劳心伤神苦哈哈，写一辈子也没几个写出正经东西的，都当柴烧了——我有儿子就坚决不许他当作家。”

“你的话说得是真肺腑，真让我们深思，看来我们是得好好考虑今后走什么路的问题了。”

“好好想想仔细想想颠过来倒过去想想，甭着急给你们时间——想好了给我来电话。”

宝康走后，我们立刻匆匆地奔回家迫不及待心急如焚地上床睡觉。从中午一直睡到傍晚，这才陆续醒来，精神抖擞，心情愉快。我们找了家上好的餐馆，饱饱地美餐一顿，吴胖子几乎吃吐了血。然后，委派我给宝康打电话。我叼着牙签懒散地拨了宝康的电话号码，宝康一听是我，十分兴奋：

“怎么样？考虑好了没有？”

“考虑好了。”我说，“我们决定继续和你们坚定地站在一起，肩并肩手挽着手。”

“什么？”

“我们想来想去，你们越是惨我们越是不能抛下你们不管。我们这些人没别的就是仗义。”

“这么说，”宝康嘟哝着，“你们是铁了心非祸害我们不可拦都拦不住了？”

“对，荣辱与共，生死同心，打死都不喊冤。”

“既然这样，那我就正式通知你吧，明天上午八点在盒子车法院开庭，传你、刘会元、吴胖子、丁小鲁到庭接受‘文学资格审查委员会’的质询。”宝康郑重地说，“现在后悔还来得及。”

“明儿见。”

盒子车法院庄严的审判大厅。阶梯式的旁听席上坐满三教九流，看热闹的闲人。我们四人挤站在被告席上的木笼子中，活像漫画里被人民的大手一把抓的年轻点的“四人帮”。高高的审判台上，依次坐着大胖子，瘦高挑儿，秃脑门，小眼镜和两个娘儿们。宝康坐在一边书记员的席位上，最义愤填膺地望着我们。用只有自己能听见的声音嘟哝着：“老实点！看你们现在还老实不老实！该该该，活该！让你们闹！”

“现在，法庭开庭了。”大胖子敞着怀，摇着纸扇，挺胸叠肚靠在椅子背上左右看看自己的同僚们，懒洋洋地望着我们拖着腔说：“被告，根据文件规定，你们有权利为自己辩护，你们自己找人辩护呢还是请法庭给你们指定辩护人？”

“自个儿吧。”我说，“我们可以为自个儿辩护，那你们呢？你们不需要找人辩护吗？”

“我们不需要。”

“这不公平吧？我们能辩护你们却不能辩护。”

“没关系，反正老是我们永远有理。”大胖子胸有成竹地说，“被告，无业游民宝康控告你们一无设备二无资金三不经批准擅自进行文学写作，属无照经营一类，申请取缔。你们有什么要说的吗？”

“对对，是我控告的。”大胖子发问的同时，宝康激动地一个劲儿说，“怎么啦？我就控告了，你们能把我怎么样？”

我回答大胖子的提问：“我们认为宝康的指控是站不住脚的。文学写作本是雕虫小技，任何人茶余饭后都可以此解闷，如同下棋遛鸟，嗜好而已，何用起照？”

“他说的不是实话。”宝康急煎煎地反驳，“他们早不是解闷儿了，完全是专业写作的架势，这不是戗行吗？”

“开心解闷儿偶一为之，这个本庭不予过问。但本有俸禄又私写作，谋人钱财，这个就要特批啦，被告，你等之辈可有正当职业？”

“无有。小的们也是无业游民，靠天吃饭，擅事写作也是死里求生之意。莫非宝康写得我们就写不得吗？”

“是啊，都是无业游民，你写得别人就写不得吗？”大胖子率其同党一齐转视宝康。

“大人糊涂。”宝康急得跌足，“我怎碰上这么一肉头。”

“哎，你怎么骂大人？”我立即向大胖子指出，“他刚才骂你来着！”

“骂我什么？”大胖子机灵一下，立刻正襟危坐，沉下脸来，瞪着宝康，喝道，“你再骂一遍。”

“我没、我哪敢、我说我糊涂、我肉头，这么两句半话跟大人都说不清楚，让小人钻空子。”

“骂就骂了嘛，不要不敢承认。”我们七嘴八舌说宝康。

大胖子一干人虎视眈眈，端坐如钟。

宝康有口难辩，“得，我该死？我抽自个俩嘴巴得了，我不该骂您。”宝康巴巴地仰视上方，“饶我这回吧。”

“姑且给你记上。”大胖子正色道，“秋后算账。现在陈述你的理由吧。”

宝康垂头丧气，恨恨地瞪我们一眼。

“怎么着？你还敢打击报复？”我们厉声叱问。

宝康不敢纠缠，换了副笑脸冲上说道：“小的虽也是无业游民，但这无业游民和无业游民也有贵贱之分。小的祖上就游手好闲，提笼架鸟，吟诗赏月。到小的这一辈更不学好，吃喝嫖赌，无所不为，虽家徒四壁但心有慧根成为作家乃是顺理成章势在必行好歹有家学为底读书子弟功名无望但教个馆会什么的当为绰绰有余。可他们呢？他们什么东西？祖上要饭儿孙还要饭，斗大的字一家子认全了算来不到一筐。这样的屁似的东西也敢自称作家，真真羞煞天下读书郎。”

“是啊。”大胖子摇着扇子转向我们，“你们也是胡闹，不认字当什么作家。”

"谁说我们不认字？"我们一齐说，"学富五车一肚子墨水乃民间对我等的称誉。"

"大人一定知道一句歇后语，孔夫子搬家——净是书。"吴胖子对大胖子说，"这孔夫子便是我的外号，民间出于尊敬都这么叫。"

"别吹嘞！真不要脸嘿！"宝康在他座位上起哄。

"你这种说法我倒也是头一次听见。"大胖子扫了宝康一眼，宝康立刻不吱声了，"这孙子哄得也有点道理——你外号到底叫什么？"

"真是叫孔夫子。"吴胖子向旁听席一指，"不信问他们，是不是都这么叫？"

大胖子一干人视线转向旁听席："有这回事吗？"

"有，确实有。"马青从旁听席上恭恭敬敬站起来，"我们是没事管这胖子叫孔夫子。他排行老二，也是私生。"

"大人，甭听他的。"宝康连忙欠身对上嚷，"他们是一势的，互相都勾着。这帮无耻之徒廉耻丧尽不动重刑哪里掏得出实话。"

"能打吗？"大胖子问瘦高挑他们。一个个竟都不表态，"你看着办，要打你下令。"

"我才不傻呢，我下这令？"大胖子一副饱经风霜满脸城府大事不糊涂的模样，"被告听着，既然你们外号都叫孔夫子，那本帅就要考考你们了。"

"不许交头接耳。"瘦高挑儿冷丁插话，"问到谁谁回答，底下不许商量。"

"考就考呗，有什么呀？"我们笑道，"还能叫你们难倒了不成？"

"你们说什么呢？"宝康指着我们的嘴说，"不服是怎么着？"

"什么也没说！"我们冲他乱叫，"嚼嘎嘣豆呢。"

“你们四张嘴欺负我一张嘴是不是？”

“你老嚷什么？”大胖子不耐烦地训宝康，“就你烦人，没个眼力见儿，这会儿有你什么事？再嚷把你轰出去。”

宝康蔫了：“好好，我不说了。”

“你当会儿哑巴吧。”大胖子狠狠瞪他一眼，打起官腔对我们说：

“听好我第一个问题啊，什么是文学 ABC？”

“时间地点人物。”吴胖子抢答得快捷，十分得意，“DE 还用说吗？说到 Z 也行。”

“不用了，就到 C 吧。什么是小说？”

“小人书说的。”我也抢答。底下哄堂大笑。我脸红耳赤地连连说，“错了错了。”

“我来回答这问题。”丁小鲁说，“小说就是名家可以天马行空，新人必须遵循规则的一种文字游戏。”

“给个‘好儿’嘿。”我冲旁听席示意。

“嘿——好！”杨重捂着脸低头瓮声瓮气地喊了一声。大家都回头看，他也无辜地回头看，集体的视线都落到了坐在最后一排的古德白身上。急得古德白连连申辩：

“不是我喊的不是我喊的。”

大家只是默默地注视着他。

大胖子看到古德白，脸若冰霜地说：“古老，请你离庭。”

“真不是我喊的。”古德白起身对大胖子作胁肩谄笑状，“我刚才一直在睡。”

“撵出去！”大胖子脸一沉，扭向一边，挤出一句，“不知自重。”

古德白被几个人连搀带架地弄了出去，一路上不停摇头叹气。

“第三个问题……”大胖子话音未落，瘦高挑儿就抢过话头儿，“写出好小说需要具备哪些素质？”

大胖子白瘦高挑儿一眼："文学家的基本功是什么？"

"说学逗唱。"刘会元回答，"什么都得感兴趣，什么也干不好。屁股得沉——坐得住；眼睛得尖——好事落不下；脸皮得厚——祖宗八代的龌龊事都得打听；腿脚得利索——及时避枪口。"

"有点意思啊。"大胖子和小眼镜秃脑门相互交换着眼色唯独跳过瘦高挑儿，"看来还不是完全无知。"

"好小说和坏小说用什么标准来区分？"瘦高挑坦然自若，接着发问。

大胖子气鼓鼓地撇了撇嘴。

"以我画线。"丁小鲁说，"我喜欢的就是千古佳作，我不喜欢的那就是狗屁不通。"

"就这么直接说——对作者？"大胖子挑刺儿。

"好话可以直接说，说过头也没关系。"丁小鲁神态从容地答道，"坏话只能暗地里说，当面对作者充其量只能作为其惋惜遗憾状。"

"得着文学真谛了。"瘦高挑由衷地赞道。

"不好！"大胖子冷冷地反驳，"怎么就不能当面说坏话？什么作惋惜状遗憾状？这还嫩点，好话就不能夹枪带棒指鸡骂狗地抛出去了？本人从来就是大无畏，骂他还让他以为夸他，感激不尽。"

"第五个问题……"大胖子和瘦高挑不约而同一齐发问。

二人相视，眼中无限深意。大胖子一副气势汹汹，瘦高挑怯笑礼让，"你问你问。"

"第五个问题……我想问什么来着？"大胖子被打岔，一时间竟忘了到嘴边的话头，便隔过瘦高挑，反去问小眼镜。

"你想问如果给你一定权力，你将扶持什么打击什么？"瘦高挑果断地适时出击，噎住大胖子，将自己的问题当大胖子的私货抛了出来。

“如果给我一定权力。”我以男强人叱咤风云的姿态侃侃而谈，“那我当然也顺我者昌逆我者亡！什么表现形式什么思想内容那一概不重要。只要哥儿们就扶持，实在不得不打，也是高高举起，轻轻落下，跟我不和的对我不敬的再好也狠狠打击绝不留情——顺便说一句，您这第五个问题和第四个问题有点重复，表达的是一种情绪一种精神。”

“这个我们早发觉了。”大胖子愤愤地对我说，“不用你多嘴。第六个问题……”

大胖子停下来看瘦高挑，瘦高挑佯作不见，吸吸溜溜地品茶。大胖子哼了一声，瘦高挑傲然一笑。

“第六个问题，”大胖子问，“你最喜欢的文学作品是什么？哪些文学作品对你创作影响最大？”

“你的作品我们最喜欢！”我们异口同声地说，“你的作品对我们创作影响最大。”

“没看过也喜欢！没看过影响也最大！”我们再次异口同声说。

“好好好，不难为你们了。”大胖子乐呵呵地说，“提问结束，下面开始造句。”

瘦高挑轻蔑地一笑，离席飘然而去。大胖子看都不看他一眼，做雍容大度状。

“下面开始造句了啊。”大胖子兴致勃勃地往前凑凑趴在台子上说。

“对不起对不起。”一个坐在一边始终没吭声的娘儿们举着葱尖儿似的五指，偏着脸向大胖子要求发言：“我能提几个问题吗？”

“可以可以。”大胖子对这张粉脸堆下一脸媚笑，说：“尽管提。”

粉脸转向我们，立时挂了层霜："我想专门向方言提几个问题。你最喜欢的颜色是什么？"

"红色。"丁小鲁替我回答。

"我刚才说过了，我是专门向方言提几个问题，别人不要插嘴。"那粉脸看也不看丁小鲁，嘴一字一瘪吐皮似的说。

"红色。"我说，"共和国的颜色。"

"你处世信奉的格言是什么？"

"孔雀开屏是好看的，转过去就是屁眼儿了。"

旁听席哄然大笑。粉脸闭闭眼抿着嘴无动于衷仿佛忍受着突然落到脸上的一片灰尘。

"你最爱什么？"

"看到那些从不倒霉的人倒霉。"

"我问的是你最爱什么不是你最希望什么。"

"最爱我自己，其次爱妻子女儿家人朋友。"

"你最恨什么？"

"最恨得冲我讨厌的人笑！"

我龇牙冲粉脸笑，粉脸翻了翻白眼，侧脸冲大胖子说："胖老，我的问题问完了，谢谢。"

"谢谢你。"我在下面殷勤地鞠了一躬，庄严站直。

"下面我们开始造句。"大胖子煞有介事地四处张望着严肃地说，"第一个造句词：乔装打扮。"

吴胖子挺身而出，不假思索脱口而出："五一节来到了，全国人民乔装打扮。"

"好！"旁听席上一声怪叫，随即爆发大笑。吴胖子非常绅士风度地向观众还礼、谢幕。

"第二个造句词：一网打尽。"

“要么不打，要么一网打尽。”

“五十步笑百步。”

“新娘上轿，前五十步笑百步以后哭。”

“奇货可居。”

“老板有奇货可居柜台中。”

“惨不忍睹。”

“他们瘦得惨不忍睹。”

“妙不可言。”

“咱们胖得妙不可言。”

“注意，咱们下面开始造比较复杂的句子了：因为……所以……”

“因为你不知所以。”

“谁不知所以？”

“都以为自己是聪明人不知道谁不知所以。”

“我问你谁不知所以？”

“我问你谁不知所以你不告诉我。”

“胡闹！”

“他胡闹。”

“我不跟你说了——别打断我！重造一遍因为……所以……”

“因为我忘乎所以。”

“这还差不多。”大胖子脸色稍有和缓，但仍余怒未消，指着吴胖子，“我看你胖得倒有几分才气，颇带我年轻时的神韵。老夫今天兴致高，倒要和你卷通帘子一比高下。”

“卷帘子？卷什么帘子？”吴胖子四处张望，“跟我比手劲儿？”

“就是先就说词儿，一句跟一句，层层加码。”

我们这捆里就丁小鲁懂：“步步高的意思。”

“懂了，不就是拉线儿屎吗？来吧。”吴胖子磨拳擦掌，严阵以待。

“客气点客气点。”我在底下拽吴胖子袖子。

“比武嘛。”吴胖子理直气壮地说，“我要让了他那是对他的侮辱。”

“开始啦，小子。”大胖子发话了，“第一。”

吴胖子接茬：“笨蛋。”

“天下第一。”

“头号笨蛋。”

“老子天下第一。”

“我是头号笨蛋。”

“不是老子天下第一。”

“不光我是头号笨蛋。”

“敢讲不是老子天下第一。”

“谁说不光我是头号笨蛋。”

“哪个敢讲不是老子天下第一。”

“你们谁说不光我是头号笨蛋。”

“看看哪个敢讲不是老子天下第一。”

“问问你们谁说不光我是头号笨蛋。”

“我倒要看看哪个敢讲不是老子天下第一。”

“他老想问问你们谁说不光我是头号笨蛋。”

吴胖子得意非凡，神气活现，朝上问：“还来吗？我这起伏跌宕得如何？”

“你真是没眼力见儿。”我批评吴胖子，“为求一逞坏了大家的事，看不出你哥都快急了？”

我堆出甜甜的笑对大胖子说：“大人果然是老姜，文采斐然，令小的如饮甘露。小的蠢蠢欲动，也想和大人卷回帘子，跟大人讨上几招儿。”

“人！”大胖子闷闷不乐地突然蹦出一个字。

“狼。”我低眉顺眼赔着笑。

“老好人。”

“大灰狼。”

“慈祥老好人。”

“凶恶大灰狼。”

“亲切慈祥老好人。”

“狡诈凶恶大灰狼。”

“我乃亲切慈祥老好人。”

“你是奸诈凶恶大灰狼。”

大胖子鼻子不是鼻子脸不是脸，摔摔打打，庭内空气陡然紧张起来：“称颂我乃亲切慈祥老好人。”

“承认你是狡诈凶恶大灰狼。”我毫不动容，微笑如故。

“都称颂我乃亲切慈祥老好人。”

“不承认你是狡诈凶恶大灰狼。”

“我听到几乎全体群众都称颂我乃亲切慈祥老好人。”

“据反映绝大多数群众不承认你是狡诈凶恶大灰狼。”

我一气呵成，大胖子笑逐颜开，亲切慈祥地说：

“还是你聪明，才分在他们三人之上。这才叫对联呢，多么工整，相辅相成，你是不是再拟个横批，我找人写出来，裱一下，回头就挂我们家门上。”

“横批就叫：‘多好的人’，如何？”

“白了点儿吧？”大胖子谦逊地说，“我们家门上这么一贴，谁见了还不得当成瓜摊儿？我老伴正好姓王。”

"那就叫：'质量保证'吧。"

"不好不好，还是白。"

"白虽白，可这是我们的心声啊，群众总是特质朴，好话歹话都是粗话。"

"再想想再想想，还有别的好的没有？"

"'百里挑一'？'上哪儿再找'？不对不对，字多了。"

"我自己拟了一个，你听听怎么样：'天天向上'。"

"妙极妙极。"我拍手笑道，"如此四字，再贴切没有。四字既出，竟觉其他数万汉字全都俗了。不必改了，就这么写了裱了贴门上。"

"门也俗了。"宝康不甘寂寞，作苦吟状，"依我之见，倒不如专为这四个字立个牌坊才好。"

此时，瘦高挑踱回席位。昂然坐下，一副清高不入浊流的架势。悠然开口：

"看来这帮小子已安然混过关了？"

"你有意见？"大胖子瞪眼。

"没意见，我能有什么意见？统统过去就是了，我这护法天尊不过是摆设，吓吓小鬼罢了。"

"是不是再征求一下其他诸位的高见？"我恭敬地转向秃脑门小眼镜，"我们也特想听听其他几位尊师的教诲。"

"不用问他们，他们也是摆设。"大胖子颇具豪气地一挥手，当着那几位的面就说，"问他们也是白问，反正我说了算。赶明儿有事尽管找我，到我家来玩，我瞧你们顺眼了，你们在他们眼里也就顺眼了。"

"一定一定。"我们齐说，"不顺则已，顺就顺您的眼。"

"你还在这里赖着干吗？"大胖子想起宝康，对他怒喝，"莫非诬告这几位文学新秀的贼心不死？告诉你，我在一日，你就休想得逞。”

“我，我想私下跟您谈谈。”宝康可怜巴巴地说。

“不谈！”大胖子一拍桌子，“敢骂我——我记你一辈子仇！”

大胖子率众起身，横眉立目地宣布：

“本法庭听证结束，现在开始判决……”

“哥儿们力挽狂澜吧？”出了法庭，我们几个十分得意，像英雄凯旋一样接受于观杨重他们的祝贺。

杨重握着我的手说：“哥儿们你真可以，临危不惧灵机一动，还是你是流氓，我们差远了。”

“立这么大功，你得请客。”

“请客请客。”我笑着招呼大家，“走走一起去。”

宝康臊眉搭眼儿地远远站在一旁，几次想上来搭讪，被马青吴胖子轰走：“躲远点，别找着我们抽你。”

“不是，哥儿们，我也是流氓。”宝康央告，“咱流氓对流氓就别太计较。”

“呔！谁是流氓？”我跳出人群叱宝康，“我们现在是文人了。”

路边一个馄饨挑，我们一大帮人蹲着喝馄饨。我喝得满头大汗，对众人说：

“都走都走。喝完我付钞票——掌柜的，再来一碗。”

我蹲着，慢条斯理地喝着馄饨。看着大家陆续走远，掌柜的正在往锅里添汤——撂下碗，撒腿就跑……

（原载《中国作家》1989 年第 4 期）

橡皮人

上篇

一切都是从我第一次遗精时开始的。那时我刚上中学，开始断断续续、反反复复地做一个梦，梦见一个无脸、丰腴的女人，像跳脱衣舞一样褪去她柔软、沉甸甸的皮肤，露出满身不停翕动的嘴。每当这时，我都要死一次，尽管是在梦中，也死得惟妙惟肖，像真正的死亡一样。因而，我刚刚成年，便已饱经沧桑。

小时候，我是个吓坏了的孩子。

长大后，我是个在恐怖和抑郁中度日的男人。

我知道自己是有来历的。当我混在街上芸芸众生中这种卓尔不群的感觉比独处一室时更为强烈。我与人们之间本质上的差别是那样的大，以至我担心我那副平庸的面孔已遮掩不住我的非人，不得不常常低下头来，用余光乜斜着浑然不觉的他人。

我第一眼看到的是广场中心迎风摇曳的槟榔和油棕。

那是一个炎热潮湿的中午，我坐在南方一座大城市的一家豪华饭店顶层的金红色餐厅里，等一个叫李白玲的女人。她是我的朋友张燕生的女友。我昨天乘了一天一夜的火车，今天上午才到达这个城市，身上还穿着厚厚的皮夹克。由于刚才在灼热的阳光下从车站走到这里，内衣已经汗湿得像块浸满酒汁菜渍的抹布，又酸又臭。可我又不能脱下夹克凉快一下，因为餐厅大量放出的冷气又让我一下感到阴冷。这个季节做纵贯全国的旅行，可以交替领略冬、春、夏三季的气温，不管穿什么衣服都不舒服。封闭严密的环形巨幅玻璃窗下面，一个典型的南方城市沉浸在阳光中；一片片米色和杏黄色的高度一致的居民楼区；缓缓穿越城市中心的土黄色江水和江上笨重的铁桥；近处一座占地面积很大的著名的贸易中心；周围矗立着白色的大酒店、剧场和写字楼，遍布全市数不清的绿地，有着小镜子般湖泊的公园和使这个城市充满活力的奔跑在大街小巷的几十万辆各种颜色的大小汽车——再就是充斥着所有街道、广场、房屋的几百万衣衫斑斓的人群。我像一只栖息在悬崖上的飞禽一样无动于衷地鸟瞰着人类引以自豪、赖以生存的这一切以及人类本身。

三天前，我居住的那个北方城市下着蒙蒙小雨。我踩着便道上轧轧作响的、像一条条毛茸茸虫子般的赤褐色的杨树穗子，走进繁华商业区毗邻的一条不那么热闹的街。

这条街有一些餐馆、电影院、旧货店和专业书店。电影院常放映首轮外国电影，旧货店常卖大百货商场买不到的、和国产服装迥然不同的漂亮的香港衣衫，餐馆营业时间很长，供应完正餐就像咖啡馆一样供应饮料，任你买杯啤酒坐几个小时，服务员从不轰人，因而这条街麇集着全城所有闲散的、不三不四的年轻人。

我走进常去的那家简陋的西餐馆，和混熟了的服务员开了几句玩笑，坐到常见面的几个朋友桌旁，请他们抽烟，蹭他们的啤酒喝，天南海北地胡扯。他们和我一样，没有工作，用不知哪儿来的钱泡酒馆。八十年代初，物价还算便宜，不奢侈的话，一二百块钱能喝一个月啤酒，还可以偶尔请请客。

杨金丽穿着长筒靴神气活现地走进来，左顾右盼，像个轻佻的女纳粹。我叫了她一声，她示意我到她那边的一张桌去，头一摆，眼一斜。

“真他妈腻！”同桌的一个朋友说，“能叫谁背过气去。你快过那边去，别把她招来，受不了。”

另一个朋友梗着脖子问我：“你干吗找这个加农炮打不到底的‘喇’！”

“是她找我，你们知道我心眼好。”

我在大家的哄笑声中走过去，和杨金丽一起坐下。同桌有两个规规矩矩的女孩儿，一边喝汽水一边目不转睛地看浓妆艳抹、叼着烟十分张狂的杨金丽。

“他们说我什么啦？”杨金丽龇牙咬着烟问，“是不是嫌我没过去？”

“是。”我点头说。

“我不爱搭理他们，俗不可耐。”

“可是他们特仰慕你。”

“屁，都是流氓，口蜜腹剑。”

那帮家伙仍冲着这边哈哈乐。我知道他们在嘲笑我，却对杨金丽说：“你瞧，他们朝你乐呢，他们真喜欢你。”

杨金丽丢过去一个媚眼，那帮家伙笑得手里的酒都洒了。杨金丽羞涩地掉脸对我说：“挺可爱的一帮男孩儿啊。”

服务员送来一个雪人和两盏水果三德，我挪过来就吃，杨金丽也毫不踌躇地吃。服务员源源不断上各色奶油点心，我们就心安理得地享用。杨金丽像豹子一样舔着嘴唇，大声说：“其实我特苦闷，别看我好像乐呵呵的不知愁。你是不是觉得我一天到晚无忧无虑？”

“不！”

“我心里的忧愁没法跟人说，没人理解我，我根本不是那种醉生梦死的人。我就爱看书，一看书就哭。”

她的声音那么大，我脸红得发热：“你要这么多点心，我真有点吃不了。”

“不是你要的吗？”

同桌那两个规规矩矩的女孩儿如梦初醒，哭丧着脸说：“你们怎么把我们的雪人和点心吃了——服务员！”

服务员走过来，满不在乎地说：“我哪儿知道你们不是一事的，我就知道往桌上送，自己不主动点。”

“他们都给吃了几口，可是我们交的钱。”

我看看杨金丽，她一副不失体面的茫然相，没一点掏钱的意思。周围的人都看我，我只得掏腰包给女孩们赔偿损失。

“要不要再给你补一份？”服务员问。

“不要了。”女孩们怨恨地说，“怎么吃别人东西比吃自己东西还胆大。”起身走了。

杨金丽叹口气，似乎还了魂，说：“其实服务员上东西时应该说一声，我刚才吃的时候还纳闷，以为你认识服务员，心照不宣呢。”

我看看满桌冰水点心，没了胃口，吃自己的和吃别人的就是不一样。我点起一支烟。

“给我一支。”杨金丽亲昵地捅捅我，我不情愿地给她一支。她抽着烟，吐出浓浓烟雾，透过烟雾若有所思地看着我。“你说，有真正的爱情吗？”

“……”

“我觉得没有。”

“我想知道你叫我出来说的那件好事是什么，我怎么没他妈瞧出有什么好事！”既然我花了钱，我也就可以不那么客气，“我饿了，这鸟雪人不顶饭，咱们是在这儿等着开正餐还是换个地儿吃去？这好事怎么不也得是顿饭吧！”

按杨金丽的想法，我这已经算侮辱了，她知道外国人遇到这种事什么脸谱，我也知道，看过电影。她痛心地望着我，把抽了两口的烟在烟灰缸里按灭。我毫不在乎，知道她没事。她经的这种事多了，假装什么要脸呀。片刻，她从“震惊”中恢复过来，疲倦地说：“我没想到你变成了这样，生活啊！人啊！”她抢在我恶语相向之前，飞快地又说：“好吧，我们谈正事。你真是迫不及待，贫困的生活真能把一个看上去温文尔雅的人变得禽兽不如——你想挣笔外快吗？”

“当然他妈的想，不过得看是什么勾当，你那路子的事我可干不来，除非乾坤倒转。”

“你要老这么讲话，我就不跟你说了。”

“爱说不说，少来这套，装什么丫的呀。”

杨金丽一下泪眼盈盈了：“你怎么对我这样了现在。我没做过对不起你的事，我一直把你当做好朋友，要是你不愿意我做你的好朋友，也用不着这样……”

“其实我是把你引为知己，说话才没遮拦。”我叹口气说，“你看我跟大马路上的人这么说话吗？压根不！对小孩都彬彬有礼，跟他们不过这个，犯不上，没意思，你怎么就不明戏呢——谈正经事吧，金丽，我求求你，到底有没有正经事？”

“我什么时候骗过你？”杨金丽擦擦泪，白我一眼。我温柔地哄了哄她，她继续嗲了一阵，鼻音挺重地告诉了约我出来的目的。

我们共同的两个朋友现在南方边境倒旧汽车，联系的买主中有中原一个小城市的商业局。现在车已搞到，可这帮侉子又狡猾又胆小，迟迟不汇款去，非叫这头去一个人到他们那里同他们一起去南方。大概他们挨过骗，生怕鸡飞蛋打套不着狼再把孩子丢了。搞车的那边很着急，怕跑了这个冤大头，可一时又找不着人去。便打来长途叫了有一套迷人本领的杨金丽去，往返差旅费那个小城市的商业局全包了，外带好处费。杨金丽不屑干这种狗腿子（上美国还差不多）的差事，她也不缺钱，就想到了既闲散无聊又穷困潦倒还有一张干净的脸的我。

“瞧，一有好事我先想到你，你呢，对我什么态度？”

“我操蛋，净把人家的好心当成驴肝肺。”

“那你倒是去不去？”

“去！”我一口答应，我想不出有什么不去的理由。混嘛，有人管吃管住中南海我也敢去。

那天晚上是我请的客，并对杨金丽极尽阿谀奉承、谄媚殷勤之能事。她也是顾盼生姿，巧笑倩兮，弄尽惑人手段。最后，我仍然把她一个人扔在街上，自个儿乘末班地铁溜了。

“李白玲那狗日的怎么还不来？”我掉头问张燕生，“她长得什么样儿？”

“极硬实，胸前像扣着两个大痰盂。”打横坐着的徐光涛笑着说。

张燕生和徐光涛就是我的两个倒卖汽车的朋友。他们俩都是高个子，风度翩翩，衣着入时，猛看上去活像一对孪生兄弟。他们正笑眯眯地望着我搬来的那个“钱柜”——一个为公家买汽车的小城市商业局的干部老蒋，就像两个男孩子望着一个浇着奶油花的大蛋糕。女招待走过来，问我们点不点菜。张燕生说点，递过菜单给我点。我一点胃口也没有，只是从头往下挑没吃过的东西点，蛇猫鹰隼之流，不嫌其肉麻；燕窝鱼翅之类，不憷其价昂。

“那车……”老蒋怯生生地问。

“车没问题。”徐光涛和蔼可亲地说，“办好边境通行证，我们就可以去提车了。”

“还是‘福特’？”

“不，换‘丰田’了。”

“可原来说好是‘福特’，带空调、冰箱。”老蒋看我，想让我证实，我只看菜单。

“‘福特’原来是有一辆，谁让你们不汇钱的，怕我坑你们。”徐光涛盯着老蒋笑着说。

老蒋泄了气，沮丧地问：“还是一个价？”

“还是一个价，对极了。”

老蒋看着我，低声嘟囔：“在家说得好好的，到这儿全变卦了。”

我看都不看他，又点了几瓶洋酒，撂下菜单，继续向窗外看去。我是不忍看他。这个可怜的人，当他把钱汇进徐光涛为他指定的账户，就已经一钱不值了。实际上，他还没动身，就原地让人铆了。

我乘的那趟火车是在夜里开出的。开车不久，卧铺车厢就熄了灯，大多数旅客都上铺睡觉。我独坐在车窗旁的折凳上，将车窗开了条缝，原野上流动的风吹拂着墨绿的窗帘。列车行驶在纵贯中国南北的大动脉上，窗外一片昏黑的天地，看到偶尔闪过的明亮的站台上的站牌才知道经过的是座什么城市。时间一小时一小时地过去，华北平原的城镇在夜色中静悄悄地一个个甩在了后边。半夜，我们过了黄河。列车经过铁桥时叮哐响亮起来的车轮声将我从梦中惊醒，我欠身撩起窗帘往外看，一根根横七竖八黑糊糊的钢梁在眼前闪动。微弱的月光下，黑里泛亮的河水像一条画中的河，静止不动。列车过了铁桥，车轮重新又轻快沉稳了。我睁着眼躺在黑暗中。像在家里失眠时一样，开始胡思乱想，想不可知的未来，感到彻骨寒冷。我一边裹紧毛毯一边寻找风源，发现睡前打开的车窗仍在往里灌风，下去把窗关了。列车停了，停在一个省会宽敞的大站。虽然是夜里，仍有不少旅客上车，他们扛着包在站台上奔跑，寻找有空座的车厢。卧铺车厢的大部分旅客仍在熟睡，只有一两个要下车的旅客被列车员小声叫醒，睡眼惺忪地提着包下车。站台很快空旷了，只有几辆食品车被售货员推在硬座车厢旁向车上的旅客卖面包和水果，穿着大衣的站台服务员和警察在踱步。列车开动了，继续向南驶去。我看看表，不睡了，下站就是我要去的那个城市了。列车大约还要行驶两个小时。

拂晓，我和寥寥无几的旅客下了车，站在粗粝水泥铺的、没有天棚的月台上。天色微明，站台上灯光愈发显得昏黄，看不到稍稍有点规模的城市都搞的那种装点门面、一下车便能看到的烜赫高耸的建筑物。简直都不像到了个城市，尤其列车开走后，真仿佛被孤零零撂在一个荒野小站。我也不知道有没有人来接我，上车前按杨金丽给我的地址拍了份电报。站台上倒是有几个男人像是在等人，我故意在他们跟前可疑地转来转去，不时窥探他们，他们无动于衷地看着我，使我怏怏走开。终于我引起了一个人的注意，那人目不转睛地盯着我，是个戴红箍儿的车站警察。

我决定先出站。出了站，来到站前小广场，一个穿蓝棉衣的黑大个男人迎了上来，问我从哪儿来，我告诉了他。

“是杨金丽派来的吗？”

我略微踌躇了一下，看他一本正经的样子，点点头："是她派来的。"

"我姓邱，来接你的，走吧。"

他跟我握了握手，推起旁边支着的一辆自行车，带我走向广场四周密密麻麻、黑黝黝、迷宫般的小巷子。进了小巷子，他飞身上车，我紧抱着包坐上后座。自行车左拐右拐，蹬得飞快。这城市在东汉末年便是有名的军事重镇，历史上几次著名战役就是在这一带打的。一千五六百年过去了，这儿衰微颓败了。城里看不到任何有价值的古迹，也很少新式大厦，到处是百余年来为应付迅速膨胀的人口匆忙建造的低矮丑陋的平房。特别是近十年来人们自己用碎砖、木板、油毡为新婚夫妇搭起的违章建筑，蚕食了街道、绿地，使道路弯弯曲曲。城市显得杂乱无章，天亮起来，街上出现一些衣衫不整、土头土脑的行人。老邱把车停下，问我是不是有点冷，我哆嗦着承认。

"喝碗馄饨吧，热乎热乎。"

"还远吗？"我随他走进路边一个卖小吃的棚子问。

"不远了。"他叫了四碗馄饨，从一个肮脏的铁皮匣中拿出两双粗糙的木筷，比比齐，递给我一双。"凑合吃点，这儿的东西什么都变味了，就馄饨还行。"

棚子里大锅升腾起弥漫的蒸汽，围裙污垢油腻的服务员端来滚烫的鸡丝馄饨，凉风一吹，碗上凝了一层油脂。我往馄饨里放了不少辣椒糊，把油汪汪、红乎乎的两碗馄饨都囫囵吞了下去。

"你和杨金丽挺熟？"老邱递给我一支烟。

"可以，"我说，"一般吧。"

"我和她不错，徐光涛张燕生我也都认识。汽车真有吧？"

"他们说有那就是有，不过我也没见着，估计应该有。"我把烟点上。

老邱呆着脸抽了几口烟，对我说 :“过会儿你见着老蒋说话留点神。别说什么‘估计应该有’，就说有，车就在那儿等着呢，你见着车了，车就是你经手买的，什么事都妥了专等钱了！得把话砸实了，否则你模棱两可，这土财主就缩了。”

“他要细问呢 ?”

“侃呗，诌呗，胡说八道会不会 ?”

“倒是会一点。”

“这就结了。不会这个你出来干吗 ? 不会这个什么事能干成 ? 就这么回事，说什么都是假的，掏出银子来是真的。”

老邱阴着脸，我低头哼哼一笑。

我记得后来我一见老蒋就认了他个“大哥”。巧舌如簧，又打又拉，在一间肮脏下流的小酒馆里用劣质白酒把他灌得烂醉，拽着他脖领子拖去银行提款。我想起他那会儿也许把我当成了福特本人，而他自己则是我同父异母、名副其实的“大哥”——大款哥。

那天晚上天很黑，马路上灯火阑珊。商店都关门上了板，街上早早就没了人，只有风阵阵吹过空荡荡的马路，就像吹过寂静的旷野。我昏头涨脑跟着黑煞神似的老邱钻进了迷宫般纵横交错的小巷子，擦着低矮乌黑的屋檐走。隔很远才有一根木电杆，吊着盏昏黄的路灯。路灯下多有大堆的垃圾，垃圾堆后面的黑暗处忽明忽灭地闪着几颗红红的烟头，走近可以看出几个少年沉默的轮廓。很多路灯都不亮，我们基本上是凭借依稀的星光走黑道。时间不算很晚，绝大多数人家却都熄灯上床，只有看到夜色下紧紧挨挨、层层叠叠的无数小屋，你才会想到近在咫尺的周围屏息静卧着成千上万的人。在一个不亮的路灯杆旁，老邱停下来，让我扶着车，自己深一脚、浅一脚地走上垃圾堆。我极力往黑糊糊的垃圾堆后看，看出那儿站着个人。老邱过去嘀嘀咕咕不知同那人说什么，一会儿，搂着那人出来，走到跟前我才看出是个女孩儿。我们继续往前走，道越发窄了。地上还净是土坷垃碎砖头，走得人磕磕绊绊。终于豁然开朗，我们走出鬼域般的旧城区。一条相当宽阔、路灯齐全的大马路横亘眼前，路边有几幢一模一样的简易楼，马路对面似乎是新建工地，盖了很多半截楼房，工地后面是昏暗的大片田地，这儿已经是郊区了。老邱指给我看马路尽头一座稍明亮些的建筑，说那就是火车站。我已完全转了向，甚至不能相信那就是我来时的那个车站，老邱说就是它。

老邱家在那几幢简易楼里的一幢，一间屋，一张床，我们三人就挤在那张床上。黑暗中，我听到老邱说："那车，别给老蒋！"

一个身着西装，丰腴庄重，灿若银盘的脸上有着双黑色大眼睛的女人出现在餐厅门口，矜持伫立，款款扫视大厅。当她看到我，我做了个鬼脸。张燕生见状回头一看，立刻竖起胳膊喊那个女人。又对我调侃："有戏呀，一下就认出来了。"

"那么大个砣放在那儿，狗熊也看得见。"

李白玲笑吟吟，一步三摇地走过来。徐光涛和张燕生笑容可掬地用欣赏的目光迎候她，仿佛在看时装表演。

"你怎么才来？"张燕生殷勤地拉开为她留着的椅子，给她介绍我和老蒋。李白玲看了我一眼，问张燕生："给你联系的房间住上了吗？"

"住上了。"

"条件怎么样？"

“还可以，就是客房服务员不太漂亮。”

“这我可无能为力。”

餐厅女招待推着银闪闪的餐车来上酒菜。她显然认识李白玲，冲李白玲一笑，李白玲也亲热地一笑，支使她拿些冰块来，女招待连连点头答应。女招待开了酒瓶塞，在每人的玻璃杯里斟了酒，退下去，我们吃喝起来。张燕生、徐光涛相当活跃地竞相向李白玲敬酒调笑，李白玲左右逢源，酬酢自如。我知道李白玲在此地是个神通广大的人物，我们此行一切食宿都是张燕生通过她安排的。这女人浑身魅力，特别是那双黑眼睛，视界极宽。不管她仰脸嬉笑，还是低首啜酒，我总感到一缕视线不轻不重地落在我身上，有如一个人在幕后不动声色地打量我。

“你是第一次来这儿吗？”她忽而转向我问。

“嗯。”

“看上去他挺老实的。”她对张燕生、徐光涛说，“跟你们不一样。”

“老实屁！”张燕生说，“数他坏，整个一个阶级敌人，全是装的。”

“是吗？”李白玲感兴趣地望着我。

“还是应该相信你的第一印象，这是有目共睹的。”

“你非常像我认识的一个人。”李白玲明显带有好感地对我说。

“也许我就是你认识的那个人，再好好看看。”我嬉皮笑脸。

“不，她是个女孩儿。”

张燕生和徐光涛不怀好意地嗤笑，我也笑，不再说话继续喝酒。

“为什么中国男人雌化现象这么普遍，嗯，为什么？”

我孟浪饮酒，脑浆都沸腾了，听到李白玲对张燕生的感慨，

愤然插话 ：“因为中国女人先于男人普遍雄化。”

李白玲微笑地看着我。

我强自镇定地坐着 ：“你也非常像我认识的一个人。”

“是吗 ？”她呷了口酒，笑着说，“你大概要报复我了。”

“不是中国人。”

“噢，”李白玲沉着地说，“我倒是有八分之一的外国血统。我祖上有人在北京做官，庚子年八国联军打进来，烧杀奸淫。”

我终于坚持不住了，酒性上来了，心脏像小喷泉似的突突跳跃，站起来喃喃说 ：“我说的是个黑人，一个胖胖的非洲姐妹。”

我走出餐厅。

电梯骤然下降时，酒物已经涌出，我竭力将全部内容含在嘴里。进了房间，我立刻冲进卫生间大吐特吐，哎哟哟地呻吟，大声喘着气，像是刚被人痛打一顿。吐了又吐，最后终于吐干净，我干噎着把马桶冲了，用淋浴喷头冲净地上的残渍，漱了口出来，愣愣地坐在沙发上，一闭眼就感到天旋地转，像个被儿童一鞭接一鞭抽打的陀螺。电话铃响了，我拿起来挂上。片刻，李白玲推门进来。

“滚你妈的滚你妈的 ！”

“你怎么啦 ？喝晕了 ？”

“滚你妈的，少在这儿装大尾巴狼。”我趔趄扑过去，粗暴地往门外推她，“你不在上面吃饭，下来干吗 ？”

李白玲掰开我抓住她胳膊的手，有力不失分寸地把我推回沙发。

“你醉了，喝这么点酒就醉了，吐得满屋子都是味。”

她走到桌旁沏了杯酽茶，塞到我手里，让我喝，又拧了条凉毛巾给我擦脸。

“好点了吗？”

“好点了，谢谢。”我头脑清醒了，对她说，“你回去吧，说我没事，一会儿我就上去。”

“我还是陪着你吧。你跟我说话，分散一下注意力，就不会头晕了。”

“这是正常的——喝醉，不醉我反而不舒服。要的就是这感觉。”

“你这是变态。”

“不不，我跟别人不太一样，你了解我你就会知道——你不能用世俗的眼光看我。”

“啊！”李白玲笑起来，“又是一个与众不同的人。”

“怎么，又是一个！还有谁？”

“我，你没看出来？我对你的胡言乱语不是一点都没吃惊？”

“你一说我倒看出来了，你的确有点硕大无朋，特别是眼和——脸。”

李白玲先是一笑后是一板：“留着你的刻薄话形容形容自己吧。你既然能损人了那就是恢复正常了。咱们是不是若无其事地上去，不能叫那些俗人看咱们笑话对吗？”

“对的。”

在走廊里，李白玲挽住我，我感激地冲她一笑。回到餐厅杯盘狼藉的桌旁。燕生问我：“和马桶亲嘴去了？”

“没有。”

“那和李白玲亲嘴去了？”

“是的！”我大笑望着李白玲，李白玲也笑。

“真没事？”徐光涛问。

“没事。”李白玲替我回答，“他看见一个漂亮姑娘，就满酒店尾随人家，我找到他时，他正和人家纠缠不休，非说人家有心事。”

“光涛，如果你能把车给我留一礼拜，我给你五千块钱。”

我们这顿马拉松似的饭终于吃完了，老蒋付饭钱时都快哭了。步出餐厅时，我和徐光涛走在后面。

“不是我要，是我的一个朋友要，可他非得一个星期后才能诳出钱，不瞒你，就是那边的联系人老邱。”

徐光涛手里玩着烟，半晌不语，好一会儿才说：“一个星期怕是留不住。他们已经拖了很长时间，要车的人很多，抢得打破头。”

“所以想让你用老蒋的钱先垫上，他的钱不是已经入了你的账户？”

徐光涛笑起来，暧昧地沉默。

“实说吧，老邱答应给我一万，我分你五千，绝对没打埋伏。老蒋答应给你多少钱？瞧他那抠鼻缩眼样儿，打他的钱比从肠子打蛔虫都难。”

“我相信你，咱们有的说吗？”徐光涛说，“不说别的，看哥儿们面我答应你。不过一周内你们一定要把车款汇来，免得我坐蜡。”

“那是一定，我跟你一起去边境，没钱你把我汇进账户。谢谢光涛，我早知道你仗义。”

“这话我怎么听着那么别扭，谢谢？听这意思是要害我。”

“去你的王八蛋，不答应弄出你尿来。”

“这话听着亲切多了。”

“老李。”我快步撵上正亲密地和张燕生交头接耳谈笑的李白玲，从中间把他们分开，问李白玲附近哪有邮局。

“跟我一起走吧，我正好也要回单位办点事。”她说，“我带你去。”

“你就别去了。”我说燕生，“怪碍事的。”

“我是不去。”燕生笑着说，“我回去睡觉去，和我们蒋哥儿们。”

他把老蒋拉过来，搭着他的肩，像狐狸阿姨搂着灰兔小朋友。

“别把头睡扁了，”李白玲冲他背影喊，“那就不帅了。”

酒店门口，计程车一辆接一辆驶来，开走。我和李白玲钻进一辆车，计程车驶出酒店庭院，开上马路，李白玲告诉司机要去的地方。

“先到我单位去，回来再送你去邮局。”

“随你大小便。”我往后一仰，“你在什么单位？”

李白玲说了家著名大公司的名称，补充告诉我，她是那家合资企业驻当地办事处的副经理。

“怪不得你路子野，大家都求你。”

“就那么回事，都是利用。以后，”她看看我说，“你有什么事我也可以帮你办。”

“你真是个热心肠。”

“那倒也不是。只不过我这人愿意交朋友，省得一个人孤单单挺无聊。”

她笑吟吟地看着我，我也笑吟吟地看着她。她说：“好孩子。”

汽车停在一幢新建的盒式大厦门口，李白玲边下车边问我：“和我一起上去吗？去我办公室看看。”

“不啦，”我说，“司机该不放心了，我在车里等。”

“那好，我马上下来。”

李白玲消逝在大厦的自动门内，我敬司机一支烟，和他聊起来。司机听说我是第一次出门的北方农村人，优越感立刻暴露无遗，很自豪地历数该城市的种种发达和文明，我竭力装得像个大傻瓜。李白玲回来时，正好听到司机绘声绘色地给我讲猫肉的香糯、鼠肉的高蛋白和肉虱的焦脆。

“我去过你们北方，菜做得真难吃。”司机把车开上马路，还在不停地唠叨，“肉烧得稀烂，又拼命放酱油，咸死人，吃不惯。”

“你不知道呢，我们北方的猪是吃屎长大的。”

“哇！”

“连我也不爱吃。可是，你吃过我们北方的季鸟猴吗？”

“那是什么？”

“也是一种高蛋白的动物，金丝猴的亲戚。”

李白玲拧我一把，笑着说：“你瞧不惯我们这儿的人，也用不着这么愚弄人家。”

我捏了捏李白玲的手：“我喜欢你们这儿的人才说，碰到上海人我一声也不吭。真的特别是你们这儿的姑娘，瞧街上，个个都那么有味，姹紫嫣红。”

“那就娶一个，我给你介绍。”

“可据说，你们这儿流行……”

“找港客？”

“不，性病。”

“你的幽默感已经叫人讨厌了。”

我在邮局给老邱拍了电报，出来叫司机送我回酒店。

"你回去有事？"

"没事。"

"那何必急着往回赶。"李白玲说，"我带你逛逛街，给你买几件薄衣服，入乡随俗。你这件破夹克一不合时令二村气，与人不配。"

"可我老要说让人讨厌的话怎么办？"

"你要改不了，"李白玲让司机掉头驶往另一方向，看我一眼微笑地说，"那就尽情说吧。"

计程车开到市里最下等的地摊街，高楼大厦后面的一条窄巷子，车开不进去了。我们在巷口下了车，打发走司机，并肩进去逛。这条巷很长，两边都是卖旧服装和洋杂货的摊档。五彩缤纷的尼龙化纤衣服一排排悬挂着，地上摆着各种黄澄澄的假首饰、电子打火机、太阳镜和腰带，面目狰狞的小贩和络绎不绝的顾客以很高的效率做着交易。我看中了几件衣服，用普通话问价，小贩出的价高得不像话，简直是欺负人。幸亏跟着个李白玲，她用当地话替我还价，才大致公道地买下。我们逛了很长时间，逐摊翻拣，我又顺了两件 T 恤衫，这样连顺带买，也搞了一抱。那些衣服很柔软，尽量塞进李白玲的折叠购物袋，鼓鼓囊囊拎着走，颇像北方贩子。不时有小贩诡秘地拉住我，要同我"那边谈谈"。我也装出大买主的样儿，无情地杀他们的价，使他们耷拉着头扫兴而去。开够了心，我和李白玲去路旁冰室的吊扇下坐着吹汗吃冷食。此地规矩是顾客自己任意端盛着冰激凌和点心的小碟子，最后由服务员数碟算账。我边吃边往李白玲的包里藏碟子，服务员无从察觉，少算了我们不少钱。李白玲乐不可支，招得冰室里的人都看我们，我严肃地领着她在众目睽睽之下穿堂而出。

"我发觉你不但爱说让人讨厌的话，还净干让人讨厌的事——

你给我包里塞了这么多碟子干吗用？”

“你爱干吗干吗，实在没用，砸了听响。”

“真不是好人。怪沉的，你替我拿着包。”

我接过李白玲的包挎上，顺手把她揽过来搂着走。天色已暗，华灯初上，我们塞了一肚子冰，也不想吃晚饭，互相依偎着向每辆驶过的计程车招手喊叫。一辆车靠路边停下，我们手拉手跑过去。

在酒店门前下车时，酒店已灯火辉煌。大小餐厅里，香港人为主的顾客坐满桌桌宴席，饕餮大餐。上了楼，燕生和老蒋不在房间。李白玲打开电视，一只残忍的金钱豹正在追逐驯鹿群。豹和鹿群在茂盛的草原上奔跑，优美地跳跃，终于豹追上一只幼鹿，咬着喉咙拖倒在地，鹿无声无息死去。我进里间换衣服，挑了件雪白的紧身裤和一件鲜红的T恤衫穿上，红白对比十分鲜明，我看着穿衣镜里的自己，就像一个地道的本地烂仔。我走出来，往李白玲旁边一坐，她眼睛离开电视屏幕，对我说：“你认为你穿着坎肩我就认不出你了？”

我笑了。这是个笑话。这句话是一个老虎对被它误认为是蛇的乌龟说的。我有点难为情，很快又恢复了自然，点上一支烟，递给李白玲一支。

“老李，你能买到彩电吗？”

“谁要？”

“我。”

“你要可以。”李白玲吐出一口烟，整了整头发，“要一台？”

“哪能要一台。”我说了我要的台数，又问她：“这儿彩电什么价？”

李白玲说了个数，大大超出我的想象。

“这么贵？”

“是不便宜。”李白玲说要想买便宜的只能到更南的一个沿海城市，那地方有渔民直接从海上走私进来的彩电。“你真买吗？真买我可以给你介绍几个那地方的朋友。”

“那太好了，事成我可以给你一些好处费。”

“你要这么说，我就不帮你了。”李白玲把烟掐灭。正色道，“我不是为了钱，只是为了帮帮朋友——我们不是好朋友吗？”

“是。”我斜眼瞧瞧这位“好朋友”，“可我怎么谢你？”

——我扑了她，在她宽阔的脸上乱“锛”一气。

“我真是在哪儿见过你，而且我们好像还曾很亲密过。”

“你放心，我不要你的钱也一样帮你办事。”

第二天早晨，我从李白玲的巢窝回到酒店。一进门，就看到老蒋直盯盯地瞪着我。我走到哪儿，他就恶狠狠地盯我到哪儿，我纳闷地问：“看你爸爸干吗？”

“你坑了我，龟孙！”老蒋站在射进房间的阳光中，满脸充血，眼睛凸出有如牛卵子，蓦地冲我大嚷，“徐光涛根本没车，他要挪用我的钱倒电视，你们合伙做了圈套让我钻。老天爷呀！这数万公款要是葬在你们手里，我回去也得扯户口本。今天你不把我的钱找徐光涛追回来，我便去警察局告你，叫警察拿你！”

“你发什么疯？”我挣开老蒋伸过来抓我的手，“哪儿和哪儿呀，谁跟你说的？”

“要不是张燕生好心告诉我，我至今蒙在鼓里。别想跑，我只认得你，只管你要钱。”

“老东西，休泼！管我要钱，打你老丫的！”我声色俱厉地喝住歇斯底里的老蒋，找张燕生。“燕生，张燕生！”

哗——卫生间一阵抽水马桶响，张燕生一手提裤子，一手拿着本小说出来。他扬手把书扔到床上，扣着裤带含笑问我：“李白玲棒吗？”

“棒！”我看着他说，“像头大海豹。”

“别闹了。”张燕生点起一支烟，和颜悦色地对仍在一旁怒目而视的老蒋说，“我跟你说过他不知情，也是被徐光涛骗的——你们都被徐光涛骗了。”他转向我，“他根本没车。”

我走到一旁给自己沏了杯茶，坐下咕嘟嘟喝，不看燕生。

“他说过你们一起去边境提车？”

我斜眼看燕生。

“瞧吧，过会儿他就会来告诉你，你的通行证没办下来。”

“这可怎么好？”老蒋又大声嚷起来，“我可不敢一人跟他去，他会把我弄死扔在哪个山沟里的。”

“你想的也太像惊险故事了。”张燕生对老蒋说，“徐光涛骗钱是真，杀人他还不敢。那儿也不是山沟，也是大马路大饭店朗朗乾坤，也有人民政府人民解放军，没人杀你。”

“我不管，我要报案。”

“这就是你不对了，老蒋。你现在报案也没用，谁动你钱了？谁也没动，你的钱还好好地放在银行里，你告谁？再说，我是看你老蒋人不错，不忍看你挨坑，才把真情泄漏给你。你要报案，我们也得挨牵连，而且你也跑不了，你也得进局子。警察可不分青红皂白，有事没事先蹲着你，咱们国家法制不健全你也不是不知道。”

“我告你老蒋，”我手点着老蒋，“你要松蔫坏，跟我玩轮子，我叫你后悔生出来。”

“我也没说要报案。”老蒋一脸苍白，“我就那么一说。”

"哪么一说？"

"你放心跟徐光涛去。"张燕生走到老蒋身边说,"按我说的办，先把钱转到我给你的那个户头，一切就没事了。"

"你的车肯定能有吗？"

"你连我也信不过？"

"不信你我还能信谁。"老蒋此时又可怜了起来，"我现在只信你，只能靠你了。我有老婆，三个孩子。我是个小干部……"

"你来一下。"张燕生不再听老蒋的唠叨，把我引进套间。

"我可没一点甩开你、个人独吞的意思，倒是徐光涛想把你甩开。他亲口跟我讲，到时候就说搞不到通行证，把你隔开，我们倒一圈彩电，最后给你千把块钱打发一下。我一向瞧不惯他这种猫儿腻，都是哥儿们，说实话……"

"说实话，燕生，他真的没车？"

"真的没车——连我也没车！根本就没去搞，全憋着老蒋这道钱呢。"

"怨不得李白玲上来就跟我发情，好给你匀空。"

"不不，可没这么一出。李白玲是阔小姐开窑子，看见三条腿的就打晃，不为钱，她也不知道这些事。你跟徐光涛不至于磁到掰不开的地步吧？"

"绝对不至于！"

"就是。咱们多少年了，从小就一块偷幼儿园的向日葵从楼上往过路的身上吐痰。"

"美好的童年。"我微笑说。

"你们吵什么呢？"徐光涛兴冲冲推门进来，"在走廊里都听得一清二楚。"

“蒋兄，通行证办下来了，今天就走吧。”徐光涛对我说，“你的通行证没办下来，前两天出了件挺大的团伙叛逃案，通行证卡得很严……”

“没办下来就没办下来吧，我在这儿住着也挺好。”

“哟，没注意，装束也换了。”徐光涛凑近打量我的新衣服，“那件事就那么定了，你不在我也那么办。花瓜似的，分外妖娆是吗？”

“鲜活鲜活。”

“老蒋，”徐光涛转向老蒋，“这是咱们俩的通行证。我还要去看一个人，车票你买，买今天下午的，中午我回来——我先走了。”

“走吧。”我和燕生点头，“注意小腿保健。”

徐光涛刚离去，燕生立刻坐在桌旁在张纸上写了串阿拉伯数字，递给老蒋：“钱一转出，就给这个号码打电话，我马上就去接应你。别怕，有什么可怕的？你真不是干事的人。”

老蒋仍在筛糠，张燕生厌恶地站起来，找烟抽。拿起只烟盒，是空的，揉成一团扔掉问我：“还有烟吗？”

我口袋里有整整一包烟，可我说：“没有，抽光了。”

“我去买条烟。”燕生出了门。

我走到老蒋身旁，夺过那张纸，看了看上面的电话号码，还给老蒋，坐下拨这个号码。电话通了，一个女人接了电话：“喂，找谁？”

我听出了对方的声音，没吭声把电话挂了。张燕生买烟回来，一进门电话铃就响了。他拿起电话，我听他说：“没有，我刚才没打，不定谁打的呢，这只有你知道呀。”他换了一脸淫笑，“噢，他在，你要跟他讲话吗？”燕生把话筒给我，“李白玲找你。”

“喂，”我接过话筒，“你好，干吗呢？”

“上班，你呢？”

“没事。”

“下午出去吗？”

“不出去。”

“那我去找你。”

“来吧。慢，你中午就来吧，一起吃饭。”我冲燕生挤挤眼，“这儿有一个班的伪军想你。”

我和李白玲坐在餐厅酒吧柜台前的高凳上喝酒，遥遥望着餐厅角落餐桌旁的张燕生和老蒋。老蒋刚买完车票回来，仍是一副惊恐不安的样子。他激动地说着什么，张燕生安详地听着，不时简短、表情坚决地说着节奏铿锵的话。

“那个老蒋怎么啦？”李白玲呷着酒问我，“他好像很紧张。”

“他怕了。”我转着手里的大肚高脚杯，无所谓地说，“怕被我们啃着吃了。”

“这么个老实人，本来就该待在家里耗着俸禄养膘，跟你们这些坏蛋混，非倒霉不可，难怪他怕。他看出什么名堂来了？”

“你不知道？燕生告诉了他徐光涛没车想骗他钱，叫他赔本赚吆喝狗咬尿泡空欢喜。”

“我怎么应该知道？”李白玲耷拉眼皮，“就好像我也是你们肮脏的一伙。”

“你当然不是！就像你不是我老婆，不管你有时多么像，我有时多么情不自禁。”

“小屁孩，跟我油腔滑调谈情说爱起来了。”

“别装得像鸭嘴龙那么老。今晚我还去你那儿，别约别人了。”

“今晚不行。”李白玲放下酒杯，用手帕擦擦嘴，“今晚没你节目。”

“我不管，反正到时候我就去，有人咱们就做三明治。”

“干吗这么生猛，假装殷切？”

“除了撒尿也是闲着。”

李白玲“噗”地笑了，飞我一眼，十分风骚。很快，她止住笑又回复成那个庄重、优雅的李白玲。她喝了口酒，有些懒懒的，抬首看了眼那边餐桌上仍在交谈的燕生和老蒋，低语问我：“你看上我哪儿了？”

“山高水阔及其他。”

她没笑。酒吧侍者放响了音乐，滞重的音乐如雷滚过餐厅。女招待们开始往各桌穿梭上菜。

“小子，”她冷冷地说，“退几年，我可能会迷上你这股俏皮、放荡不羁的劲头，可我现在已不是感情泛滥的小姑娘，你靠伶牙俐齿这种小锥子扎不中我——今晚你要来，我就阉了你。”

我们的餐桌也陆续上菜了，燕生招手叫我们过去。李白玲下了高凳，整整长裙，对我说：“我倒想提醒你们注意老蒋，别吓坏了他。他是朝廷命官，遇到危险本能的反应就是找警察保护。”

我们回到餐桌，我观察了一下老蒋。他果然有些反常，过分殷勤，给每个人夹菜、斟酒，故作轻松地谈天说地。可我没有集中精力认真看待这件事。我克制不住地时时把目光落在正和张燕生小声交谈的李白玲身上。我几次挑起话头想重新吸引她注意，都没成功。她只勉强敷衍我几句，后来连样子也不装了，干脆不理我，同张燕生唧唧咕咕，活像一对粪里刨食的公母鸡。

饭吃了一半。徐光涛提着皮包来了，一身国家干部打扮，得意扬扬挺像人。一坐下就问老蒋要车票，拿过车票装进自己口袋，也不吃也不喝，说要好计程车，立刻就要去车站，立逼着老蒋上楼拿行李。

老蒋提着破包，步履蹒跚地跟着满面春风的徐光涛往酒店门外计程车走去的样子真像被人贩子卖去当窑姐儿的旧中国妇女。

“你不去送他们？”我冲面无表情目送着徐光涛和老蒋的张燕生问。

“他跟我走。”夹着包往嘴上搽唇膏的李白玲说。她打扮停当，挽着张燕生一扭一扭走了。

“联合国呲嗷的。”我在背后愤世嫉俗地骂。

“嗨，你怎么在这儿？”

“我凭什么不能在这儿？我理所当然应该在这儿，人民的江山人民坐。”

我正要上电梯回房，碰到刚从楼上下来的花枝招展的杨金丽。她像搀着老寿星似的搀着个香港老头儿，脸像电镀了样容光焕发给我介绍她的“阿伯”，对那个老狗说我是他“表哥”，差点没把我鼻子气歪了。

“怎么样，都还好吧？”

“还好还好。”我只想早点脱身回房。

“有什么事需要我帮忙的，阿伯在这儿是很有办法的。”

老狗冲我含笑点头，我两眼朝天不看他。

“没事。”

“你房间是几号？我找你玩去。”

“还是……”

“我给你平价换点港币吧，花港币很合算，买烟买酒也便宜，你不换点？”

“那好吧。”我把房间号告诉了杨金丽，走进电梯向上升去。

我正在睡觉。有人捏住我鼻子，我在梦里吓了一跳，立刻醒过来，看见杨金丽怪可爱地坐在我床边。我忍着火跟她兑换港币，换完便翻脸开骂："以后男同志睡觉的时候你进门要敲门，懂不懂礼貌？还有，以后未经允许少捏我鼻子。那是出气的地方，不响也有用，你给关上算怎么回事？"

"哟，好像你多尊贵。"杨金丽撇撇嘴。

"当然，我有我的人格。我问你，你是不是跟那个老棺材瓤子住在一起？"

"怎么啦？"

"怎么啦——这是有损国格的行为！"

杨金丽咯咯笑起来。

"还乐，你乐什么？"我生气地说，"你这是错误的！哪怕你找个年轻点的，也说得过去，那老杂毛也太老了。"

杨金丽脸红了："人老重感情，霜叶红于二月花。你倒不老，谁不知道你是个没心没肺的。"

"好好，你感情丰富，快回去看着你的老宝贝儿吧，小心他一个饱嗝把自己噎死。"

"瞧你对我这副模样儿，就好像你多革命似的。"杨金丽又眼泪汪汪了，"你对我越来越不好了。"

"你不能这么说，就好像我过去对你怎么好过……"

"我一直觉得你是唯一理解我的！"杨金丽几乎在大声嚷嚷，盖住我的声音，抹杀我试图在我们之间划的界线。

"我不理解也不想理解任何人，包括你。"

"畜生，男人都是畜生！你们脱下裤子是鬼，提起裤子又全装成人，真会藏猫猫。"

"我们别再谈了，你这么激动会把自己弄疯的，装傻算了，你蛮可以落落大方。”

“一个有自尊心的女人和一个寡廉鲜耻的男人不一样，我要明辨是非。”

“这种事哪儿来什么是非，公说公有理，母说母有理，各有糟践对方的一千条民谚、格言。大家都是人，都不是观音菩萨。”

“你不是人！”杨金丽脸色苍白地盯着我说，“你从来就不是人，站着躺着都不是人。谁都不知道这事，可我知道。”

“我是什么，大灰狼？”我想开玩笑，可脸色已经变了。

“你是，”她顿了一下，骤然开口，“橡皮人！”

我想杨金丽被我吓坏了，她一脸恐怖，向门口退去，蓦地拉开门逃了。我回头看了眼墙壁上镶的镜子，也立刻毛骨悚然。镜子里那张脸黯淡僵滞，呈现着真正橡皮的质感和光泽，我被吓得一声不响。

晚上，我不想吃饭，下了楼，在放着轻音乐的酒吧要了两罐啤酒孤独地坐着喝，茫然看着大厅里逡巡往返的外国游客和香港商人。这些衣着华贵的男女一个个神气活现，从容自在，却个个长着张庸俗的脸，让你不得不对如此不堪入目的家伙却如此有钱感到生气。在这种场合坐上一刻钟比上一百节课还体会深刻。我叫住一个女招待，问她这儿晚上有什么玩的地方。她打量下我说，你可以去广场和马路上遛遛。我凝视着她，她慌忙低头走开。我又叫过来一个女招待，问她这儿晚上有什么玩的地方，她说邻家宾馆有收费昂贵的歌厅。

我叫了辆计程车去那家宾馆。这家宾馆比我住的那家酒店更华丽些，歌厅所在是有小桥流水、扶疏花木的花园中的一间玻璃房子，有美貌女招待开门引座，我进去时演唱还没开始。我坐到靠墙一个角落的厢座里，已经有个醉醺醺的男人坐在那儿了，见我来就口齿不清地跟我搭话。他自称是新加坡人来此是做买卖，问我可曾听说过他的姓氏，这个姓氏在南洋一带是赫赫有名的，我说我没听说过。

“你臭了，你土鳖了，我们家是大财团，每次回国都是人大副委员长以上的‘角儿’接见。”

“你普通话说得不错，连我们方言都会，要是闭上眼听，我会以为你是北京小晃。”

“呃，我在北京语言学院念过书。”

“怪不得。语言学院的人我很熟，你认识张燕生吗？他是副院长。”

“太认识了，头发花白的老头戴个眼镜。”

“李白玲呢，她好像是党委书记吧？”

“对对，老太太，个不高。”

“你不错，真幸福，新加坡巨富之子。喜欢中国吗？”

“没劲。我打算去美国，美国多来劲。”

“那是，美利坚有的是金山银山。”

我叫女招待送来一个杯子，拿起他的酒瓶给自己斟，一支接一支抽他的烟。

“嗯，我不喝了。”

“才几点，再喝点。”我叫来女招待，指着那人说，“这位先生再要两瓶……”

“一瓶吧，嗯，我喝得差不多了。”

八点以后，歌手们依次出场了，灯光暗下来，旋转晃眼的迪斯科舞灯扫来扫去。听客开始受到震耳欲聋的音响轰炸。同座那个家伙仍然恬不知耻地胡吹，喋喋不休，一个劲问我是干吗的。

我说我是为总参装备部采购的。他问我要什么型号录音机，我说不，不要那玩意儿，有黑鹰直升飞机可以来两个中队。他盯了我一阵，恍然大悟："原来您是做军火生意的。"我嘘了一声，叫他小声点，问他可听过那个阿凡提的故事，他糊涂地摇摇头。我凑近他给他讲故事。从前有个商人叫阿凡提帮他搬一摞盘子到他家，说可以告诉阿凡提三个真理。阿凡提搬着盘子去了，向商人请教。商人说，第一个真理：要是有人说，搬着盘子走路比空着手走路轻，你可千万别信。说到这儿，我自个儿乐了。那个家伙好奇地问："第二个呢？"

"要是有人说，帮商人搬盘子他会给你钱，你可千万别信。"

"第三个呢？"那家伙愈发全神贯注。

"第三个是：要是有人说他是世界最大的傻瓜，你可千万别信！"

我撇下这个苦苦思索、莫名其妙的骗子，笑着起身离去。骗子嘴里还在嚷："那阿凡提呢？"

回到酒店夜很深了，我忧郁地放了池热水洗澡，一边浸泡一边吸烟一边想着身不由己做人的尴尬和不做人的不可能。向非人蜕变的趋势我心中无数。热腾腾的蒸汽把烟濡湿吸不动了，我把烟扔掉，泡在水里睡着了。不知过了多长时间，有人砰砰敲卫生间的门。我醒过来，感到灯光刺眼，水也有点凉了。以为是燕生回来了，围了块浴巾开了门，杨金丽站在门前。

"你来干吗？"我倦意未消，不免有几分恼怒和敌意。

她没说话，往旁边一让，屋里有两个陌生男人，在翻我扔在床上的衣服。其中的胖子看到我说："警察。"同时掏出个工作证递给我。我打开一看，这警察是市局十处的，名叫马汉玉。我默默地把工作证还给他，看着另一个小个警察把我衣服口袋里的所有东西都掏了出来，钱、钥匙、电话号码本、证件一一摆开。

“什么事？”我问马汉玉。

“你认识她吗？”他指杨金丽。

我看看杨金丽，又看看警察：“认识。”

“她半夜到酒店来是来找你？”

我大概猜出是怎么回事了，点点头：“是的。”

“你们什么关系？”

“朋友。”我毫不犹豫地说。

“什么朋友？”

“一般朋友。我们是在街上碰到的。她说她住的那个旅馆很脏，我就叫她到我这儿来住，反正我这儿有两间客房。”

“既然你叫她来你的房间，她怎么钻到港客房间里去了？”

“也许走错门了吧，这儿的房间看上去都一样。”

“走错门？为什么进到人家房间里去，敲门不开，我们进去她还藏在门后。”

“那你应该问她，也许是被下流的港客缠住了。现在开放，什么人都往国内来，大概他们还以为我们这儿也变成资本主义国家了。你不知道，在资本主义国家，这种女郎半夜敲门的事很多，腐朽没落就别提了。”

“老实点！”旁边那个掀床垫子拉抽屉搜查一番一无所获的小个子警察走过来对我吼。

我瞧他一眼，继续对胖警察马汉玉说：“可能她慌了，一听是警察。你知道人人都怕警察，有些事碰上警察就解释不清了——我可以穿上衣服吗？”

“穿吧。”胖警察一摆手。

我穿好衣服，把钱和证件往兜里装。

“不许装！”一直恶狠狠盯着我的小个子警察喊。

“为什么？这是我的东西，你刚才不是看过了。”

“叫你别装就别装！”

小个子一步抢上来，粗暴地打我的手，夺走钱和证件。

“你客气点行不行，不要动手动脚。”

“嘿，”小个子瞪起眼睛，“你狂什么，蹲下！”

他上来扭我胳膊，企图压倒我，可惜技术夹生，被我一下甩开，正告他：“你要干什么——现在可不是‘四人帮’那时候。”

“不是‘四人帮’时期又怎么样！”小个子年轻气盛，急了，又扑上来扭我，我再次把他轻轻推开。

姓马的胖警察冷眼旁观，大概也觉得他的小伙计不够老练，说话造次，授柄于人，走上来隔开我们，问我：“你这套房间住了几个人？”

“就我一个。”

话一出口，我就后悔了，这个谎警察一查住宿单便戳穿了。胖警察果然给服务台打了个电话，让他们找出这个房间的住宿单。一会儿，一个穿警卫制服的男人拿着三张住宿单进来。胖警察仔细看了三张住宿单，问：“这个姓蒋的和姓张的哪儿去了？”

“到别的地方办事去了。”

“你是这个商业局的干部吗？”

“不是。”我只好承认，“我是来玩的，因为认识老蒋就住到了他们这里。那张住宿单是胡填的。”

“这样看来，应该住在这儿的人都不在，住这儿的是两个来‘玩’的。他们什么时候回来？那两个，姓蒋的和姓张的。”

“不太清楚。”

“这儿的房钱谁算，你吗？”

“当然不，我哪儿有那么多钱。”

“就是说他们肯定会回来？”

“大概是。”

消失了片刻的小个子警察忽然从盥洗间出来，手里拿着我的漱口杯，神秘地倒出一件东西给胖警察看。

“这是谁的？”胖警察手指捏着一只黄澄澄的女表。

“不知道，我没见过这东西。”

“这杯子是你的吗？”

“是我的，可这表不是我的。谁知道哪个混蛋给我栽的赃，一小时前我刷牙还没有。”

“你指我们吗？”

“没那意思。”

“表是我的。”

杨金丽红着脸承认，“我放进口杯里的。”

“你手脚真麻利。”胖警察移向她，“也许你接下去要告诉我这表是你妈给你买的吧。”

“是我妈给我买的，我工作那天买的。”

“你工作？你妈还挺支持你，给你买个表看时间，你们他妈就不能编得像样点，都这么说。这表国内市场就没出售过！看来你还不是个老手，我再告诉你，这表是假的，一文不值，你被那个老色鬼港客骗了。好吧。”

胖警察站起来，伸了个懒腰，把我的证件、电话号码本拿起来：“这些东西我先拿走，用完还你。”

“可我明天就打算走了。”

“你先别走吧，既然有人付房钱你就再舒舒服服住几天。记住，这几天哪儿也别去，我们随时来找你。还有，我们来找过你这事不要跟你那些哥儿们讲。”

“我没哥儿们，独门儿。”

“不管有没有，谁也不要讲，讲了后果你自负。”

“我也没犯法，规规矩矩来旅游……”

“谁说你犯法了，我说了吗？”胖警察提起皮夹，一指杨金丽：“你，跟我们走。”

小个子警察充满恶意地瞧我一眼，用鼻子哼了一声，推搡着杨金丽耀武扬威地往外走，杨金丽伤感地频频回头看我。

警察走后，饭店警卫又盘问了我一会儿，主要问我怎么住进来的，谁介绍的，我一概回答不知道。

早晨，张燕生回来了。一进门还挺乐呵，看来昨晚过得挺惬意，问我睡得怎么样。“挺香。”我瓮声瓮气地回答，“就是半夜你的两个朋友来找过你。”

“谁？阿芸和阿豆？”

“不，胖胖和瘦瘦。”

“什么胖胖瘦瘦，”张燕生摸不着头脑地说，“我不认识。”

“他们认识你——警察。”

“别开玩笑。”

“开哪门子玩笑，昨晚警察来抄了。”

“真的？”燕生登时紧张了，“他们来找我？”

“没有，跟你说着玩呢。找你干吗，你又不是他们局长。”

“说真的说真的，警察真来过了？”

“真来过了，杨金丽把他们领来的。大概她被他们堵被窝了，就胡说走错了门，来找咱们的。没事，警察搜了一遍，咱们也没什么走私物品，了不起把咱们当成皮条客了。”

“你别大意，当成皮条客也够咱们喝一壶的。”

“那我倒不怕，没有的事，安也安不上。”

“警察还问什么啦？”

“没问什么，就问你哪儿去了，我说你办事去了，什么时候回来不知道。他们扣了我证件，把杨金丽带走了，还说随时再来。”

“随时再来？”燕生刚坐下又“蹭”地站起来，“这地方不能待了。”

我和燕生乘的计程车驶出车流，靠边停在一个规模宏伟的红色陵园门口，马路对面就是李白玲上班那幢钢筋水泥和玻璃组成的盒式大厦。我进陵园找了张长椅坐下，燕生去给李白玲打电话。一会儿工夫，李白玲匆匆而来。我把昨晚的事对李白玲讲了一遍。李白玲听完哦吟片刻，问我：“他们扣了你的证件，你能溜吗？”

“那证件是作废的，要不要都无所谓，我有些担心的是那个电话号码本。”这时我蓦地想起，昨天我曾把暗记下来的李白玲的电话号码写在了上面。

“上面有谁的电话？”

“噢，那都是过去一些熟人的电话。”

“有我的吗？”李白玲看燕生。

“我没把你的电话告诉过他。”燕生说。

“没有。”我也说。

“那就没什么。”李白玲松了口气，“我给你们换了个住处，溜了完了。”

“可是，”我想了想，还是得告诉他们，“我给老邱的地址也是这个酒店。”

“他是谁？”

“他来干什么？”燕生问我，“老邱来干吗？那个二混子。”

“……他也是来买车的。”

“你没告诉过我。”燕生怀疑地看我。

“现在告你也不晚。”

“马上打长途通知他来得及吗？”李白玲说，“告诉他换地方。”

“恐怕来不及。”我说，“前天不是我们一起打的电报？他现在已经在路上了。要我说其实没什么，燕生另找个地方住去。我还回去等，没事。十处是不是治安处？”我问李白玲。

“不知道，不过我可以打电话找个公安局的朋友问一下。”

“你问一下，要是治安处就没事，不就是风纪上的小事嘛。”

“好吧。”

我们三个来到陵园门口的公用电话处，李白玲给她的警察朋友打电话，打完电话她脸色大变。

“十处是经济保卫处。”

我和燕生正在酒店房间里收拾东西，门上传来猛烈的叩敲声。燕生迅速钻进卫生间，我把皮包塞进床下。坐到沙发上喊：“进来。”

门开了，老邱昂首阔步走进来。

我松了口气，喊燕生出来，弯腰拖出皮包继续往里塞衣物。燕生心有余悸地走出来，认出老邱，咧嘴一笑：“是你，吓我一跳。”

“出了什么事？”老邱看我们惶惶的神情，诧异地问。

“警察刚来抄过，而且随时还会再来。”

“这儿警察那么凶？”

“凶，凶得跟郎平似的。”我扣好皮包，走过去对老邱说，“你白来了，那事吹了，徐光涛的车没了。”

“怎么回事？”老邱立刻急了，“那你他妈的给我拍什么电报？”

“这情况我也是刚知道。”我有气无力地掏出烟请老邱，老邱抽出一根叼上，我给他点着火。

“彩电呢？”他喷着烟问，“你联系没有？”

“联系了，可我们已经叫警察注意上了，那事该怎么办？你用公家的汽车款倒电视，不正找人家逮吗？”

“谁捅的娄子？你们办事怎么这么不牢靠？”

“我猜是老蒋，他发现上当就报了官。”

“连这么个笨蛋你们都瞒哄不住，干什么吃的！”

“哼。”我看了眼燕生，“这事一时也说不清楚。”

“是不是老蒋报的官还没定呢。”燕生说。

“既然来了，就不能空手回去。”老邱往沙发上一坐，“我不管，你他妈给我想办法去搞车，搞彩电。”

“我他妈没办法！”我挥着手说，“警察张着网呢，你让我乍着毛往里钻？”

“合着你打着晃涮爷们玩哪！”

“我还不知道被谁涮了。”

“你们别在这儿吵。”燕生拎着收拾好的皮包过来说，“先撤，有什么话回头说，别让警察一块捂了。带着钱吗？带着钱什么话都好说。”

“好吧。”我对老邱说，“你先跟燕生走，待会儿咱们再商量。我再跟徐光涛联系一下，探探究竟，看老蒋到底是个什么鸟。只要他没报官，事情还有缓。”

“反正，你看着办吧。”老邱把烟头嗖地扔到地毯上，凶险地看了我一眼。

我自个儿在房间里坐了会儿，最后检查了遍房间，看没丢下什么东西，就带上门出来。正想不惹人注意地通过服务台，忽听服务员叫我："喂。"

我停下看她，服务员一脸笑容，旁边坐着的另一个服务员姑娘也在冲我乐。她们问我："昨天警察找你啦？"

"是啊。"我立刻装出了副清白无辜受了冤枉的样儿，"我正好端端地像个乖孩子一样睡着觉，人就突然闯进来，搜身又讯问。是你们给开的门吧？"

"警察叫开门，我们敢不开吗？"服务员笑着说。

"也是，这年头，好人也难免受冤枉。"

"你得了吧。"坐着的那个姑娘笑着说，"谁叫你和那个坏女人一块混的，沾包了吧。"

"我哪知道她是坏女人。从小我就认识她，中学起她就是我们班的团支书，在这儿碰上了，你说能不打个招呼？谁想她变成了坏人。"

"都会说，都说自己不是坏人。"

"你瞧我长得像坏人吗？多么忠厚善良的脸，对谁都是那么诚恳、谦逊。"

"越说自己好的人越不好。"两个姑娘笑得咯咯的。

一个姑娘好心忠告我："你不是坏人，可你要小心坏人。特别在我们这样的酒店里，什么人没有？就拿住在你斜对面房间的那个港客老头说吧，别瞧他道貌岸然，听民警说，他坏透了，专往国内走私，在香港也是社会渣滓。"

"你是说老和杨金丽在一起的那个老头？"

"就是那个坏老头。那么老了，还骗人家女孩子，真不要脸。民警说，要重重罚他，把他的护照都扣了。"

"光罚还不够，"我沉思地说，"应该拖出去毙了老家伙。好啦，我下去吃点东西。"

我离开服务台，乘电梯下楼，降了两层，停了电梯出来，沿安全楼梯又走上去。小心翼翼地避开服务台两个姑娘的视界，蹑手蹑脚走到那个老港客的房间，没敲门就拧把手进去了。老坏蛋正穿了件睡衣坐在沙发上喝茶，看到我进来一愣："你找谁？"

"找你。"我往他旁边的沙发上一坐。

老家伙放下茶杯，打量着我："嗯，是你，杨小姐的朋友，又想换港币吗？"

"不，想跟你谈点事。昨天，你和杨小姐的事连累了我。"

"是呀，"老家伙愤愤不平地说起来，"内地的警察太不讲道理了。杨小姐在我这里坐了一坐，就要罚我的钱，坐一坐也要罚钱，真是闻所未闻。怎么，也要罚你吗？这可没有我的关系。"

"要不是你，警察也找不上我。"

"这我可不能负责。你是要叫我替你付罚金吗？不行。"老家伙急了，用广东话连嚷带叫，"没有这个道理。"

"我不是那个意思。我的意思是因为你们的事连累了我，我们也算有了缘分，好不好做点买卖？我听说你是个很有办法的人，能搞到价格合理的电视机。"

"什么意思？"老家伙眼睛骨碌碌转了几圈，"你要买电视机？"

"是的，不多，一小批。"

"市场上有哇，要多少你尽管去买好啦，找我干吗？"

"你看，老先生。"我慢条斯理地说，"我开始提到杨小姐，意思就是我们之间用不着搞什么遮遮掩掩的把戏。你的情况杨小姐跟我讲了许多，我呢，想你也能意会到。大家开诚布公。都是买卖人，谁也不想占谁的便宜，按规矩办，现钱现货，大家得利，你说呢？我也不是来敲诈你，也不是给警察当探子给你设圈套，只是正经八百地想跟你谈桩生意。怎么样，谈不谈呢？"

老家伙又端起茶杯吸吸溜溜喝茶。喝了一阵，放下茶杯，找烟。我敬了他一支，给他点上火。

“那么，”老家伙开了口，“你想要多少台？”

“先问一下，你是什么价？”

老家伙说了个数，我一听说不行。

“都是这个价啦。”

“咱们别来这套行不行？都是明白人，大家痛快点。你价格合适，我多要你一些。”

老家伙又报了个价，降了一些，我仍觉得高。

老家伙端起茶杯：“我这已经是最低价了，再落我要蚀本了。你说个价？”

我说了个数，老家伙一听直摆手，“不谈了，我们不要谈了。哪有这个价，有这个价我买你的。”

我把价提到一个整数，老家伙仍是摇手。

“怎么着？”

“不谈了！”老家伙斩钉截铁，“你找别人买去吧。”

“嘿，老东西。”我站起来，“不谈了？我让你进得来出不去你信不信？”

老家伙面无惧色，嘿嘿怪笑：“我们这是做买卖吗？我又不是小孩子，你也不要虚张声势。”

“妈的老流氓！我虚张声势？我也不是不了解你，不就是一九六〇年饿跑的乡下佬吗？番薯屎还没拉干净，装什么大亨。我一个电话就能叫公安局抓了你，你以为我不知道你在香港是干吗的，香港警方知道你被抓了，会高兴得拍贺电。一句话，你想不想要你的护照了？”

如果说我前面的确是在虚张声势，老家伙听着毫不为其所动，这最后一句却击中了要害。尽管老家伙仍面无表情，但我肯定，他搞不清我是什么来头了，起码他要猜猜。一般说，上了年纪的人，权衡某件事的利弊时，是会慎重斟酌每种哪怕是很微小的可能，他们没有精力冒险。果然，老东西虽说嘴没软，话里已经透出转圜的意思。

“你不要唬人，我是不吃唬的。我对国内的情形有一些了解，我相信你不是普通人，但要搞我，也没那么容易，我也是认识一些人的。再说，做买卖也没有强买强卖的。”

“那好，”我不再恫吓老头，接着他最后那句话说，“咱们再互相让点步，你尺寸上可以小一点，我价钱上给你凑个整。”

我和老家伙又讨价还价一番，最后达成妥协。由于每台价格比我原来设想的最低价格还要低一些，老家伙提出交货只能在那个更靠南的沿海城市，我也一口答应了。我们约定了具体的交货地点。时间定为后天起的连续三天内。

“听着，”老家伙伸出只干瘦的手指说，“如果我不能及时拿回我的护照，我便不能履约。”

“放心，老先生，我保证你最迟后天拿到护照。当然，你也别心疼那几个罚金，就当为‘四化’作贡献吧。”

我心里有底，警察只要罚了款，会很快发还护照的。

我穿过酒店大厅时，迎面看到姓马的胖警察和小个子警察从自动门进来。连忙隐在几个肥胖高大、香气扑鼻的外国妇女身后，低头装作浏览柜台里的烟酒化妆品。两个警察行色匆匆没看到我，从我身后熙攘的人群中穿过，消失在电梯间。我拔脚出了酒店，叫过来一辆计程车，让司机开到那个陵园。路上，我坐在疾驶的轿车后座想，我这是玩玄呢。警察兄弟不是吃干饭的，他们像秃鹫一样敏感，哪儿有死尸腐肉，隔着十万八千里也会凭直觉扑下来。

计程车到了陵园附近一个街角，我付了钱下来，步行走进陵园大门。天下起小雨，陵园内的松柏草坪一片浓绿，玉兰树在雨中静静开放着硕大雪白的花朵，树荫下的长椅都打湿了，阒无人迹。我找了一圈，没发现张燕生们，身上已经潮湿了，便沿着漫长宽阔的台阶走向山坡上的纪念雕像。这是组用巨大粗糙的花岗石凿砍的剑拔弩张的人物群像。半个世纪前，这个城市曾发生过一次震惊中外的武装起义，许多外国革命者的血和中国共产党员、工农群众的血流在了一起。中学时，我就从课本中了解了这次著名的起义。即使此时此地，我在为理想献身的烈士英魂面前也不由肃然起敬。望着那些无声地呐喊着搏战着的巨人们，我一阵阵发呆，竟忘了来此何干，直到一个人轻轻拍了下我的肩膀，我才猛醒过来。倏转身，李白玲笑嘻嘻站在我面前。

“你没带警察来吧？”

“……”

“你怎么啦？”

“燕生他们呢？”

“他们先走了，留我在这等你。大家看你那么长时间没来，都怕你出事。没出事吧？你怎么这样？”

“没有，我冷，穿得太少。”

“我们到那边亭里避一避。我也没带伞，这雨下得突然。”

“没关系，走吧。”

这时我已镇定下来，冷汗开始浸出。我们沿着石阶缓步下行。雨下得密了，衣衫湿透了，贴在身上，可我仍不想走快。宽大的台阶层层叠叠，像个巨大的搓板，两旁宏伟磅礴的雪松簇拥着这通贯全山的台阶，使这台阶像是帝王宫殿庄严的御道，我这个湿透了的瘪三和旁边同样湿透了的身份暧昧的女人走在上面真是不伦不类，长达百年此伏彼起的革命战争给我们国家到处留下了这样葬着成千上万英灵的陵园，时至今日，只有孩子才会在清明来献花圈。

“我知道你在想什么。”李白玲突然说。

“你知道屁。”

“我爷爷就是在那次起义中牺牲的，后来我的叔叔伯伯又陆续牺牲了几个。”

“有毛主席家牺牲的人多吗？”

“我知道你在想什么。”李白玲平静地说，“每次我来这儿，和你同样难受，虽然我也知道这没意思。”

“可是我什么也没想。要说难受，只是被雨浇得难受，想赶快找个地方来点热乎的吃的喝的或者‘喇’你一道。”

李白玲望着我，我狞笑着望着别处。

我们出了陵园大门，在街对面一间面食店吃了云吞面和炒粉。李白玲特地为我要了碟烧鹅，我不客气地一扫而光。她没怎么吃，只是抽着烟隔桌凝视我。我想装作视若无睹，终于按捺不住，生气地对她说：“你老看着我干吗，真他妈讨厌！我吃饭不喜欢别人盯着，就像旁边坐着个要饭的。”

李白玲把眼睛移开，默默地把烟掐灭，叫来服务员付账。

“这儿还有个碟子。”我把炒粉盒下面盖着的烧鹅碟抽出来示意服务员。

我们出了面食店，仍没怎么说话。李白玲叫住一辆雨中驶来的空计程车，叫司机开到她的小屋坐落的那条街。

到了李白玲的小屋。我发现屋里没人：“燕生他们呢？”

李白玲没有回答，只是蹲下拉开立柜下面的大抽屉，翻出几件干净衣服扔到床上："把湿衣服换下来，要不该感冒了。"

"就湿着吧，我怎么能穿你的女式衣服。"

"什么女式不女式，你看看那些衣服，男女都能穿。换吧，你不是湿得难受吗？"

"你转过去。"

她转过身。可我刚把湿衣服脱下来，她又转过来，上来一把抱住我。我感到她屏住呼吸，像一个没有生命的人。

"干吗？"我推她推不动，"像什么样子。"

她哭了，哭得像个纯洁的少女。我毫无怜悯。

"其实用不着这样，我现在的确没兴趣，副交感神经低迷，改日吧。"

她抬起湿淋淋的脸，眼里充满憎恨，一把推开我，反身找出几件自己的干衣服，毫不掩饰地边换边恶狠狠地看我。我也把床上的干衣服一件件穿上，牛仔裤瘦了点，我提拉链时要收紧肚子。我把衬衫塞进裤子，对她说："别怒气冲冲的，我不是圣人你知道，我是怕交叉感染。"

谁要见过熊猫发怒，那就是她当时的那副表情："你用不着侮辱我，拿我发泄。算我傻、贱，以为谁都需要我。"泪水涌出了她的眼睛，她一甩头，擦得一干二净。"走吧，去找你的哥儿们。"

我走过去，抚她的肩膀，她啪地打开我的手。

"别尥蹶子呀，跟你说句知心话听吗？"

"去你妈的吧！"

"真的，其实我对你一点恶感都没有。"

她转过身，抬起眼看我，愤怒一下都化成委屈、自怜。

"我只不过有点吃醋。你想你昨天对我那种样子，简直是气我。”

“真的吗？”她走上前来拥住我，破涕为笑，“你还会吃醋，这我可没想到。”

“不但会吃，还吃得很厉害。”

她真正眉开眼笑了：“燕生是在你之前和我好的。他提出要求，我无法拒绝，但我并不喜欢他，他脚有点臭。”

“爱我吗？”我在她耳边问。

“说实话？”

“当然说实话。”

“不，这还谈不上，但我喜欢你。”

“我记得你昨天可没说喜欢我，你说的是‘阉了我’。喜欢我什么？”

“喜欢你的忧郁，说不上来的那股劲儿。”

“我忧郁？”我有点吃惊，“我最恨忧郁的人。我才不忧郁，你的趣味就像是女学生。”

“你怎么能知道你在别人眼里是什么形象？”

“我希望我在别人眼里是个快快活活、没心没肺的人。”

“你做不到，”她大笑，“你骗得了别人骗不了我。”

“你别以为你挺了解我。”我心中升腾起一种被人洞悉内心秘密的怒火，“我知道自己是个什么玩意儿，用不着别人告诉我。”

“好好我不说了。”她笑笑搂紧我，意在和解，“你不是凡人。”

我也笑笑，装作很陶醉，心却像扔在马路中间的罐头盒，被驰过的汽车一下压扁了。

“你是不是还在为今天上午的事发愁？”

我们坐在一辆计程车里，驶向李白玲新为我们安排的近郊的一个部队大院内的招待所。我意绪迷茫，腔体空旷，几乎没听见她的絮絮低语。

“你是不是在为今天上午的事发愁？”

“呃，是的。”我看她一眼，仍不知道她在说什么。

“还要不要我帮忙了？”

“什么？”

“彩电呀，还要不要我帮你买了？”

“你肯帮忙那太好了。”

“你是给老邱买？”

“嗯，是的，你见到他了？”

“我不喜欢那个人，一脸蛮相，透着没文化。”

“我发觉你很会看人。”我从恍惚状态摆脱出来，注意起李白玲的话，“老蒋就是你先看出不对头的——你很老练。”

“女人对男人是否可靠，有一种直觉。这是每个我这种年龄的女人都具备的本领，与你说的老练不是一回事。”李白玲迅速转移话题，“你想买多少彩电？”

“你现在能立刻找着吗？”

“立刻可不行，我还得去找人问，又不是一台两台，总要几天工夫才行。”

“那算了，不用你找了，我已经有了，后天就可以提货，价钱也公道。”

“……”

我转脸看李白玲，她愣愣地看着我。

“你怎么啦？”

“没什么。”她迅即恢复了安详，速度之快犹如摘下一个面具又戴上另一个面具，“你已经有了太好了——哪里搞的？”

“你别管了，你能不能帮我搞辆小汽车？”

“不行！”李白玲一口回绝。

张燕生正在和招待所年轻的女军医调笑，老邱坐在一边抽烟，见我进来就阴沉地盯着我。我没理他，径自走向清秀的女军医，问她这儿往边境要电话好不好要。她说通过军区总机转还算快。我问她哪儿有电话，她说我要打的话过会儿她带我去她家打。李白玲问我还有没有其他事，她想回公司瞄一眼。我问她能不能给我买两张明天去那个沿海城市的飞机票。

“干吗？”老邱问。

“这玩意儿，”我比画了个彩色电视机的形状，“有了。”

“什么时候有的？”燕生惊讶地问。

“飞机票的事就请你多费心了。”我对李白玲说，“要不要先给你钱？”

“我身上有钱，要是买着了就先给你垫上。”李白玲说，“不过现在去那边的飞机票很难买。”

“你李白玲还能没办法。”我问一直坐在一旁聆听的女军医，“你叫什么名字？”

“张璐。”

“张璐，咱们这儿两个姓张的了，你带我去打电话吧。”

张璐家也在这个大院里，用木栅栏围起来的一座二层小楼。家里有个公务员，一个烧饭的阿姨。她妈妈也在家，正坐在客厅里的沙发上闲得无聊，看到女儿领着个男人进来立刻用审视好奇的目光打量我。张璐跟她妈妈说话很简慢，只是说一个朋友来用一下电话。她妈妈倒很热情，忙说“用吧用吧”。又让座又要叫公务员沏茶。张璐不耐烦地说妈您不用张罗，我们打电话您回屋歇着吧。老太太不急不恼，嘴里寒暄着，顺从地离去。张璐给我要电话，并拿出她爸爸的桶装“中华”烟请我抽，我抽着烟巡视着这间宽敞明亮、铺着公家地毯、陈设着公家沙发的大客厅。据我所知这个部队是个军的单位，很明显，外地干部比北京的干部要奢侈得多，这栋小楼的面积大大超过了总后规定的住房标准。张璐要完电话，放下等总机回叫，就同我聊了起来。我得知她比我小好多，属于家里娇生惯养，中学毕业当兵，部队保送上大学，大学毕业回来入党提干的那种没见过什么世面挺单纯挺爽朗的部队干部小孩。我心不在焉地问她怎么认识的李白玲。她说李白玲和她姐姐是好朋友，原先在一个部队当兵。

“你小心点李白玲，她可净教人坏。”

张璐嘻嘻笑：“你怎么认识的她？”

“我是通过跟你同姓的那个……”

“张燕生？”

“对，就是他。嗬，搞得挺熟，名字都知道了。”

“不熟。”女孩娇笑着，“那人挺逗的，拉着我和我聊了半天。”

“我就是通过他认识的李白玲——刚几天，三天不到。”

“她教你什么坏了？”

我笑了，瞅着笑着的张璐觉得挺有意思：“我是什么人，还用别人教我坏？街上的坏人见了我都要叫师傅。”

“那你是大坏蛋了。”

“这么说吧，不锈钢挨上我立刻滋滋地锈。”

电话铃猛地响了，张璐跳起来接电话，听了一下马上把话筒双手递给我。我接过话筒，听到军区总机娇滴滴地问我，是不是刚才要了边境的长途，我说是，总机说“来了听好”。我喂了两声，听筒里没声，就又跟旁边双手插兜坐着的张璐闲扯：“李白玲和我一样，也是王酸一级的。”

“不许说我姐姐好朋友的坏话。”

听筒里有人说话，我忙喂喂，还是那个声音娇滴滴的总机：“首长，边防团来了吗？”

“没有。”

“您要的是地方号码，需要那边边防团的总机拨。我再给您要一遍。”

我听到总机女兵在振铃，片刻，那边出现一个男人含混的声音。这个总机女兵立刻提高嗓门复述了一遍我要的号码，电话通了，我又等了一会儿，那边传来徐光涛的声音。

“你没出事吧？”我说了我是谁后问。

“出什么事？”徐光涛在电话里纳闷地说，“我出什么事？”

“没有就好。车的事怎么样了？”我问他，“买下来了吗？”

“没有。”徐光涛一提这事似乎挺有气，“老蒋这东西跟我起腻，死活不让我动他的钱，你们跟他说什么了？”

“我什么也没说，不过我想问问你，你到底有没有车？有人可说你根本没车。”

“我，”徐光涛气得一下没说出话，接着连珠炮似的连骂带说：“我他妈当然有，你可以立马到我这儿来，我要不让你见着车我不是人！我知道谁跟我玩的猫儿腻下的蛆，装的王八蛋，你他妈信那种人不信我，真他妈没意思，咱们多少年了，从小就一块偷幼儿园的向日葵从楼上往过路的身上吐痰……”

“你姐姐人怎么样？”我问张璐。

刚才在电话里，我把位于那个沿海城市的张璐姐姐的部队医院的地址告诉了徐光涛，叫他不管买成买不成车，都给那个地址拍个“买成”的电报。只要他拍了这个电报，就是将来没戏了，我也照给他彩电利润中他那份钱。

“怎么说呢，跟我不太一样，挺正统的。”张璐说。刚才我问她在那个沿海城市有没有熟人，她挺痛快地把她姐姐的地址告诉我。

“你姐姐和李白玲是好朋友。”我说，“李白玲可不能算‘正统’，说邪魔还差不多。”

“你又说人家坏话了。正统不正统，好朋友也不一定非得思想一致。”

“警句？”

“我给你找个小本本抄下来吧。”

这时门外有汽车声，接着门一响，有男人的苍老嗓音高声讲话，夹杂着张璐妈妈的说话声。

“你爸爸回来了？”

“没事，你坐着吧。”张璐坦然自若地对我说，既不动也不向门的方向张望。

一个矮个子、中等程度肥胖的老年军人拎着公文包走进客厅，看了我一眼，放下公文包同张璐讲话：“咪咪，这么早就回来了。”

“嗯。”张璐嗯了一声，指指我，“我的一个同学。”

我欠起屁股，老年人忙摆手：“坐坐，你们聊你们聊。”反身坐到另一张沙发上，舒适地喘息着，又回头问张璐，“下午所里没事呀？”

“嗯。”张璐仍是嗯，眼睛瞧着我，“你说是不是嘛，好朋友思想不一致也没关系。”

“是，那是，没关系。”

张璐察觉到我的不自在，站起来对我说：“走，到我的房间去吧。”

我站起来冲安详和蔼的老头子点点头，跟着张璐上楼。老头使了使劲也站起来，讪讪地找在厨房看着阿姨炒菜的老伴说话去了。

进了二楼张璐简朴的闺房，我开口笑着说：“我真怕你爸爸问起我从哪儿来到哪儿去，姓甚名谁，吃住何处。”

“我爸妈还可以。”张璐说，“不爱多嘴盘问人。有的人父母特讨厌，偶尔去一趟问个没完，李白玲她妈就那样。”

“你爸爸管你叫什么？”

“咪咪。”张璐不好意思地笑了，“这是我的小名。”

“特像猫的名字。”

“人家都这么说。”张璐笑，“其实是因为我小时候眼睛特别小，总是眯眯的。”

“还可以呀我看，再大就该招灰了。”

“比小时候当然大了，不过也不算大，你说我去割个双眼皮好不好？”

“千万别割，这样挺好。我见过许多原来挺好看的女孩儿，上了江湖医生的当，割了双眼皮，弄得人不人，鬼不鬼。”

“我爸也不让我割。”

“你爸是对的。”

我跟张璐聊了会儿天，告辞要走。张璐也戴帽子要跟我一起走。对我说：“不爱跟老头老太太在一起，没劲。”

我们下楼出了门，正碰上张璐爸爸妈妈在小院里看芭蕉树结的青果。张璐妈妈见我们出来忙说：“怎么走啊？留下吃饭吧。”

“是啊，留下吃饭吧。”张璐爸爸也随声附和。

“不吃了，我还有点事。”我满脸堆笑地回答。

“以后常来玩。”两位老人步调一致地送了我几步。

“好好，你们别送了。”我和两位老人相对酬敬致礼。张璐没事人似的先走出一段。

“咪咪，你回不回来吃饭？”老太太扬声问女儿。

“不回来。”张璐头也不回地说。

回到招待所，房间里没人。桌上燕生给我留了个条，说他们去一家著名的北方风味酒楼，让我去那儿找他们。我叫张璐跟我一起去，她开始不愿意，说从来不在外面饭馆吃饭，嫌不干净。我说没那事，我长年在饭馆吃饭也没染上什么病。她听了笑了，就同意了。

小雨已经停了，空气潮湿爽人，夕阳在天边堆积很厚的云层后面射出一道血红的霞光就隐没了。天仍然很亮，街上人很多，车也川流不息。我们拦不到空计程车，只好乘公共汽车。公共汽车式样老旧，又矮又窄，引擎轰鸣，挂着大块牙膏和风油精的广告牌，行驶缓慢。售票员令人钦佩地一手牢牢攥住各式车票和不同面额的钞票、硬币，站在车门后用方言和普通话报站，毫无表情地催促上下车的乘客。我和张璐被周围的人紧紧挤在一起。由于我比当地一般人要高一些，手臂活动范围也大一些，能越过四五颗簇拥在一起的人头，凌空撑住顶棚，保持身体平衡，张璐等于夹在我的腋下，军帽在我眼前晃动。售票员的普通话口音很重，我根本搞不清车子行驶到哪儿了，听到张璐喊，我才知道到站了。于是喊着劳驾，用力在人群中开路挤出去，不住地碰撞他人。洁身自好的女乘客恶毒地咒骂我，我听不懂他们说的方言，也无意理会这种司空见惯的人际摩擦，张璐却在我身后替我跟人吵，下了车还向车上怒目而视，我赶忙拉她走开，提醒她穿着军装。她说她不爱穿军装上街，谁都敢欺负你。我说这种小市民也非国民党兵治治他们不可。

那家酒楼位于横贯市区的江堤和几条商业街的交汇处。这个三角地带很繁华，有数十幢高耸入云的新旧商业大厦，霓虹灯已在半空闪烁。几百家栉比相连的饭馆、商店、娱乐场所挤满嘈杂的人群。路边计程车一辆挨一辆，刚走一辆，又停下几辆。江边游逛着情侣、闲人和无赖，看到一个女军官和一个穿牛仔裤的男青年并肩走过，衣着花哨、头发又长又脏的烂仔们就嬉皮笑脸地打趣、挑衅。我视而不见地昂首穿行，张璐则气得脸红一阵、白一阵。有个家伙实在太放肆，伸腿绊了张璐一下，我停下来，对方立刻围上来七八个。张璐连忙将我拉走，说别惹“这帮地痞流氓”。

燕生、李白玲和老邱正坐在酒楼二层一面喝茶一面说话，看到我们进来扬手招呼。坐下后我仍余怒未消，阴着脸不大说话。老邱神气地吆三喝四，叫服务员过来点菜。老邱的打扮一看就是北方佬，服务员便有意怠慢。李白玲一抬手，服务员就立刻过来俯身侍候。我破口对燕生大骂这个城市及其市民势利眼，没文化，低级趣味，故意给服务员和周围的本地食客听到，快意地注视着他们尴尬的反应。燕生也添油加醋地讲起关于本地人出乖露丑的种种笑话和无稽之谈，一桌人放声大笑，使全餐厅的人侧目而视。

“好啦好啦。”李白玲制止住我们的反南方的歇斯底里，对我说：“飞机票我给你问了，买不到，五天内的都光了。”

“这不行。”我侧身给上菜的服务员让空，对李白玲说，“那就来不及了，想想办法。”

“想过了，没办法。你问燕生，下午我打了多少电话。我是全力以赴了。”

“那他妈怎么办？五天后还去干吗！”

“非得吊死在那棵歪脖树上？”燕生说，“就是能买着便宜点的电视怎么运出来？那鬼地方连火车都没有。”

“飞机运。”我给吃得很秀气的张璐布了一匙菜，“你多吃。”

“我在吃呢。这菜是纯粹的北方菜吗？”

“多少有点串味，真正的北方菜比这好吃。”

“人家给运吗？那么一大堆，你民航有关系？”

“火线‘套磁’呗。这不是主要问题，关键是飞机票。”

“要是你们发愁买不着飞机票，”张璐插话说，“我可以想想办法。”

“真的？你有什么路子？”

“你别管了，反正能给你买着就是了。”张璐笑着说，“不就是几张飞机票嘛。”

“吃菜吃菜。”我殷勤地给张璐夹菜，得意地望着燕生和李白玲，“这下问题解决了。”

张燕生和李白玲并不像我那么高兴，只是说：“能买着当然好。可是，”李白玲问张璐，“今天都这么晚了，买明天的票来得及吗？人家跟我说可是都卖出去了。”

“他们一般都留机动票的。”张璐说，“吃完饭我就去售票处。”

李白玲无奈地说：“应该先找你，我没想到你还有那么野的路子，下回我买票也找你。”

“好的。”

李白玲白了张璐一眼。

注意力始终集中在吃上的老邱酒足饭饱，点上一支烟，用力吸上一口，吐出浓郁不散的烟雾。问我："到那儿能立刻见着现货吗？"

"能。"我冷淡地说，"我都安排好了。不但电视，车也有了。徐光涛说他那边一切顺利，估计明后天我们就能收到他车已买下的电报。我叫他车一买下就拍电报。"

"那太好了。"老邱满意了，嘬着牙花子左顾右盼看餐厅女招待裹着旗袍的屁股。

我扫了眼李白玲和张燕生，他们若无其事地喝着杯里最后几口酒，坦然看着我。

"你买三张票吧。"张燕生对张璐说，"我也去。"

"你去干吗？"我客气地问。

"玩玩呗。"张燕生嬉皮笑脸地说，"你们都走了，我一个人待着也没劲。我还没去过那个地方呢。"

"其实那儿也没什么可玩的。"我扭头问张璐，"吃好了吗？"

正在喝汤的张璐连连头点，放下调羹："吃好了。"

"那咱们走。"

"好。"

张璐站起身，我们也都站起身往外走。张璐说她还要去趟盥洗室。我们几个站在酒楼门口等她，我对他们说我和张璐去买票你们先回去。燕生笑说你别憋着害人家小姑娘。我说没那事，我们不过去买票。李白玲小声问我晚上去不去她那儿，我说不去了，明天要上路，晚上早点睡。我不知道她是否感到失望，从她脸上什么也看不出。张璐从盥洗室出来，燕生开玩笑似的指着我对她说："留点神，这人可是流氓。"

"不怕。"张璐纯真一笑，跟我走了。

我们在民航售票处顺利地搞到了两张机票。张璐找的是一个同学的母亲，客运室的负责人。她显然十分信任、喜欢张璐，甚至没要我的介绍信和工作证。这位和善的中年妇女还为我们出主意去机场搞第三张票，我对搞第三张票本不积极，她却主动为我给机场值机室的负责人写了张便条，上面称我为她的“亲戚”。

“这个关系实在太重要了。”回去的路上，我在计程车里对张璐说，“以后买机票我可全找你了。”

“好吧。”张璐说，“不过我也是第一次找这个阿姨办事。要不是你们那么急，我们招待所也可以订票。”

“你不要把这个关系暴露给别人。”我叮嘱张璐，“否则大家频繁去找，就不灵了。以后只有帮我买票你再去找她，别人都甭管。”

“你想垄断？”张璐笑着说，“其实下次你都可以直接去找她，她不是已经说你是她‘亲戚’了？”

“那都是冲你的面子，我发觉你很有面子。”

“我有什么面子，其实我从来不爱帮人走后门，也从来没走过后门，帮你这是第一次。我很少出门，出门也没什么事，用不着求谁。”

“别说得这么肯定，没准你以后就有什么事用得着我。”

“那也可能。但我帮你并不是为了以后有事用得着你。就是你以后什么忙也帮不上我，我也照样会帮你忙的，我们不是好朋友吗？”

我看着张璐，她可爱地微笑着。南方的春夜很温暖，路灯的光芒被街树浓密的树枝蔽围，路面斑驳，满世界是情人，或依偎相伴，或交唇接吻，幅幅剪影，姿态迥异，大胆无忌，目不暇接。我仍然坐在原处，一动不动，凭车飞驰。张璐低下头，脸忽明忽暗。

“你是党员吗？”

“干吗？”她倏地抬起脸，盯着我，“问这干吗？”

“不干吗，随便问问，没恶意。”

“是。”张璐忽然变得难为情，“家里非叫我申请入。你也知道，部队入党多容易。让你不舒服了？”

“没有。”我开玩笑，“我不过是想弄清你的身份，等国军打回来好去报告。”

“真反动哟！”

司机把车停在路边一个仍在营业的个体饮食摊档，抱歉地对我们说，他还没吃晚饭，想去吃一点，否则饿坏了。我们忙说没关系你去吃吧，我们尽可以等你。我和张璐也下了车，愉快地呼吸着湿润的夜的空气。司机等老板娘为他炒牛肉粉时，我和张璐去逛了旁边一间也在营业的食品店。张璐发现里面有她爱吃的椰蓉点心，就买了一些。我晚饭本来吃得很饱，但抵御不了香郁的甜点心的诱惑，也吃了两块。我和张璐坐回车里等司机，我对张璐说：“从前我有段时间也曾拼命争取过，想入党。”

张璐咬着点心，抿嘴笑着说：“你就别遗憾了。你没入进来，民族幸甚，我党幸甚。”

“我也是无产阶级。”我说。

“你饶了无产阶级吧。”

司机擦着嘴巴回到车上，很快把我们送到了部队大院门口，我付了钱下车。同张璐并肩进院时，卫兵在岗亭里注视着我们。熄灯号已经吹过，大院里黑幽幽、静悄悄的，一些干部宿舍楼还亮着灯，游动哨在树丛后面移动。我要送张璐到家门口，她说她不回家，回招待所，她在招待所有宿舍。

“你平时也不回家？”

“有时回有时不回。在宿舍清静，没人打扰，不想说话就不说。”

“你和家里关系不太好？”我们走进招待所楼门，我问她。

“挺好，”张璐说，“不过我有时喜欢一个人待着。”

走到二楼一个房门前张璐掏钥匙开门，问我：“进去坐会儿吗？”

我环顾空荡荡的楼道：“你要是客气，我就不进去了。我不想搞得你烦了再走。”

“你还知道照顾别人的情绪，我以为你大大咧咧什么你也不在乎呢，我不烦你，反正我也不想睡觉。”

我进了张璐的宿舍，坐在她床上，看到对面还有一张蒙着塑料布铺盖俱全的床：“你同屋还有个人？”

“嗯，女的。”

我笑。

“她进修去了，现在就我一个人。要喝点什么？我这儿有咖啡。”

“可以，喝点。”

张璐用电炉烧了一壶咖啡，斟在两只干净的杯子里。我喝了口，太烫，就放下了。看看桌上夹得整整齐齐一排书籍，抽出一本翻，是十九世纪欧洲一位诗人晦涩冗长的诗集，又插了回去。

“你每天干吗？”我问，“就一个人待着？”

“可不一个人待着，吃吃东西，看看杂志。”

“干吗不找个朋友？”

张璐看我一眼，明白了我说的朋友是什么朋友。“没有，想找，没合适的。”

“你条件太高了吧？五亿男人，够得天独厚的。”

“我条件不高，我看人家好，人家也看我好就行了。”

“可惜我的朋友里没什么好东西。”

“我倒也不急，找得着就找，找不着拉倒。没人跟我好，我就自己和自己好。”

“自己和自己好？说得多可怜。”

“怎么办呀，虽说光中国男人就不止五亿，可我们这个圈子小呀。单位，家，两点一线。永远两点一线。”

“难道没有一个要好点的女朋友？”

“过去有，上学的时候有。现在，都大了，见面虽说还挺亲热，总不像小时候……”

“我明白，我也没什么朋友。有时候，真怀念小时候。”

“你朋友不是挺多嘛！”

“多？”我凄然一笑，“要说多倒挺多。”

“你也没结婚？你年龄可比我大。”

“是大，可也没结婚。”

“条件太高了吧，五亿女人，够得天独厚的。”

我笑了，热咖啡冒出的蒸汽搞得我下巴湿漉漉的：“正因为要亿里挑一才难办，只有一个女人倒简单。”

“我给你介绍一个吧。”张璐单纯地说，“你想找部队的还是地方的？”’

“别啦。”我一下不知说什么好了。想想自己，要是不骗人，连一个堂堂正正可以令人信赖的条件都不具备，于是辛酸地说：“一场空，终归是一场空。”

从张璐宿舍出来，回到我们住的房间，燕生一人躺在被窝里就着床头灯看旧杂志。我一声不吭地脱了衣服钻进被窝。

“你没碰她吧？”

“什么？”

“张璐。”燕生说，“你没碰张璐吧？”

“没有，一指头也没碰，就坐着聊了会儿天。”

“别碰她，她不是那种人，不合适。”燕生看看我，继续翻杂志，“她太小。你可以随便‘喇’李白玲、杨金丽，只是别诱她。”

“我没想诱她，连想也没想过。”我坐起来，拿起床头柜的烟点上一支，“你放心，我不会干缺德事。”

燕生表情轻松了，放下杂志，也点上一支烟，笑着问我：“你觉得她像谁？”

“我知道你觉得她像谁。”我笑着说，“像小学咱们班的刘俍。”

“真像是不是？尤其抿嘴一笑，只不过大一号。”

“我记得当年她特爱穿墨绿色的灯芯绒衣服。”

“老爱哭，算术特别好。”燕生补充说。

“也不知她现在在哪儿？”

我和燕生都出神地想起童年的人和事，沉默了。片刻，燕生掸掸烟灰说：“听徐光涛说，她好像去西德留学了，学音乐还是艺术史没搞清。”

我重重地吸了口烟，深深地吸进肺里，连连咳嗽。

“那会儿没听说她会什么乐器。”

“没听说。”我喘上气来说，“嗓子好像也一般，哭起来尖声尖气。”

燕生笑起来，我也笑。接着骂：“妈的。”

后来我们关了灯躺下睡觉。我一夜没睡安稳，我想是喝了张璐的咖啡的缘故。

我行走在荒原，万木枯萎凋零，虎狼相伴而行。咫尺处有一锦绣之地。阳光和煦，花草鲜艳，流水潺潺。我正要迈出那一步，随即地裂，横亘一沟。欲跳未跳，正自踌躇，那沟迅即扩大。无声地坍塌、皲裂，一寸寸地拓宽，向两边撑开，渐至无法逾越。锦绣之地远去，虽历历在目已可望不可即。我在荒原哭泣，反身向林子深处走去，一步步回头。腥风扑面而来，我裸露的四肢长出又浓又密、粗黑硬韧的兽毛，我变得毛茸茸了，哭泣声变成号叫。不知从何时起，我已经做不出人的表情了，眼睛血红，怀着感官的快意和心灵的厌恶啮撕起生肉。

我在惊悸和大汗淋漓中醒来，半夜方归的老邱在黑暗中阴险地注视着我。

下篇

我无法一言道尽我从噩梦中醒来一眼看到的魔鬼般矗立床前、居高临下俯视着我的老邱的那双闪着荧光、青幽幽的毒眼。那眼中有无声的威胁，更多的是恶意的快慰，有恃无恐的信心，就像一个骤然强壮起来的人望着自己从前势均力敌的对手——这是我在刹那间从老邱眼里得到的感受。很快他就收敛了那咄咄逼人的目光，变得温和了、平淡了。他走到自己的床前，飞快地脱衣，摸黑上了床，无声无息了。

我在床上坐起，凝视着那拱起的、乌黑的、装睡的躯体。片刻，我下意识地转向燕生的床，发现他在我转过去的同时才闭上眼。

清晨，路旷人稀，街道两旁的商店都还没摘板，我们坐着计程车去机场。李白玲出现在车前方一个街口，她在等我们。计程车在她身旁刹住，我开门让她进来，她在我身旁坐好，车又向前开去，穿过一个立体交叉路口，驶向郊区林荫道。

“票买着了？”李白玲的身体紧挨着我，热烘烘的，闻得出她使了不少香水。

“没有燕生的。”我说，“只搞到两张。”

“不要紧，我到机场给他搞一张，一张比较好办。”

到了机场，李白玲很快便在值机室为燕生买出了一张票。她和这儿的人很熟，有说有笑。这张票和我们的不是同一航班，同日下一班。李白玲顺便帮我们办了登机手续，连检查也没检查。

“你和民航的人这么熟，怎么不说？”

“你不是搞到了票，我还说什么。”她冷淡地说。

我们在候机室坐着等飞机上客，要了些热茶，没精打采地喝。上客时间到了，候机室服务员打开通往停机坪的门，旅客们陆续出了候机室向远处停着的飞机走去。我站起来跟燕生说回头见，又跟李白玲握手，说谢谢她这几天的照顾。

“别腻我就行。”她笑笑问，“我那些朋友的地址你还要吗？”

“要。”我想起李白玲说过给我介绍几个那个沿海城市的朋友。尽管我并不很需要了，可不愿给她留下实用主义者的印象，掏出记事本，“让我记下来。”

李白玲告诉我几个人名和地址，对我说：“你要有困难就找他们，没困难就算了。我也帮不了你太大忙，只能给你提供几个可以信任的朋友。”

“哪里，我还要大大借重你的朋友。”

“没关系，你不用过意不去，我无所谓，只要你事办利索了就行。”

“你这是什么意思？我一直是把你当最好的朋友依靠的。”

李白玲一笑，掉脸和老邱握手：“一路顺风老邱。”

“一路顺风，栽下来你给我收尸。”

老邱使劲捏了捏李白玲的手，亲昵、猥亵的神态溢于言表。我看看李白玲，她总是能很快缩短和一个男人的距离。我和老邱提起皮包进入停机坪，迎着空旷停机坪吹来的风走上飞机。上完了客，空中小姐关上机门，飞机起飞了。

这是架仿造的苏式螺旋桨短程客机，在云层中飞，颠簸得挺厉害。飞机到了高空,空气稀薄,我有点昏昏欲睡。老邱精神很好，不停地管空中小姐要饮料，跟人家开粗鲁的玩笑，遭了白眼也浑然不觉。喝够了水又开始三番五次上厕所，把飞机上的手纸也掖在怀里捎了回来。接着捅我不让我睡觉，要跟我聊天。

“睡什么睡什么，我昨晚一宿没睡也不困。”

“干吗去了一宿没睡？”我闭着眼睛随口应答，“又上哪个垃圾堆后面捡妞儿去了？”

“你太踩乎哥哥了。哥哥虽说壮点，也是宁吃鲜桃一口，不吃烂梨一筐。”

“你身体很好啦，你爱人一定很幸福啦！”

“这是什么鸟话？”

“这是个笑话，是个妓女对嫖客说的。”

老邱咂磨了一会儿，冷不丁放声大笑起来。我睁开眼，见周围旅客和服务员都抬头看我们，便马上又闭上眼。老邱自个儿乐了一阵，又捅捅我淫笑地说：“你觉得李白玲怎么样？”

“什么怎么样？人呗，还能怎么样。”

“得了吧，比你那个小‘军蜜’棒多了，真腴。”

“你没戏。”我挺瞧不惯老邱那种好像跟谁都有戏的张狂样，“腴也轮不到你，你也就捏捏她手到头了。”

出我意料，老邱倒不反驳，反而暧昧地含笑不语。

“你别装成这种样子，好像你跟她已经有过什么关系似的。”

“装什么，就是有。”老邱得意扬扬。

“什么时候？”我蓦地心跳不止。

“昨天晚上——你小子傻了吧！”老邱开心地大笑，“哥哥也是所向披靡。你不成，还得学。”

“你成你成。”我闭上眼，缩进座位，心里一是困惑二是不祥三是对李白玲产生一种感官上的厌恶。

飞机凌空盘旋，降落在一个四周都是水田的军用机场。因为我在打瞌睡，下降时耳朵被压了一下，十分难受，一边下舷梯一边捏着鼻子鼓足腮帮子运气。机场没有计程车，只有一辆旧的国产大客车运送旅客。旅客中除了军政干部，大都是花花绿绿，提着各种日本录音机、电视机的港澳小市民。这些家伙及其行李几乎占满了大客车，使我们不得不站在狭窄的过道上。大客车行驶在坎坷不平的乡村公路上，路旁太阳照耀在青葱的田里，粪香扑鼻，皮肤多皱褶的庞大水牛三三两两浸泡在不深的河沟里。自行车后座绑着猪、挑着担子、穿灯笼裤戴斗笠的农民从沿途村镇络绎出来，汇集在公路上，形成缓慢、粗粗的黑色人流。与随处可见的肥水四溢的简陋厕所，蹒跚走动、苗条乌黑的猪，在尘土飞扬的谷场上玩耍的肮脏儿童构成我对这个有着光荣革命传统，人烟稠密的富庶平原的最初印象。机场离城市是那样远，以至我们疲惫不堪到达市内民航售票处时已是中午。换乘三轮客货两用机动车穿越市区街道时，我发现这个城市就像一部半个世纪前拍摄的黑白影片。

我和老邱在一家三十年代风格的旅馆大楼的五层开了双人房间，里面家具是刷着深色漆的笨重式样。间与间隔断是两米高的板壁，全楼层的浅笑低吟都听得一清二楚，让人感到十分不安全。我们装有钱财的皮包找不着安放的地方，只好提在手里。旅馆不供应膳食，我们下去到街上的饭店转了一圈，无一不是灶冷人稀，店堂污秽，最后在一家两层楼的饭店凑合吃了点油腻冰凉的煎锅贴。这个城市的商业凋敝到这种地步，国营商店无人问津，货架上只有罐头饼干。小商小贩公然在整条街国营店橱窗下摆摊卖瓷器、电器、日用百货和妖艳女人照片。我们在每一个十字路口都会受到卖香烟小贩的堵截，他们卖的过滤嘴香烟高出市价数倍。商业区附近一个小广场是油烟腾腾的食品市场，小吃摊不下数百，卖着各种油煎、水煲的稀奇古怪的风味食物，其可疑程度达到你根本搞不清锅里煮的是谁的肉。逛了一阵子，我们转了向，向街上三五成群的闲人问路。他们佯装听不懂普通话，继续用方言聊他们的天。幸而街上解放军士兵很多，我们才找回旅馆。下午，我们按图索骥，乘上一路只有六站的公共汽车到民航售票处接燕生。

民航售票处的旧房子里空空荡荡，因只有一条航线，两架小飞机穿梭，票房本无什么生意，民航工作人员都穿着不佩领章的军衣。我问一个窗口里的工作人员第二班飞机到了没有，她说天气不好，飞机延误，现在还没从那边起飞。

“我们上午来的时候那边天气不错。”

“天气的事谁能说得准，翻云覆雨。”

“你有理。”我走开对老邱说，“我们回去吧。”

“着什么急？再等一会儿。”老邱不干。

我们坐在一张踩满脚印的木条凳上等，过半小时问一次，最后我实在不好意思去了，换老邱去问。天黑了，房内灯泡发出黯淡的光。工作人员告诉我们，那班飞机取消了，我们快快离去。

晚餐我无论如何不想再吃那种所谓“锅贴”，不想吃任何本地人弄到街上来卖的“丸子”，便在人影幢幢的商店买了些蛋糕和鱼罐头。街上黑洞洞的，除了路灯、电影院和一些公用设施用电，全市住宅、商店都无电，所有车辆停驶。可城里比白天还热闹，无数的人在街上摩肩接踵地行走。借着依稀的星光，可以看到有丰满少女互相挽着打着纸扇说笑；有衣着正派的中年人领着妻小悠闲地踱步；有横冲直撞、呼啸成群的长发阿飞；甚至有拎着网袋的家庭妇女在串商店。似乎全城人都出来散步逛街，在黑暗中各得其所，逍遥自在。几家电影院前人山人海，孩子们像鱼似的窜来窜去。道旁点着蜡烛的一个个小摊上，外地人蹲着，谨慎地借着烛光检查货物，与小贩讨价还价。临街人家门窗敞开。全家人围着油灯吃饭、绣花、打牌，听着日本收录机里放出的地方戏。不知是唱腔奇特还是电池不足，那吟唱毫无韵律可言，飘忽不定。在这片“安定团结”的城市夜景后面，我同时注意到在街角屋檐下三三两两、聚在一起交头接耳的那些黑影。在一个简陋、挂满旧衣物的木板屋架前，我和老邱刚一驻脚，立刻被一群黑影呼啦围住，我感到每一个口袋都伸进去了一只手。我们被围得那样紧，根本无法发作，只得迅速靠在一起，隔开那群面目不清的年轻人。

“没钱，兜里没钱，掏什么？”老邱叫嚷着，推搡着身边沉默地围着的人，紧紧抱住自己的皮包。

这群胆大包天的贼退闪开了，一个胖子走来对我们说：“小心你们的钱包。”就走开了。那群贼坦然自若地站在黑暗中，我和老邱同他们擦肩而过。

“那人可能是个便衣警察。”我和老邱拐进另一条街，老邱说。

我顿时停住脚，出了身冷汗，这胖子是马汉玉，讯问过我的那个警察。

“走啊。”老邱拽我一把。我们又裹进缓缓流动的人群中，不时被迎面而来和从后面超越我们的人碰撞。夜色中无数模糊的面孔或正面或侧面或背面流转、变换着，总感到有一张脸在寻觅我。我低下头，庆幸这是个无电、黑暗的城市。老邱在路旁几个少年摆的摊前停下，借着烛光我看到他拿起一摞外国美女的裸体照片挨张细看。我也凑上去看，看得正带劲，一个少年劈手夺过。

“要就买，不要老看。”

“我一脚把你摊子踢了。”老邱火冒三丈，威胁少年，少年睬也不睬，掉脸向别的行人兜售。老邱悻悻地看看我，我拥着他向前走去。

“算啦，你没看出来，这儿已经不是解放区的天了。”

我的膀子被人撞了一下，一阵香气扑鼻。我掉脸一瞧，两个花枝招展的姑娘在黑暗中露齿而笑，眸子灼灼有光。

“去哪里？”一个姑娘用生硬的普通话问。

“滚蛋！”

姑娘娇嗲地一扭屁股，和她的同伴向前走，走走停停，不时回头瞟我们，飞个不清晰的媚眼。在一条黑巷口，两个姑娘停下来，万般妖娆地笑望着我们。

“别理她们，都有病。”我用肩膀抵住老邱，不让他过去。“你身上还带着钱呢。”

“逗逗闷子。”老邱中了那两个婊子笑靥的催眠术，像铁屑奔向磁石径直过去。进了黑巷子，我发觉中了圈套，十多个流氓迎了上来，为首的一个还舞着九节鞭。走在前面的老邱已经重重挨了几下，踉跄后退，嘴里还喊：“哥儿们快跑，这人会武。”

一个人揪住我的脖领子，我猛地挣开，撒腿往街上的人流中跑。后面三四个人追上来，可气的是见我跑来，密匝匝的人群忽地闪开一条道，我只得穿街跑进对面的巷子。我夹着皮包跑不开，听见身后一个人很近的喘息声，便猛地往下一蹲。追在最前面的小子刹不住脚，绊在我身上摔出去。第二个人几乎立刻来到我面前，我用皮包挡他打来的一棒。抓皮包的手被木棒打麻了，我惨叫一声狠狠踢了那紧绷的裤裆一脚，踢得他弯下腰。见后面又有人影追来，转身狂奔，钻了无数小巷子，终于甩掉了追赶的人，大口喘着气，慢慢走回街上，躲躲闪闪摸回旅馆。

旅馆有电，但电力不足，高高的天花板吊着的小灯泡昏黄得像萤火虫的屁股。我进了房间就紧紧关上薄木板的房门。被打伤的手指上流出的血已经结了痂，一跳一跳地疼。我感到头晕恶心，倒在床上，躺了会儿起来从暖瓶倒了杯已经温了的水喝。喝完考虑是不是换个地方住，可看看窗外漆黑的夜色，简直没有勇气再回到黑暗的街上。一刹那，我诅咒起驱使我跑到这个无法无天城市的那些鬼画符——那些钱。但愿老邱被那伙无赖抢个光，这样明天一早我就可以走人了。半夜，老邱回来了，死死抓着他那个大皮包，鼻青脸肿，累得说不出话。他被人追出了城，在城外迷了路，这几个小时一直在旅馆附近兜圈子。他几乎刚缓过劲就开始吹了。照他的说法，正是他，狠狠教训了那些南方鬼子一顿。他回顾了自己“南征北战”的光荣历史，我入睡前，他还在表示对“太岁头上动土”的无赖的蔑视。夜里我似乎听到有人在门外轻轻走路，并爬上隔断墙窥视我们，但我搞不清是梦还是真正发生过的事。

早晨，我很早就醒了。窗下马路上一片车辆与行人的喧声，像每个人口拥挤的城市一样。南方的早晨，太阳像正午一样强烈，在屋里就感到燠热。我去公共盥洗间洗漱时发现手肿得厉害，但还不妨碍活动。我回到房间，老邱也在飞舞着无数灰尘微粒的阳光中醒了。今天是约定的日子，我要去见老港客。上午我和老邱随便吃了点东西就按着地址去找那个走私巢子。由于昨晚的共同遭遇，我和老邱今天挺亲密，一边走一边说笑着。看到街上的警察，我非但不讨厌反而觉得产生了安全感。

老港客给我的地址是一条宽大巷里的一条小巷子。我们走进巷子时，两边人家都在外面择菜、吃饭、洗衣服，烫了头的小女孩背着书包结伴去上学，看到我们进去，纷纷投来不友好的目光。我数着门牌，在一扇装着铁栅栏的木门前停下来，对照认定后，我上前拍门。半天，一个穿着碎花短衫裤、蓬着头的中年妇女打开木门，隔着栅栏问我找谁。我跟她讲了来龙去脉，她焦黄浮肿的脸上毫无表情，用方言咕噜一句。

"你说什么？"我侧目凝视着她说，"我听不懂你的话，你讲普通话。"

"没有这个人。"她气冲冲地用带口音的普通话喊了一声。

"不可能，你听我说……"

中年妇女什么也不听，走进光线昏暗的里屋。一会儿，里屋出来一个高高瘦瘦，穿着纺绸衣衫，活像电影里汉奸的满脸堆笑的中年人。他谦恭地听我再讲了一遍是谁介绍我来的之后，和气地说，他不认识我说的那个老港客，一定有什么地方搞错了。不过我要想买电视的话他也许能帮忙，可以请我进去谈谈。说完他打开铁栅栏，放我们进去，然后小心翼翼地将铁栅栏锁好。

中年男人请我们进了放满古老家具的里屋：屋顶很矮，上面有一个阁楼。一个眉清目秀的女子坐在一边穿珠子制作一种精致的坤包，据说这种手工坤包在日本和香港卖价很高。自称姓林的中年男人彬彬有礼请我们一一落座，亲自动手用一套小巧的茶具为我们泡制功夫茶。将开水细细斟入一盏装满茶叶的盖碗中，闷一会儿，分别沥入三只极小的茶盅。我和老邱拿起茶盅一饮而尽，立刻感到喉咙被凶猛地蜇了一下，茶水在这儿已经变成具有强烈刺激性的饮料。我被这种出人意料、刀一样的茶搞得目瞪口呆。好客的主人微微一笑，又往我们的茶盅里沥满茶，操着浓重的口音问："二位真的要买电视机？"

"当然，要不我们来这鬼地方干吗。"我哑着嗓子说。心里十分窝火，明知道老港客在捣鬼也毫无办法，"你现在这儿有吗？"

"二位要看看？可以的。"

老林起身出去，老邱探过头低声问我："怎么回事，你找的那个人不在？"

我看始终无声无息坐在一旁低头做活的女子，仰脸瞅瞅屋顶一片寂静的阁楼，没吭声。

老邱还要说什么，老林撅着屁股同一个小伙子抬进一台包装完好的大屏幕彩色电视机，我们站起来。

"瞧，包装都没有开封，很好的日本东西。"老林拍着包装纸箱夸耀说，"要不要打开看？"

我光顾瞧那个小伙子，分了神。他非常像昨晚打了我一棒的流氓，我不能断定，因为这些留着长发的南方人在我看来都差不多，同我们北方人比起来他们更像越南人。这个小伙子注意到我在打量他，冷冷看我一眼，站到一旁抽起烟。老邱已经同老林一起打开包装箱，抬出一台崭新锃亮的电视机。

"没有电，无法试了。"老林说。

"我们旅馆有电，到时候可以抬去试。"我说。

"你们住在哪个旅馆？"

我没张嘴，老邱已经告诉了老林。那个小伙子仍然冷漠地站在一旁，似乎不感兴趣。

“很近嘛。”老林说，“要不要现在就抬去？”

“不着急。”我说，“你这机子什么价？”

老林轻描淡写地说了个数，我一听立刻急了。老邱也急了，脸红脖子粗地问我：“怎么这么贵？你怎么联系的？”

我对老林说：“太贵了，别人告我的可不是这个价。”

“这里都是这个价。”那个小伙子突然粗暴地开了口，“没钱就算啦。”

“那么，你要多少台？”老林慢悠悠开了口，“多的话可以便宜些。”

“我要多你有吗？”

“多少也有。”老林笑了，“立刻可以给你搬来。好啦，我给你便宜，一英寸一百元怎么样？”

“不行！”老邱断然说，“这个价我们根本用不着到这儿买。”

“这个价我们不能接受。”我对老林说，“你还得再降。”

“我不赚你钱哪。”老林语调夸张地说，“你到外面打听打听，都是这个价，公平价。”

“我知道有便宜的。”

“哪里？你带我去好啦。”

“不谈了。”老邱对我说，“咱们走。”

我看老林，老林摊开手：“那就算啦，你们不买我也没办法。不过我告诉你们，再到哪里都是一样的，都是这个价。”

他招呼小伙子把电视放回包装箱，不再理我们。我和老邱出了这个发着霉味的屋子，来到外面街上。老邱跟我急赤白脸地说：“你他妈办的这叫什么事？整个一个谁都不认识谁，干让人诈。

跟在街上买有什么两样？还眼巴巴飞来，说得跟真的似的，我还以为这是丈母娘家呢。”

我忍气吞声听他骂，为自己分辩：“不是我无能，而是‘共军’太狡猾了。”

“去你妈的少开玩笑！我算叫你捋直了，到这么个鬼地方来，吃不上喝上不，想玩个妞儿还差点让人打死。买飞机票去，老子走人。你那车呢？是不是也没有？”

“你要走了，那就真没了，什么也没有了。要是你回去能交代，那咱们就走吧。说实话，我也不想再待下去了，一分钟都不想了！”

“活日你大爷！”老邱破口大骂。

中午，我在市场买了只烧鹅，两瓶酒，回旅馆请满脸晦气的老邱吃了一顿。他不再骂骂咧咧了，其实他最懂做买卖宁蹬茶根儿，不饮白水的道理。吃过喝过，他开始把希望寄托在张燕生身上，一个劲问我他来了会不会有什么办法。

“他能有什么办法？”我说，“他的路子都是李白玲的路子。”

“李白玲有办法。”

“她有屁办法。”

“她说过，”老邱张着油汪汪的嘴说，“她跟我说过她有办法。”

“那纯粹是老鹰和家雀的关系，她那么一说，你那么一听罢了。”

我跟老邱说再去老林那儿一趟，老邱不愿去，说困，要睡觉。

“那我自己去，你别出去，接燕生等我一起去。”

“你快点回来。”

街上阳光强烈，人们在烈日下奔走。我在一个水果摊买了一纸袋荔枝，边走边吃，把果壳扔在地上。路过一条街的一溜卖洋杂货的摊子时，我蹲在一个瘦小男人的摊前买了瓶“风油精”，拧开往太阳穴上搽，皮肤上立刻感到凉浸浸、火辣辣。我看他铺在地上的白布上画着拙劣的录音机，便随口问他：“你也卖这个？”

“是的。”小贩点点头，神秘地问我，“你要多少台？”

“有电视没有？我对电视感兴趣。”

“那可贵。”

“多少钱？”

“很贵的啦。都是从外边带进来的，很贵。”小贩卖起关子，眼睛不住地上下打量我。

“你说多少钱吧，”我不耐烦地说，“贵也得有个价。”

小贩十分倨傲地说了个价。我呆了，便宜得我都呆了！几乎是折成港币的香港原价。

我初以为听错，再以为小贩拿我打哈哈，接着禁不住喜笑颜开，一把抓住小贩的肩膀问他有多少台。

“你要多少台嘛。”

“有多少要多少。”

小贩发觉要低了价，想往回缩，我牢牢抓住他并告诉他：

“多一个子也不行！”

小贩被我捏得龇牙咧嘴。

老林一家人正在堂屋围着一盆肉羹吃饭。见我进来，老林忙把我让进里屋。包括上午那个小伙子在内的一帮烂仔正在里屋抽烟喝茶聊天，我进去都不说话了，一齐看我。我在旁边一张椅上坐下，老林又要沏茶，我说免了吧，还是给我杯白开水。老林倒了杯水给我，阁楼上传来收音机播出的隐隐戏曲声。

“怎么样，找到便宜的电视了？”老林含笑问。

“是。”我点点头，“比你的便宜一半。”

“有这样的好事？”老林和那帮烂仔互相交换了下眼色，拿了根牙签剔起牙，“呸呸”往地上吐了几口肉渣。“在谁那儿买的？让我也见识见识。”

“我能告诉你吗？”我拿起烂仔们放在茶几上的烟抽出一支叼在嘴上，悠闲自得地吸，“不能。”

“根本就没有这样的事。”老林剔完牙也点上一支烟，笑着说，“如果有的话你还到我这儿来干吗？”

“找一个人，我觉得他言而无信，太不仗义了。”

说完我冷不丁起身冲上阁楼。老港客正坐在藤椅上喝茶，听戏，见我突然进来只是眉毛一扬，并无失态。老林和那帮烂仔蜂拥进阁楼。

“老先生。”我对老港客说，“干吗躲着不想见我？”

“嗯，我刚到，听说你上午来过。”老港客从容地说，“坐吧，你们出去。”他挥挥手叫那帮烂仔出去，示意老林留下。

“听说你上午跟老林谈过了，怎么样，还满意吗？”

“满个屁意。”我抱肘走到老头面前，“你跟我说好的是什么价？”

老头厚颜无耻地说：“我说的价也不是一成不变的，它要随着供求情况浮动的。现在海上查得严了，进量少了，价格当然要涨一下啦。”

“你涨得也忒狠了，总不能让我们无利可图吧。”

“你跟他谈的是什么价？”老头问老林，又对我说，“你瞧我的确不知道你们谈的情况。”

“一英寸一百。”老林小声说。

“不高嘛。”老头转向我说，“据我所知，这就是现在的公平价。你要的台数也太少了，不过几十台，几千台我倒可以便宜你一些。好吧，既然我原来答应过你，为了不让你觉得我这人出尔反尔，每英寸再让你两元。”

“我觉得你这个人非常不老实。”我盯着老头的眼睛一字一板地说，“就在刚才我在路上随便问了个小贩，他出的价……”

“那你买他的好啦。”老头打断我，反唇相讥，“也省得我这个不老实的老头让你麻烦。”

“是啊，谁叫我这人死心眼呢，谁叫我这个傻乎乎把你当半个朋友看呢。我本来想如果同样价钱我宁愿买你的，交个长久朋友，以后也还可以继续有个来往。”

“没想到你这个人还很喜欢交朋友。”老头讽刺我，继而坚决地说，“我刚才说的价钱是最低限价。我看我们不必谈了，要么是要么否。”

“老杂种，你最好赶紧溜回你的帝国主义主子那儿去，小心我叫你尝尝无产阶级铁拳的——滋味！”

老头不动声色，老林冷若冰霜。我下了阁楼，从那群虎视眈眈的烂仔中穿过，扬长而去。表面上神气十足，心里却充满失败、羞辱、尊严受到践踏的感觉。

老邱不在旅馆，房间里空空荡荡。

我羡慕张璐，就像野生动物羡慕驯养动物。

我爱慕张璐，就像一个人爱慕自己年轻时的照片。

我在服务台给张璐的姐姐张霁打电话。旅馆的电话很难打，拨了近一个小时才通。张霁来接的电话，问我是谁。我说我是张璐的朋友，是张璐让我来找她的。她冷冰冰地问我有什么事。我心一酸简直想挂了电话，平静下来后问她有没有一个叫徐光涛的人拍电报来。她说没有，干脆简洁不多说一个字。我问她能不能搞辆卡车，我买了些东西想运到机场。她问我是什么。我说是彩电，她犹豫也未犹豫说不行！我见话不投机只得把电话挂了。老邱还没回来，我翻翻记事本，看见李白玲留的几个地址和电话，便又拨起电话。这次电话很好要一拨就通了，接电话的是个普通话标准的女人。我说我找谁，对方说他和李白玲出去了。

“什么？”我吃了一惊，“他和谁出去了？李白玲来了？”

对方警惕了，问我是谁。我说我是李白玲的朋友，这个电话就是她留给我的，又问她李白玲是什么时候到的，他们出去干吗去了。

“昨天到的。我也不知道他们出去干吗去了，好像是接人去了，我不知道，过会你再打电话吧，他们一会儿大概就能回来。”

我放下电话，抽了支烟，又打电话。那个女人说他们还没回来，什么时候回来不知道。

我又给张霁打电话，总也不通。这时，我听见老邱和燕生大声说笑着从楼梯走上来，忙放下电话迎上去。燕生和老邱出现在楼梯拐角，燕生看到我立刻咧开嘴笑：“你好啊，听说你昨晚中了游击队的伏击。”

“老邱告你了。”我笑着说，“别提了，整个一个黑社会的感觉。”

进了房间我问燕生：“什么时候到的？”

“刚到，飞机又晚点了，我真怕今天又来不了。听说你们成了反扫荡中的皇军，吃不上喝不上。”

“李白玲来了？”

“不知道啊。”燕生惊讶地问我，“她跟你说要来了？我这几天没见到她。”

"听人说她也来了。"我注视着燕生。

"不知道，没听说。她来是不是有别的事啊？管她呢，爱来不来。"燕生的表情像孩子一样天真无邪。

"坐吧。"我转身拿暖瓶给自己倒水。

"听老邱说，你们事办得不顺？"

"噢，顺了。"我扭头对老邱说，"我下午又找了一家，谈了个好价钱。"我把那个小贩的事告诉了老邱。

老邱立刻乐开了花："这么便宜。"

"抄上了是不是？这叫天无绝人之路。"

"不可能吧。"燕生一脸怀疑地插话，"哪儿有这么便宜的，你听错了吧？"

"没错。"我心平气和地对他说，"错不了。"

"那就不是电视机，电视机没这么便宜的。电褥子还差不多？"

"我连样机都看了。"

"不对不对，你肯定叫人家骗了。"燕生对老邱说，"准是打黑棍的，骗你带钱，捂了你。"

"噢，这可不行。"老邱说，"打黑棍的可受不了。"

"你知道我知道，"我有点不高兴了，冲燕生说，"打黑棍的能把地址留给我？"

"地址是他妈公厕！我走了这么多趟水货我不知道？没听说花壶醋钱就买彩电的，还不如白给你呢。"

燕生有点急了。我不想跟他吵，对老邱说："真的假的，总得去一趟。你要怕出事，我走在前面。"

"这倒是个办法。"老邱对燕生说，"不妨去看看，万一是真的呢？一网不捞鱼，二网不捞鱼，三网就捞小尾巴尾巴鱼。"

"你们要非想去那就去看看吧。"燕生闷闷不乐地说，"不过我百分之二百肯定这不是真的。”

“你可以不去。”

“不，我还是去。”燕生似笑非笑地说，“万一你们出事呢？”

天刚刚暗下来，我们三个鱼贯出了旅馆，加入街上的川流不息的人潮。我走在前面，老邱和燕生跟在后面。拐进小贩摆摊的那条街，我偶然站住看路边地上摆的一溜形态各异的观音，发觉马路对面和我同方向的人流中也有一个人同步停了一下。我不由看了他一眼，那是个衣着毫无特征的男人，我看不到他的脸，他背向我看商店橱窗里的抽纱制品。我继续往前走，走走停停，那人尽管不看我，可走停的频率几乎和我一样。我意识到被人跟踪了，心烦意乱地越走越慢——我倏地转身往回走，走过不解地望着我的老邱和燕生身旁也不置一词。燕生笑着跟老邱说什么，也许他们认为我在模仿电影里间谍的派头，故作诡秘。那人远远地兜了一个大圈子尾随上来，我过马路钻进一家食品店，他也过马路，遥遥地站在一棵树下。我想认他的脸，他总有意无意低着头。这时天黑了，人影模糊了，我觉得我的机会来了，正要混入人群溜掉，肩膀被一个人抓住——老邱和燕生气哼哼地站在我面前。

“你鬼鬼祟祟地干吗？是不是想把我们甩掉？”

“哪儿又瞄上一个姑娘，黑咕隆咚想刷人家糨糊？”

我叹了口气，瞧瞧远处那个黑影，心想完了，就算我甩了他，他也会盯牢这两个傻帽。便老实地说：“有人跟踪。”

“哪儿呢哪儿呢？”两个人瞪大眼睛在黑暗中的人群中找。我再找那黑影，已经不见了。

“刚才就在这棵树下。”我带着他们向黑影站着的方位走去，树下是一对情侣。

“这种魍魉出没的地方，是容易产生幻觉。”燕生阴阳怪气地说，“我也觉得老有人盯我。”

“别呲嗽你妈了。”我火了。

“你这人怎么一逗就急。”燕生搂着我肩膀忙说，“开个玩笑。既然你觉得有人跟踪，那今天晚上就算了吧。”他征询老邱意见。

“到底他妈有没有电视呀？”老邱斜愣着眼睛望着我，“你小子涮我玩呢吧？”

“我涮你干吗？”我气冲冲地反问，“吃饱了撑的，跑到这国边来跟你寻开心——我怎么那么喜欢你？有就是有！”

“哪儿呢？你裤兜里夹着呢？那是电视机吗？”

“算了算了。”燕生拉开我们，“说归说，别动手，伤了和气。”

“好吧。”我挣开燕生，对老邱说，“我带你去，你不怕我怕什么呀。真他妈把疖子当奶子——干知道吮，好赖不懂。”

我带他们重新走回那条街，去找那个小贩。我想也许他还没收摊，我们是不便到他家去了，在摊上再约个时间也好，就算那个尾巴还跟着，也不至于引起什么怀疑。街上的摊子似乎比白天多出了不少，一个挨一个。在我印象里的那个位置没有那个小贩，是个卖乳罩裤衩的妇女。可能是我记错了，我沿着小摊逐个往前找。正当我聚精会神俯身辨认每一个坐在黑暗里的瘦小男人，燕生捅了我一下，他神情紧张地努努嘴，向前走去。我往边上一瞟，一个人紧紧傍着我走，不时从侧面打量我。我一紧张，步子加快了，那个叫了起来，“哎。”我加快步伐刚要钻进人群中跑，那人撵上来一把拉住我。

“你是不是中午找过我的那个人？”

我仔细一看，是那个小贩，如释重负：“是你，我正在找你。”

“我今天收摊早，怕你找不着，特来街上等你，看了你半天不敢认。”

我把站在前面往这里瞧的老邱和燕生叫过来，给他们做了介绍。

“走吧，到我家去吧。”小贩热情地说，“我东西准备好了。”

“价钱不变吧？”

“不变不变。只要你要得多，我价钱不变。”

我们一起往前走了几步，我问小贩：“刚才是你跟了我半天？”

“没有呀。”小贩说，“我一看见你就跑过来了。”

我也觉得这个小贩子不像刚才跟我的那个人，那人要高一些。便对小贩说：“今天不能去你家了。”

“为什么？我东西都给你准备好了。”

“刚才有人盯我，可能是警察。”

“哇！”小贩吓坏了，“那不能去了，出了事可了不得，不能去了不能去了。”

“这样你看好不好，明天上午我们去你家，弄个车，如果你东西没问题，我们马上拉走，当场成交。”

“可以。”小贩眼睛骨碌碌转几圈，“这样好，那我明天上午在家等你们。”

我看老邱。老邱说：“就这样吧。”

“哎，”燕生扯住转身要走的小贩，“你的电视是新的吗？旧的我们可不要。”

“绝对是新的，日本太君亲手装的。”小贩拍着胸脯说，“都是人家刚带进来的。你们买我的绝对合算，我这是从乡下直接搞过来的，中间不加价的。别人可不是这样，他们要翻一番再卖给你们。”小贩小声神秘地说，“他们是一伙伙的人，很多都是烂仔，凶得很。像我这样便宜地卖给你们，给他们知道要找我麻烦的。”

“你是说他们控制整个黑市的价格？”

“嗳——”小贩琢磨了会儿才听懂我的话，“控制，是的。他们不许我这样的人做电视机的生意。乡下的电视机要卖都要卖给他们，可他们给乡下人的钱很少。”

“听明白了吗？”我跟老邱说，“老林他们就是这路人，低买高卖，欺行霸市，小型的‘欧佩克’。”

我问小贩：“你说的那些乡下的电视是渔民走私进来的还是人家亲友带进来馈赠的？”

“不分的。”小贩说，“两样不分的。他们统统包下来。他们生意很大的，可我们小不点也要吃饭是不是？我不理他们那一套。”

我们笑了，小贩也很神气地笑了：“好啦，说好明天上午我们见面啦。”

“一言为定。”

我们和这个精干的小贩握手分别。

小贩走后，我掏出烟叼一支，让老邱和燕生自己拿，一边又随意看了眼小贩匆匆而去的背影，愣住了——那条黑影又出现了，跟在小贩后面，燕生“喀嚓”打着打火机，我目一眩，眼前一片漆黑。待重新习惯黑暗后，小贩和那黑影都不见了。我撒腿向那个方向跑去，跑到一个街拐角，四周都是黑幢幢谈笑风生、南来北往的人群。我又往前跑了几步，徒劳地在黑暗中茫然四顾。老邱和燕生气喘吁吁地追上来，问我出了什么事。我什么话也没说，沉默地双手插进兜里往回走。这时，我在人流中看到一个人，他也慢腾腾地边吸烟边往回走，经过路边燃着烛光的小摊时脸半明半暗，他的步态是悠闲的，表情是得意的。老邱也看到了那个人，诧异地对我说：

“那不是老林嘛。”

我们拼命往那个小贩家跑，边跑边上气不接下气地辨认巷子里的门牌。这个城市的布局是毫无章法的，路标巷牌残缺不全。我们找到应该是小贩家的那扇门时，门是关着的，静悄悄的、黑漆漆，周围人家也都黑着灯。

“你们俩别上去了。”我对燕生和老邱说。

燕生接过我的皮包，对我说，“小心点，情况不妙你就喊，我们在那边黑影里等你。”

燕生和老邱走开后，我开始敲门，敲了半天没人答应。我手一推，门是虚掩的，开了，还是一点动静没有。我费力看清了门里的东西，这不是间屋，是节又陡又窄的长楼梯。我踩着吱吱作响的木头楼梯爬上去，爬到顶看到一扇紧闭的矮门。我敲这门，敲了半天，没人答应，这里房子寂静得不像有人居住。我刚要离开，门哗啦开了，一道微弱的光线透出来，小贩面目狰狞地光着搓板似的上身站在铁栅栏后面望着我。认出我后，他神情凛然地说：“你走吧，我的东西已经没了。”

我这才看出他之所以在灯光下显得狰狞是因为他被人揍得鼻青脸肿、血迹斑斑。

“我本来是想来提醒你的。我发现他们跟上了你，我不知道他们在跟踪我……”

“你不该透风给他们，你不该脚踩两只船。”

“我没有，我只是想杀他们的价……你应该报告警察。”

“这事不归警察管。他们是‘买’走的，懂吗？”

小贩想关门，我忙用手抵住门：“你不能再搞一批吗？我给你加价百分之三十。”

小贩冷冷看着我，“哐”地把门关上，差点掩了我的手。我在黑暗中站了会儿，摸索着下楼。

“老邱跟我说了，”燕生对我说，“他不想再回那个野店住了，要到我那儿去住。”

“你住哪儿？”

“分区招待所，那儿安全些，要不你也住我那儿去。”

“不啦，我不怕让那帮人做成肉羹，浇上虾油吃了。”我对老邱说，“电视的事真对不起你，你也别着急，我再想法帮你联系。”

“不用了。”老邱淡漠地说，“这事你就甭费心了，燕生已经答应帮我忙了。”

“我保证明天再给你弄到一批电视，你等我一天。”

“不用了！我马上就去燕生那儿交钱提货去，明天一早就用卡车运走了。”

“这么说，早已安排好了。”我看燕生。

“你听我说……”

“想起来了，李白玲早就在枕头上做了你的工作。”我对老邱感叹。

“这你管不着。”老邱说。

“你听我说，”燕生说，“没你想得那么卑鄙。我们是把第一个机会让给你的，你办不成，我们才接手办，不信你问老邱，我们是不是这么说好的？做生意嘛，你办不成，就让别人办，总不能你办不成就不办了。”

“我知道，你们一开始是没想吃老邱，光惦记着搓老蒋。因为你们根本不知道有老邱。直到老邱来了，老蒋又没了戏，你们才开始抓他。怪不得李白玲不愿意给我买飞机票，想拖几天，她也真行，索性生扑了，看来是急了。本来你没打算和我们一起来，后来你却来了，你来干吗？就是来毁我的。瞧瞧今天下午我说搞到一批便宜彩电你那副着急相。好啦，老林手下的烂仔给你助了威，你可以冠冕堂皇地抛开我了。还从小一块偷幼儿园的向日葵一块从楼上往过路的身上吐痰呢。”

我说这番话时，燕生脸部表情渐渐凝固了。说完他也不再解释，只是说：“随你怎么想吧，反正我没什么对不起你的。”

“我也没说你对不起我了。做生意嘛，都这样，你不特别。”

“我不会对不起朋友的。”燕生说，“我跟李白玲讲好了，这事办成后，从我们俩的钱中分给你一千。她特别跟我讲过，怕伤了你，怕你误会了她，她对你印象最好。”

“你转告她我不会生她的气，回去我还得让她请客呢。”

“那一定，她应该请请你。”燕生咧嘴笑，拍拍我肩膀，“那我和老邱走了。”

“走吧。”

燕生又和我握握手，老邱却自顾自往前走，我也没理他，待他们消失在黑夜中，转身往另一个方向走去。

旅馆静的像座坟墓，各层的客人都睡了。我上楼上到我住的那层闻到一股浓浓的香烟味。我放轻脚步走上去。老林笑嘻嘻地从楼梯拐角的一张木沙发上站起来，柔声问：“才回来，上街逛去了？”

我嗯了一声，径直走到自己的房间，开门进去，老林像只猫似的无声无息地跟进来。

“你有什么事？”

“电视机的事，我想我们是不是可以再谈谈？”

第二天一早，我起来洗漱完毕，收拾好东西，在墙上试了试自己受伤的手的承受力，在窗前边活动筋骨边往下看老林来没来。八点整，我看到老林和两个烂仔从一条巷子里出来，横穿马路。老林进了旅馆大楼，两个烂仔在楼门口徘徊，一个烂仔仰脸往楼上看，我离开窗前。门上响起老林小心翼翼的敲门声，我走过去把门打开，放老林进来后，把门关紧。

“准备好啦？我们走吗？”老林微笑地问。

“走。”我垂着眼皮走近老林，突然揪住他的头发把他按弯腰，用膝盖猛撞他的脸，然后掀起他，挥拳打碎他的下颏骨。在我殴打他的过程中，他始终一声不吭，像个沙袋。我松开揪着他头发的手，他仰面朝天向后摔倒，一动不动躺在地上。我走过去用皮鞋后跟踩了一下他的脸，血从他塌下去的鼻腔中喷出，他仍旧一动不动，好像已经昏了过去。我退开几步，坐在沙发上喘气儿，接着站起来，提起皮包开了房门下了楼。守在楼门口两个烂仔看我一个人出来有点纳闷，其中一个家伙问我老林呢，我说他马上出来，大概上厕所去了。我穿马路走向斜对过儿的华侨旅行社，那儿门口有一些出租的三轮摩托卡。一个烂仔追上来，问我去哪儿，我告诉他我要租辆车运货，他没疑心，又回头向旅馆门口张望。我小声跟司机说，去民航售票处，司机发动车，我正要上车，老林满脸血污跌跌撞撞出现在旅馆门口台阶上。原来他是装昏，我一离开就跟着我下来了。我来不及多想，冲还没反应过来的烂仔脖后枕骨一拳，打翻了他，跳上三轮摩托卡叫司机开车。司机不知道后面出了什么事，只是从反光镜看到后面有个人从地上爬起来，又叫又嚷地追车，犹犹豫豫地减了速。“快开！”我冲他喊。我的样子一定很可怕，司机一下把车开快了。摩托卡一路疾驶到了民航售票处。我把几张钞票塞到司机手里，跳下车奔了进去。我到了售票窗口粗暴地挤开排队的人，问售票员今天的飞机票有没有，售票员说早没了，明后天的都没了。我狂怒地离开售票窗口，知道自己完了。售票处的公用电话前有一个男人正在打电话，我走过去一把夺过话筒，切断了他的通话。那男人刚要发火，一看我的表情连忙提起包飞快地躲开。我拨了匪警，告诉警察老林家的地址，说那儿有三百台走私的大屏幕彩色电视机。值班的警察很迟钝，说他要记一下，让我重复一遍老林家的地址，我慢慢重复了一遍。他又开始盘问我的姓名地址。这时，售票处门口一阵骚动，几个长发花衫的家伙出现在门口。我立刻把话筒放在一边，弯腰提起皮包就跑。几个家伙发现了我，直冲过来。我跑进售票柜台，里面的女职员们一片惊慌的叫嚷。我闯进售票处办公室，几个干部从各自的办公桌后噌地站起。我一步蹿上窗台，破窗跳到外面。追我的人冲进办公室，打倒了试图阻拦他们的民航干部，也跳上窗台。我跑到街上，后面的人追到街上。我跑进一幢四层的单元居民楼，二楼一个老太太挽着菜篮正在开门，我把她连人带篮撞进屋。后面追赶的人一只脚也迈进了门，我把铁门用力一关，只听惨叫一声，脚缩了回去。我把门锁死，在屋里吓得面无人色的妇女孩子的哭叫声中冲进厨房，抄起一把菜刀。这时门已经被撞得轰轰响，似乎马上要连框一齐倒下。我跑上阳台，爬进毗邻的另一家阳台，挥舞着菜刀逼退屋里一个健壮的小伙子，开了门从另一条楼道跑下去。我刚出楼门，聚在楼前看热闹的妇女儿童哗地散开，我看到凄厉鸣叫的警车一辆接一辆在楼前停下。最先跳下车的一个年轻的警察可笑地用枪指住我，紧张地喊：“不许动！”我扔掉手里的菜刀和皮包，一本正经地举起双手。另一个警察走上来搜了我的身，捡起皮包和菜刀，让我把手放下。其他警察在群众的指点下四处追捕那些已作鸟兽散的烂仔。事情似乎结束了，我正准备老老实实跟警察上车，人群中突然冲出个青年，举着支短筒土制手枪朝我脸打来。我来不及做出反应，只是本能地抬起胳膊护住脸，“砰”的一声，烟雾弥漫，我和旁边的警察都被扇面喷出的火药和铁砂击中，哎哟一声蹲下。我用胳膊挡了一下，还好点，只是下巴火烧火燎，胳膊上的皮肉被打烂了。那个警察毫无防备，惨得多，满脸是血。开枪的烂仔没跑远，被别的警察抓住，毒打一顿，反铐上扔进警车。其他烂仔也被警察一一捕获，陆续押上车。

警察把我和那个受伤的警察送到医院，大夫给我简单清理了创面，说我没事，交还给警察带走。在警车上，因为同事负伤而愤怒的警察开始打我。

在区的公安分局拘留所，我被收去了包括腰带在内的所有物品，然后推入一间黑洞洞的大牢房。刚从亮处到黑处，我什么也看不见，只得提着裤子站在原地。一个人用方言问我什么，我听不懂，他就骂我。我想找个地方坐下，一迈脚踩着了个人，那人狠狠踢了我一下，我感觉到牢里人很多，但没想到会有那么多。我的眼睛习惯黑暗后，发现牢里挤坐着有近百人，所有人都用敌意的目光看着我。在他们面前，我有双重不利身份，既是新来者又是外地人，更叫我不寒而栗的是，那几个追赶我的烂仔也蹲在人堆里，怪模怪样地狞笑着，我身后是结实的牢门，无处可逃。我蹲下来，麻木地低下头。我再次抬起头时，那几个家伙已经围坐在我身旁，阴险地、近在咫尺地凝视着我。有人开始不怀好意地轻轻抚摸我，我恐惧地跳起来，刚要喊看守，一只手捂住了我的嘴。我被按倒在地，骑住，身体各个部位遭到连续不断的重击，打得我喘不过气来，一阵阵恶心，喊也喊不出来，我觉得要被他们打死了，牢门窗开了，围着打我的人立刻散开分头坐好。一个看守露出半截脸往里看，看到我就吼叫起来，叫我坐起来。我根本动不了，看守见吼不管用，哗啦把门打开，气势汹汹进来就是一脚，见我仍旧不动，就提着我的脖领把我拽起来。这时他发现我被人打了，脸上都是伤，就松开我，缓缓巡视牢里坐着的几十号人。他问谁打的我，没有人吭声，他指名问牢头，牢头指了一个打我的烂仔。看守把那个烂仔叫了出去，烂仔吵吵嚷嚷地为自己辩解，被看守打了个耳光，上了铐子关进小号。看守回来问我为什么打架，我神志不清地只是要求换号，看守用方言骂了我几句，没理睬我，重新锁上牢门。门一关上，牢里的人又围上来揍我，这次是人人动手。我浑身疼痛，连招架之力都没有，只是捂住脸，任别人打。

我在牢里蹲了一天，粒米未进，午饭和晚饭都被其他犯人抢去吃了。夜里，只有牢头和他的几个朋友能躺下睡觉，其他人只能蜷缩着坐着打盹，我则被挤到马桶旁边蹲着，牢里几十号人一天拉撒，马桶里的屎尿已经满了，臭不可闻，不时仍有人挤过来小便，尿水就溅到我脸上身上。我不知道那一夜我是怎么挺过来的，只记得不时昏倒，压在别人身上，接着就是一阵痛打。

第二天警察来提审我，进了预审室，预审员看到我的模样都愣了。我坐都坐不住，对预审员提出的问题无法回答，痴呆地望着他，几乎散瞳了。预审员只得中止讯问，找来一个警官，让他把我带回去。这个警官给我换了间牢房，允许我白天躺着，还给我找了些外伤药搽上。我昏沉沉睡了两天，第三天精神恢复了点，立刻被带去提审，我看到马汉玉也坐在预审室里。

“怎么样，身体好点了？”预审员和气地问。

我没说话，低下头。

问过一些一般问题后，预审员直截了当地问我：“那些人为什么追你？”

“不知道。”

“你认识他们吗？”

我摇摇头。

“从来没打过交道？”

“没有。”

“胡说。”预审员顿了一下，叹口气，“你说你干吗这么不老实呢？情况我们都了解。你何必硬着头皮扯谎，这对你有什么好处？”

“我不认识他们，也从没跟他们打过交道。”

“姓林的是谁打伤的？”

“……”

“是不是你？”

“……是我。”

“为什么打他？”

“……”

“你到我们这儿干吗来了？”

“玩，旅游。”

“玩，旅游？你雅兴还不小！”预审员厉声断喝，“你把一个人打成重伤，这也是你的旅游项目吗？”

“他要偷我东西，我就打了他，打得重了点。”

“重了点？你这是故意伤害罪，根据你的情节，可以判你三年徒刑。”

“你们当然可以随意解释刑法了。”

“好啦好啦。”坐在一旁的马汉玉这时插了话，他用胖手指敲着点儿叫着我名字说，“你不要在这儿假装无辜了，没有意思。你不是来旅游的，这我们大家都清楚，你也清楚。我问你一个问题。

跟你一起来的那个老邱和张燕生哪里去了？”

“我没有和张燕生一起来。”

“是的是的，他比你晚到一天，你们见了面。他们到哪儿去了？”

“不知道，他们没告诉我。”

“你看这就不好了吧。我们一直和颜悦色同你谈，就因为知道你不是那种不懂道理的人。对那种人我们也有办法，当然就不这么客气了。”

“我的确不知道，知道我就告诉你了。我总不能瞎说吧？”

“当然不能。好，就算你不知道，可你们为什么要来这儿你总知道吧？”

“……”

“我希望你能同我们合作，这样对你也有好处。我知道不必对你讲什么‘坦白从宽，抗拒从严’这一套，但你也清楚，我们要治你是很容易的。你讲话，法律是可以解释的。”

“可我什么法也没犯，就算有什么企图，可没有付诸实施。”

“你打伤了一个人，伤得还不轻。”

“……”

“怎么样，想好了吗？你们为什么来这儿？”

“你不是都知道了嘛。”

“钱是谁的？老邱的？”

“对。”

“你和那个香港老家伙谈好了要买他的电视机，为什么后来又不买了？”

“他变了卦了，抬了价。”

“可后来老林不是又把价降了下来。基本达到了你们原来商定的价，你为什么不履约反而打了他？因为那个可以更便宜给你电视机的小贩被硬抄，使你的正义感不能忍受吗？”

“是的。”

“你瞧你又不说实话了。”

“怎么没说实话，难道我就不能产生正义感吗？”

“当然可以，我相信你在某时某地是会油然产生一点正义感的，新中国长大的青年嘛。可你现在是在做生意，事成之后可以得到一笔你从未见过——也许偶尔梦里见过的巨款，难道你会放弃这种，嗯，说千载难逢不过分吧？这种千载难逢的机会，仅仅是为那笑话般的、一钱不值的正义感？这不像你，你不会这么幼稚，换我也要忍了这口恶气。宁啜茶根儿，不饮白水，是不是这话？”

“你还什么都知道。”

“活到老学到老嘛。”

“你猜着了，老邱不干了，带着钱走了。我就打了老林，出出气，他那人也欠打。”

“倒是，他挨打不冤枉，某种意义上说，你还是为民除害哩。这么说，老邱带上钱走了？钱不赚了，回家了，车你也不给他买了？”

“不买了，那还买什么。”

“他就当白跑一趟，回去规规矩矩把钱交还给公家，老老实实过他的小日子去了。”

我看着马汉玉胖胖的脸，知道他在讥讽我。

“我信吗？”他说，“那个阿凡提的笑话怎么说的，要是有人说他是世界上最大的傻瓜，你可千万别信。”

“你爱信不信，他就是带着钱走了。总不能那几万块钱现在夹在我屁眼里。”

“你倒也得有那能耐，退一百年，你给皇上看银库倒没准能练出来。张燕生呢，你那哥儿们呢？也袖着手窝着脖子回去了？还有，白玲呢？你们全体的老婆。你们前脚走，她后脚坐了辆大卡车上哪儿去了？运煤去啦？”

“这得问你呀，你那么有能耐，连我被窝里放个屁你都给数着，她的事你怎么倒不知道？你怎么没派你手下的人盯着她呀？盯她可比盯我来劲多了。”

“老实点！”马汉玉一拍桌，眼一瞪，“养了两天你又活了是不是？我知道是我知道，你说是你说的，我就想听你说。”

“不知道。”

“嗬，还挺硬，够哥儿们，别人不仗义咱不能不仗义。”

我白了他一眼。

“我说张燕生、李白玲交你这朋友算没白交，怎么坑都没事。君子不记小人过，宰相肚里能跑火车。”

我满脸通红，依旧一言不发。

“何必呢，”马汉玉颇不以为然，掏出烟给我扔过一支，自己叼上一支，点着火后把火柴扔过来，“这年头谁管谁呀。”

我情不自禁乐了，点点头：“也是，不过我告诉你也没什么大用。我的确不知道他们具体怎么搞的细节，他们没告诉我。就知道他们另搞了批电视，大概是李白玲联系的。”

“我就要你这句话，瞧，没多难嘛，憋宝似的。行啦，今天就先到这儿，你回去给我写个材料，把你这趟出来干的这些个事从头到尾写一遍，一件事不许漏，明天交给我。”

那个预审员叫我过去看审讯记录，看完每页签上名，按手印。我一边用食指蘸上红印泥在每页的签名和涂抹处按手印，一边问坐在桌后抽烟的马汉玉：“我没事吧？”

“事不大。”他说，同情宽厚地望望我青肿肮脏的脸，“你呀，瞎折腾，年轻轻的，得了什么好？我第一次见你，在大饭店里，你那个神气活现的样儿——那都是一时的。”

“听口音咱们好像是老乡。”

“甭跟我套磁儿。”马汉玉舞了舞胖胖的手，“我哪儿的人也不是，我会说的方言多了。”

“你们怎么盯上我们的，是不是老蒋告的？”

“怎么，你还想找人家报复吗？”

“没那意思，敢吗？就是问问，我猜是老蒋。”

“别猜了。不会告诉你的，就如同你告了老林那三百台电视机我们也会给你保密一样。”

第二天夜里，马汉玉又将我提出。他让我坐在一边抽烟，自己低头翻看我写的材料，看完把材料推到一旁，沉思地抽起烟。

“写得怎么样？”

“噢，还可以。”马汉玉似乎才想起我还坐在一边，“徐光涛写得不够详细。他去了边境你们没再联系吗？”

“没有。”

马汉玉斜眼看着我。

“他也进来了？”我问。

马汉玉摇摇头，“他比你鬼，看苗头不对就溜了，他们都比你鬼呀。”

“什么意思，是不是李白玲和张燕生你也没抓到？”

“抓了，又给放了。”

“怎么呢，没起着赃？”

马汉玉斟酌了半天，才告诉我：“她那些电视机是给一些领导干部买的，有卖方国营委托店的发票和税单。你帮我分析分析，她敢不敢卖那些老头高价？”

“不是有发货票吗，她怎么高卖？”

“是啊，那帮老头也是土财主，每个钱都看得很死。可就算她有其他打算，不炼这帮老家伙的油渣，那老邱肯让她拿他的钱做人情？那小子不就为了赚钱？他还管别的？”

“她那卡车上有多少台电视？”

“我明白你意思，也注意了这个问题，二十台，不会错的。我还调查了那帮托她买电视的老头，也差不多十八九个，李白玲的电视拉回去就挨家给他们送去了。”

“真是没赚钱？”

“表面上看是这样，一次纯义务、敬老爱幼的慷慨行为，像她的为人吗？”

“她倒是跟我说过不为钱只为帮帮朋友这种话。”

“扯她的臊，说这话我都不信。”马汉玉骂完忙又补充，“当然真正的友谊也是有的。”

“还有爱情。”

“还有爱情。”马汉玉心不在焉地跟着我重复了一句，接着单刀直入地问我，“你能不能帮我一个忙？”

“能帮您，那太荣幸了。”

“别油嘴滑舌，不是我个人的事。我放你出去，你帮我找到李白玲，问问她怎么想起白帮人买电视机，钱是怎么赚的？是的，她肯定赚了钱，否则她怎么会那么阔，老邱又怎么打发？靠家里？我们高干的那几个工资很有数。我想她一直在赚钱，但不是像杨金丽那样赚下贱钱，她倒是不屑干这个。行不行？就算你为国家出点力吧。”

我凝视着马汉玉肉泡泡的和善的小眼睛：“这不是当密探了，你发我津贴吗？”

“别说得那么难听，咱们国家没密探。这叫发动群众，变不利因素为有利因素。”

“我要不干，会受什么惩罚？”

“不不，这不是强迫命令，是我个人的一点建议，干不干你随便，我不会报复你。”

“不干。”

马汉玉尴尬地沉默了会儿，问我：“觉得卑鄙是吗？”

“那倒不是，我也不是什么高尚的人，就是不愿意干。”

“讨厌我这个人？讨厌警察，人民警察？”

“是的。”

马汉玉抽起烟，垂下巨大的头：“你进来的时候，他们打你啦？”

“……”

“好吧，我不勉强你，不干算了，何必为警察搞得身败名裂。现在一个人要搞臭自己的最好办法就是当警察。”

“我对你个人并无恶感。”

“谢谢你，我也不是理想警察的化身，我有时也打人。今天就到这儿吧，你可以再抽一支烟。”

“什么时候放我？”

“我说了不算，要看这儿分局领导意见。我估计要拘留你十五天，你安心再住几天吧。”

“要是我同意帮你干事，你就会立刻放了我是吗？”

“这是两回事。”马汉玉严肃地说，“拘留你也是为了保护你。要是现在放了你，一出拘留所，你就会被人打死。你以为你毁了人家几十万元的买卖，人家会跟你善罢甘休？你惹了那些真正的黑道人物。”

“我要走了。”马汉玉对我说，“已经关照过分局的同志，过几天就把你放出去。你要小心。我已经听到一些消息，有人在等着你，要加害于你。你出去后尽快离开这儿，一旦发生危险及时同这儿的警察联系，不管你怎么讨厌他们，他们怎么讨厌你，关键时刻他们还是比你那些哥儿们管用。出去后再赶紧把身上的伤治治，我看你有的伤口已经发炎了，这儿的医疗条件也不好，光上红药水不行的，引起感染就麻烦了。至于有些警察打了你，你要愿意可以到检察院上诉。”

“我不去。”

“我劝你也别去，没什么意思。出口气罢了，害人家一下对你也没什么直接好处，以后少跟警察打交道就是了。你扣在我那儿的那些证件、电话号码本我没带来，回去我给你寄去。”

“可不可以，”我说，“可不可以给我留下你的电话？”

马汉玉想了想：“好吧，给你留个电话，要是碰到什么为难事可以找我，我能帮就帮你，犯法的事可不行。”

“犯法的事我也不会找你。”

“那得我来找你。”马汉玉在一张纸上刷刷写着他的电话号码，“你呀，挺好挺聪明的一个人偏偏不干好事，要我说你这份聪明用到正道上，干什么你都干出名堂来了。喏，电话给你。回去有什么打算呀？还是就这么混下去？”

“可不混嘛，又能怎么样。”

“坐好坐好，我就不爱看你这种歪着脖子觍着脸的相儿。干吗不打算找个工作？”

“你不知道，我和别人不一样。”

马汉玉盯着我，表情像只警犬在嗅危险品。

“谁告诉你的？”

“谁能告诉我？”我耸耸肩，“从外表是看不出来的，只有我自己心里明白。”

“你是什么？二郎神？”

“我也不知道。”我把眼睛看向别处，“是什么不清楚，不是人可以肯定，我有证据。”

“什么证据？像人一样生活就难受，就不痛快？非得折腾折腾？”

“简单说是这样。”

“你那些朋友也这样看？”

“看我？对，不完全是，局限于了解我的、有点头脑的人。这种感觉你跟笨蛋是说不清的。”

“你很有意思，”马汉玉笑起来，“我不聪明，实话实说，但我自扪还没到笨蛋那份儿上，而且我还算多少了解你的吧？”

“可以这么说。”

“我没觉得你有什么与众不同，你不过是个普通人，不要自我感觉太好。你没什么出色的，你说你有吗？要说你跟别人有什么不一样，那就是别人把你当人，你自己反倒不把自己当人。你大概知道猿是怎么变成人的吧？你现在需要的就是抬起前爪，直立起来，让你的眼睛看向远方，让你的大脑发达起来，能够想想觅食以外的事情。”

“你认识张霁吗？”

几天后，我正在一一清点接收发还的钱物，重新系上裤带，一个年轻的警察问我。

“不认识。”我说。

他把这两个字写给我看，说是一个部队医院的大夫，我才恍然想起张璐的姐姐，连声说认识。那个警察说张霁转告我，让我出了拘留所，直接去她那里。

“她说有什么事吗？”我问那个警察。

“没说，只叫你务必去，你一个人是离不开这个城市的。”

“懂啦。”

两个警察开车把我送到张霁所在的部队医院。路上，他们让我伏在后座上，以免让人看见。一个三十岁上下的女军人在行政楼前等着我们，送我来的警察说她就是张霁。我下车跟她赔笑，伸出手去。她看了看我，没同我握手，转脸同警察寒暄了几句，向他们道谢。给我传话的那个警察提醒她注意安全，这虽是部队营房,也很容易出事,别迷信哨兵。张霁说知道了。警察开车走后，张霁领我向后面宿舍楼走去，她想帮我提皮包，我拒绝了，她刚才不同我握手，刺伤了我。

我的模样一定很狼狈，蓬头垢首，衣衫褴褛，裸露在外的皮肤上布满一块块紫淤和血痂，迎面走来的大人和孩子都惊奇地看我。

张霁岁数不小了，可好像还没结婚，住在集体宿舍里。我进去时，房间还有个女兵，好奇地瞧我，但什么也不问，主动为我倒了杯水。张霁把预备好的一套军衣和肥皂毛巾递给我，让我去走廊里的男厕所洗澡。洗澡时凉水一冲加上打肥皂一搓，我身上的一些血痂掉了，露出粉粉的肉，渗着血丝，火辣辣地疼。我仔细洗净了身子，穿上肥大的军裤，把军衬衣塞进裤腰，回到张霁的宿舍，照了照桌上的圆镜，发觉我简直不像我，面色青灰，眼神呆滞，再穿上这身绿皮，活像个刚被释放的战俘。张霁把我换下的衣服全用开水烫了，扔到外面垃圾箱里，指使同屋的女兵拿来些药水亲自动手给我搽得花花绿绿，又叫我服了些抗生素片，说我要累了，可以躺她床上休息会儿。我怕刚搽上的药水把她干净的床单搞脏，说不用，不想太打扰她，想早点离开这儿。

“不用着急，她去搞票了。明天一早你就能走。本来我的意思是让你坐星期六我们院的班车走。”

“谁去搞票了？张璐？张璐来了？”我又激动又意外。

张霁奇怪地看着我：“你跟我妹妹很熟？”

“啊，”我掩饰着自己的失态，“还可以。”

“熟到什么程度了？”张霁的语言近于诘问。

“一般朋友，”我觉察到她的态度不友好，稳住情绪说，“仅仅是一般朋友。”

“你听我说，”张霁傲慢地说，“我不认识你，也不了解你，但我知道你是什么人。我是看在别人的面子上接待你的，不是自愿的，明说了吧，我讨厌你这种人，也不希望你和我妹妹接触，我知道这是李白玲牵的线，我要找她跟她说，她这么做很不应该。”

我竭力压着。火还是一点点蹿上来，用眼睛找到我的皮包，抓到手里站起来说：“那再见吧，我也不想和你……”一些恶毒的脏字眼涌到嘴边，我咽了下去，“和你这种人打交道，我也觉得十分别扭。”

“你不能走。”张霁不动声色地说，“我对你有看法归有看法，我还得对你负责，你现在出去有危险。”

“去你妈的吧！”我终于按捺不住了，“你以为我需要你这种假仁假义，驴粪蛋一样的关心？我一千条不如你，就这条比你强：我讨厌你，就不装作喜欢你，更不会受你这种道貌岸然的老处女保护。”

张霁冷若冰霜的脸上泛起一阵潮红，她气得要命，可又一时说不出话。她可能没料到我会骂她。同屋那个一直没说话的女兵这时脸都吓白了，惊骇地望着我们。我转身拉开门往外走，张霁小声在后面骂："流氓、地痞、无赖……"

我回身走到她面前："我该抽你大嘴巴的，你以为你是什么东西，可以随便侮辱别人？不过看在张璐的面上，我饶了你，她比你懂事。"

我再次拉开门走出去，回头对站在那儿浑身发抖的张霁喊："你别以为你比我强多少，有一点你和我一样——你还不如我！"

我迅速沿着走廊离开这栋宿舍楼，走到楼下的庭园里，我冷静了下来。庭园里穿着白色病号服戴着军帽的病人三三两两在散步、晒着太阳。病区的气氛是平和安宁的，我慢慢走着，泪水涌上眼眶。走到医院大门口，我看到背枪的卫兵和外面人来车往的马路，怎么也没勇气走出去。我上哪儿去？除了公安局，也就是这军营还安全点。在街上，不出半天，我就会浑身被人用刀捅成筛子扔在哪条小巷的垃圾堆上。阳光炫目，我搞不清现在是上午还是下午。早晨听说要放我，我连饭也没吃，出来到现在也是什么也没吃。我进军人服务社看了看，有卖好香蕉的，便买了几簇，拎到门口附近庭园树荫下的石凳上剥着吃，看门口进出的人。我想等张璐，我相信她会救我的！不知不觉，我吃了十几个香蕉。时间到了中午，院内吹了下班号，男男女女的军医护士从门诊楼里出来，沿着石甬路去食堂或回家，卫兵也换了岗。一些背着书包的孩子从门外连跑带颠儿地进来，分散、隐没在葱郁的植物后面。院内人稀疏了，只有广播喇叭放着雄壮的队列歌曲，像是专门播给我倾听解闷的。这时，我看到张霁同屋的那个脸色苍白的女兵从庭园树丛间时隐时现地向门口跑去。她跑到门口停下来，四处徘徊，接着跑到门外张望，又走回来，比画着手势同卫兵说着什么，卫兵摇着头，两个人脸上的困惑表情我都看得很清楚。这个女兵又站了会儿，顺原路回去了。片刻，衣冠整齐的张霁和另一个女人出现了，也比手画脚地同卫兵说话，站在门口张望。那女人脸上的焦灼，不安，还有伤心，正是我企望的，可我没有走过去。张霁站了会儿，低着头走了。那女人仍执拗地站在门口向外张望，身后一有响动，就倏地转过身，期待地循声望去，失望地垂下眼。我走了出去，她看到我先是一愣，接着跑过来，眼睛里有什么东西在闪光。

“你没走，这太好了，我都快急死了。”她连笑带怨，发自内心的高兴。

“票搞到了吗？”我僵着脸问。

“先别说这个，先去吃饭。”她动手拖我，“我给你买了很多吃的，你需要好好补充一下营养。你受了不少罪吧？瞧你身上这些伤。”

“票呢？”我几乎是粗鲁地挣开她，“我要马上走。”

“你走不了，想走也走不了，飞机票搞不到，只有明早的长途车票。长途车要颠十多个小时，我怕你受不了。”

“我受得了。”

“受得了也得明早走，这顿饭并不碍事。”

“我不去那臭娘儿们的宿舍。”

“我知道你跟她吵架了。”她又抓住我胳膊，“这没什么，我已经跟她谈了，她说不生你气了，你也别再生她的气，你是男人。”

我锐利地看她一眼，李白玲脸红了，她把头发向后甩了甩，迎着我的目光说：“难道你生我的气？”

“好，”我说，“去吃饭。”

张霁和那个女兵正守着满满一桌子烤鹅、酱鸭、熏鸡及各种腌腊肉制品等我们。我坐下没说话，伸筷就吃。

“喝酒吗？”那个女兵怯怯地问。

李白玲说：“喝，把我买的那瓶白酒拿出来。”

那女兵反身拿出一瓶四川曲酒，用牙咬开盖，摆了几个茶缸，为我们一一斟酒。轮到张霁，她用手捂住缸子说她下午还要上班，不能喝。我和李白玲碰了缸子，想了想又跟那个女兵碰了一下，喝了一口，放下缸子。李白玲站起来为我夹菜，那女兵用筷子指了指几块嫩胸脯肉。李白玲夹到我碗里。我低头猛吃，嘴张得过大，牵动了下巴的伤口，不由倒吸了口凉气，含着满嘴肉停止咀嚼。

“怎么啦？”三个人都停下筷看我，李白玲惶惶地问，“伤口疼了？”

“没事。”我摸摸下巴，继续吃起来。

“你在监狱里挨打了？”李白玲小心翼翼地问。

我点点头，喝光了酒，又自己斟了一些。

“警察怎么能打人？”李白玲义愤填膺地喊，“应该去告他们。”

我看了眼张着嘴盯着我瞧的女兵，对李白玲说：“不是警察打的，是那帮烂仔干的，开始把他们和我关在了一起。”

“那怎么可以！”李白玲说，“那是违法的。”

“闭上你的鸟嘴！”我怒冲冲地说，“要不我会把你和天使搞混了。”

“别说了，”那个女兵说李白玲，“赶紧吃吧。”

我们四个人都不说话了，闷头吃喝。我本来以为我能吃很多，可吃了一阵就不行了，那十几个香蕉在起作用，肚子撑了，嘴还没够，又啃了几块排骨，再也吃不下了，就饮酒。一个人几乎喝了半瓶，接着，不知是酒不好（四川酒很可疑）还是身体虚弱，受了内伤，忽然感到全身难受，像是要虚脱，冷汗刷地从全身毛孔冒出来，心脏奔马般地跳。张霁最先发现我面色不对头，放下筷子，伸手扶住了我。我想说没事，直身坐正，可身子软得像摊泥，话也说不出，刚装出个笑模样，就向后仰倒昏了过去。

我没有昏得完全失去知觉，朦胧中感到自己在呕吐，大口呕吐，腥秽的酒物吐到为我不停揩嘴的人身上，我想这人是李白玲，我闻得出她身上的香水味。折腾了很长时间，我的呕吐停止了。李白玲窸窸窣窣为我收拾了脏物，又托起我头让我漱口、吃药，在那个女兵帮助下给我脱鞋宽衣，盖上被子。后来，大概是张霁为我用针管注射了葡萄糖，药液里加了镇静剂，注射完不久，我就睡熟了。

一觉醒来已经是晚上，屋里黑着灯，静悄悄的没人。我周身暖烘烘的，已经不难受了，就是还困，又闭上眼睡。迷迷糊糊地想，多久没睡过这么好的觉了，我这是在家吗？我恍惚记起了这几天发生的一些可怕的事，觉得那好像都是梦，只要我一睁眼就会醒过来，还是个正在上学、喜欢胡思乱想的孩子，我真的做起梦，梦见我又回到学校里那间残破的教室，像是经过一个长长的假期，老师还是那个瘦高、戴着眼镜的江老师，同学却都是陌生人。我在一张课桌后面坐下来，发觉桌椅都小了，老师讲的课也全然听不懂。江老师走过来问我干吗去了，我说我干了很多事，接着我问江老师，我的同学张燕生、李白玲、徐光涛、老邱、杨金丽他们都到哪儿去了？江老师阴郁地看了我半天，说你们很多年前已经毕业了。我哭了，说我不过是出去玩了一圈，怎么会很多年过去了。后来，我梦到自己孤零零地躺在一间黑屋子里的一张床上沉睡，一个黑影蹑手蹑脚向我走来，我想喊躺着的我赶快醒来，可喊不出声，想认那个黑影是谁，也认不出，恐惧、着急得快背过气去了。我醒了，脑子一下异常清醒，因为我看到真的有一个面目不清的黑影轻轻向我走来。我吓得手脚冰凉，动弹不得。那黑影走近了站在我床前，我绝望地闭上眼，感到那黑影在床前弯下腰，目光灼灼地端详我。我屏住了呼吸，一只冰凉的手伸到我脸上，抚着我的脸颊，一双热乎乎的嘴唇压在我嘴上，我睁开眼，对黑影说：“干吗？”

她吓了一跳，蓦地跳开。站在一边说：“你没睡着。”

“干吗不开灯？”

灯亮了，李白玲神色安详地站在我床前：“好点了？”

我没说话，坐起来：“有烟吗？”

“等等，我给你找去。”她转身开门出去，一会儿回来，拿着一包拆封的烟。“忘了给你买了，这是从男兵那儿搞来的，先凑合抽吧。”

我抽出支廉价纸烟叼上，李白玲去桌上抽屉里翻出一盒火柴，坐到床边。给我擦着火点上。

“你不抽？”

她摇摇头，微微一笑，只是温柔地看着我抽。我注意到她的眼神，向她吹去一股浓烟，她一动不动，烟冲到她脸上，沿着光滑的皮肤散开，在鬓发上袅袅萦回不去。我注视着她，她略显困惑。

“你怎么没跟燕生他们一起回去？”

“回去了，又回来了。”

“为什么？”

“为你。”

“这又为什么？”

她避开我的视线：“这你应该知道。”

“我怎么应该知道？我根本就不知道你是什么人，是不是人。”

“我真是浑身是嘴也说不清了。我知道你是怎么想的，你认为我在电视机的事上背后捣了鬼，涮了你，心里有些内疚，听到你出了事，就跑来假惺惺地装好人。”

“本来就是这么回事。”

“我不想解释。”

“也根本用不着解释。”

“你认为我很坏？”

“我认为你很好。”

“不管你怎么说，反正我问心无愧，我在电视买卖中没赚一分钱。”

“所以我说你很好。”

她噎住了，呆呆地望着我：“我没法跟你说话，你总觉得谁都在玩儿你，谁都在玩弄诡计，损人利己或根本不利己。你习惯这些，就像蛆习惯在腐败物质上蠕动，如果不这样倒怪了，就一定有更大、更危险的阴谋——你已经搞不清什么是人的正常行为准则，因为你从来不是人，只不过看上去有那么点像……”

李白玲喘吁吁地戛然而止，激动地注视着我，眼里闪着泪光。

“那么你呢？”我问她。

“我……”她痛苦地低下头，“我知道我这一切都是徒劳的，你想见的不是我，可你又何尝不是徒劳的？”

她抬起头，我低下头。

“你真的以为她会来接你？你太可悲了。她不过是个未谙人事的小姑娘，即便一次谈得投机，又能怎么样？我们义无反顾抛弃的正是她所珍视的，我们珍视的又正是她不屑的——我们和她不是一类！”

“你在说什么？”

“何必装糊涂，我说的正是你那个狂想念头。”

“你不用跟我一起走。”我对梳头、理衣服的李白玲说，“你可以晚两天坐飞机或乘军车走，你在这儿住着也没事。”

“我要跟你一起走，你一个人走我不放心。”李白玲的神态和口气很认真，就好像她是个强有力的大人物，而我则是个毫无自卫能力的孩子。我笑笑说：“你没必要跟我一起走，一起走反而招眼。要是那帮家伙连国家交通工具也敢拦截，添你一个也不管用。”

“我要跟你一起走。”她坚决不容置辩地说，“说什么我也要跟你走，就算我是你的累赘也罢。”

她梳理完毕，去敲门叫张霁。我把弄乱的床铺整好，从桌上的暖瓶倒了杯温开水漱口。张霁睡眼惺忪地边系衣扣边进门问我：

“你身体行吗？”

“没事，我昨天是酒喝多了。”

“我拿体温计给你试试——昨天你有点发烧。”

“真的不用了，我感觉很好。”我叫住她。

她看看我，上前来用热乎乎的手按按我的额头，对李白玲说：“那好，我给你们准备点吃的。”

“不用了。”

“要吃的。”她说，“不吃不行，发烧身体消耗很大，你身体原来也虚。”

她拿来奶粉、糖罐和蛋糕，在电炉上烧开了水，在我那杯牛奶里放了大量的砂糖。我喝着滚烫、浓甜的牛奶，蒸气搞得我下巴湿漉漉的。

“该走了。”李白玲随便喝了几口奶，提着自己的包，起身说。

“我给你们叫辆车，送你们到长途车站。”

“麻烦不麻烦？”

“不麻烦。”张霁出去敲司机班的门，嘀嘀咕咕在走廊上和人说话，接着回来帮我提皮包。

“我自己行。”

“给我吧。”她拿过皮包，带头下楼。

一辆军用吉普车从树丛夹道的路上开过来，停在楼前，坐在前座的司机、一个年轻的士兵打着呵欠。我们上了车，吉普车出了院门,在晓色微明的马路上疾驶。到了长途汽车站,天已经亮了，车站院内挤满了等车的旅客，有些人挑着担子，筐里装着呱呱叫的家禽。李白玲跟张霁告别：“你回去吧，谢谢你啦。”

“有什么好谢的。”张霁随我们下了车，站着和李白玲说话，让她有事来信。李白玲问她今年能不能休假回家，她说到时再说吧，也许她休假不回家，她想出去走走。我走过去，她们看着我，我向张霁伸出手，她也伸出手，面无表情。

“你放心。”我说，“我不再去找张璐了。”

长途车在碎石和柏油路面交替的公路上奔驰着，有几个小时是紧贴着海边的悬崖峭壁行驶，可以看到海水卷着泡沫拍打着荒凉海岸的狰狞礁石。有几个小时是沿着一条暗绿色的、有着红褐泥岸的狭江行驶，江水是那样宁静、安谧、阒无人迹，简直像条被遗忘的江，令人感动。长途车的座位很狭小，李白玲靠着我，晃来晃去。她好像想起什么，弯腰从座位下拽出皮包，拉开链，翻出一个牛皮纸信封递给我。

“什么？”

“你的钱。”

“我不要。”我把那个信封扔回她的皮包。

“我答应给你的。”她又捡起装钱的信封塞到我手里，“我不是发了大财嘛。”

“我相信你没有赚钱还不成？”

“不成。”

“那我只好认为你的确是赚了钱。否则你这种慷慨从何而来。”

“我很伤心，和你相处了这么长时间，你还不了解我。难道你不知道我是个待遇优厚的合资企业的副经理？我还要怎样才能让你相信我的钱是合法挣的？”

我不再说话，把钱收下。

傍晚，我们到了省城，看到灯光辉煌、高楼栉比、秩序井然的熟悉的城市生活场景，我仿佛作了次时间旅行，从暗无天日的旧社会又回到八十年代的社会主义新中国。我们到一家高级餐厅吃饭时，我第一个反应就是灯光刺眼。看到周围无忧无虑、心平气和地进餐的人们，我从心里感到快乐。我和李白玲优雅地喝着酒，津津有味地品尝着山珍海味。在瀑布般的灯光照耀下，在餐厅幸福恬静的氛围中，我觉得同桌这个丰腴庄重的女人楚楚动人。

“喂，我找李白玲。”

“谁？”电话里的一个男人不解地说，“你找谁？”

“李白玲。”我一字一顿重复了一遍，“她是你们那儿的副经理。”

“我们这儿没有姓李的副经理，你要错单位了吧？”

“不会吧？”我询问了对方的单位名称，肯定地说，“就是你们那儿，李白玲。女的，不到三十，你连你们副经理都不认识。”

“你等一下……老周你来跟他说。”我听到另一个男人接过话筒高声问，“你找谁？我是副经理。”

“李……李白玲。”我结巴了。

“噢，你找打字员小李呀，她早被我们辞退了，这儿副经理就我一个。”

我放下电话，茫然地双手插兜走在大街上。密集的人群中不时有人撞我一膀子，路边一个挨一个的商品橱窗琳琅满目，穿着毛料西装和各式绸缎裙服的塑料模特儿毫无生气地呆呆望着远处屋顶上面的蓝天，似乎早已对眼前的五光十色麻木了。各家商店里播放的背景音乐一间接一间旋律不同、强弱不一地传出来，和人声、车声混成一片嘈杂的市声，摧人肝胆。马路对面有人叫我，高一声，低一声，紧紧伴着我。我转身走进一家幽暗冷清的餐厅，叫服务员拿酒来。两个人一左一右坐在我身旁，笑嘻嘻地望着我，是重新抖擞的徐光涛和杨金丽。我像对照相馆照相机旁举着快门的师傅那样：“正好，正好。”

“你见着燕生没有？这小子跑哪儿去了？”

“不知道。”

“李白玲呢？”

“不知道。喝酒，喝酒吧。”我自斟自饮。

“这两个狗东西忒阴，把咱们全涮了，你还不知道吧？”

“不知道。”

“瞧你那窝囊样你也不知道，叫人卖了也不知道哪儿使钱去。他们把咱们电视机的事搅黄了，拿着不知怎么搞来的领导批条，给老邱买了辆又好又便宜的车，直接从车上拆下来的钱就上了万。”

“不止这一辆车，李白玲卖车卖多了。”杨金丽愤愤地说，“要不她怎么那么有钱。哼，装得跟个人似的，好像多高贵多文雅，还不如我呢。我起码不玩朋友，凭本事吃饭。你一点不吃惊？”杨金丽诧异地看我。

“有什么惊可吃？”我反问她，“这太正常了，本来不就是这么回事嘛，我奇怪的是你们干吗这么激动，你们又不是‘五四三’主义者，我们应该为李白玲鼓掌、干杯，干得好，干得漂亮！”

“你是不是，”徐光涛和我碰了下杯，没喝，问，“你是不是也捞到了什么好处？一定是！”

我慢吞吞喝光了杯里的酒，又斟满，说：“我捞到了胖白玲。”

徐光涛和杨金丽惊讶地望着我，就像我头上长出了角。半天，徐光涛笑了：“还是你有办法，我怎么就没想到呢，从根儿那儿把‘钱柜’搬过来。高，你丫太高了，真他妈对路子。”

“你不能这样，为钱把自己卖了。”杨金丽激昂地说，“你们男人怎么堕落到这份儿上，有人给我介绍有钱的外国老头儿，我还不干呢，我都有个原则……黑暗，太黑暗了！”

“你就不要时不时立个牌坊了。”徐光涛刻薄地说杨金丽，“难道你还要他真爱上李白玲？那才叫堕落呢！那是俗人们不要脸的勾当。”

“我得走了。”我摇摇晃晃站起来，强颜欢笑，“胖白玲在等我。”

我撇下那两个羡慕不已、吁嗟喟叹的哥儿们，独自走出餐厅。

走过一个街头公用电话亭，又走过一个，走到第三个，我停下来，攥着手里的硬币走了进去。我拨张璐的电话号码，手指一插进拨号盘，眼泪就流了下来，我背过身，听着电话铃的嘟——嘟——声。电话铃响了半天，她家的保姆来接电话，告诉我：“张璐不在！”我又拨了马汉玉的电话，他也不在！

昼夜交替，我踯躅街头，混迹人群当中，在各等小酒馆里喝得烂醉，用醉态混淆视听，掩饰我的非人。我不敢入睡，因为梦中我总是异常清醒地和她相逢，无处藏身。不论我白天跑出多远，夜晚一闭眼她就栩栩如生地向我走来，我浑身如同涂满荧光粉，在黑暗中格外醒目。我不能思考，她犹如一扇巨大的雷达，无时无刻不在捕捉我的脑电波，我只能像一具行尸走肉一样麻痹着自己。终于我精疲力竭了，酒精也不能使我像人一样具有健康的红润脸色，我在人群中脱颖而出，像混养在马群中的骡子最终被认出来一样，难堪、惹眼地离了群。

我在做白日梦。高楼、汽车、人群远遁了，只有那个无脸女人轻捷地向我走来，不可阻挡地走来，我血流奔涌，激动万分，发疯地想再次醒来，我怎么能不认为我是在噩梦中，可我的确又是醒的。高大、黑幢幢的影子一步步逼近、笼罩住我，我像一个吹足了气架在开水锅上等待煺毛的猪的尸首，动弹不得。

夜晚，李白玲在高楼背面的一个垃圾堆上扶起了我，又大又黑的眼睛蒙着雾，哀伤地望着我。

“滚开！”我有气无力地骂。

她不说话，汹涌地流着泪。

“放开我！”我奋力挣扎，感到抓住我的那双手，像铁钳一样深深掐进了我的肉。

“我是爱你的，难道你不明白吗？”她摇撼着我，“我不骗人，不撒谎了，你要那些钱吗？我都给你，要不就都扔了。你看看我，好好看看我！我不是那个李白玲了，我只是个女人，一个真正爱你，渴望你爱的女人！”

她声嘶力竭了，可我已经不能作出什么反应了，脸深深隐藏在耷散垂下的头发后面。她分开我的头发，惊恐地倒退了。月光下，出现在她面前的是一张雪白的脸，表情肌僵直，眼无瞳孔，长发在夜空中飘舞，犹如一具毫无生气的橡皮模拟人。

当你一旦认清事实，你就永远无法否认、回避、自欺欺人了。我带着我那副惨白、发着橡皮光泽和质感的面孔走在街上，任何人哪怕是白痴也能一眼认出我的非人。有的好心、固执的医生将我诊断为血色素低和面神经麻痹，认为他们可以用铁和针治疗。我也不分辩，随他滥施医术。有一次，我讲了实情，结果被送进精神病院，从此我便缄口不语。优哉游哉，自得其所，渐至无欲无念、不哀不怨之佳境。

只是有一天，在嘈杂纷乱的街头，我看到张璐喜笑颜开地从一家商店出来，身旁跟着一个高大英俊的青年军官，边说边笑走过我身旁，我的心抖了一下。她看了我一眼，没认出我，继续和她的男友说笑着向前走去。我呆立原地，注视着她，身影一闪，消逝在人群中。

后　记

李白玲于一九八三年在“打击经济领域犯罪活动”浪潮中以倒卖汽车嫌疑被拘留审查，后免予起诉释放。次年与一外籍华人结婚，婚后移居国外。

张燕生于一九八三年在“严厉打击刑事犯罪”期间被人揭发有群奸群宿及传播观看黄色淫秽录像行为，被公安局收审，同年判处有期徒刑三年。

杨金丽于一九八三年在“严厉打击刑事犯罪”期间，以“有损国格的行为”被公安局收审，同年判处劳动教养二年。

徐光涛于一九八三年在“严厉打击刑事犯罪”期间被捕后，关押半年，旋获释放。后退职，继续从事倒买倒卖活动，现为某口岸经济特区一贸易公司经理。

老邱在一九八三年“打击经济领域犯罪活动”浪潮中被单位审查，受到开除公职处分。后应聘为某公司经理，携公款潜逃，现正在通缉中。

张璐于一九八四年经家庭介绍与一年轻军官结婚，婚后仍住在父母家里，尚未生育。

张霁、老蒋也都健在，生活正常，恕不赘述。

（原载《青年文学》1986 年第 11、12 期）

痴人

一

一树桃花粉了。

从我们这幢孤零零拔地而起的办公楼往下望去，四围皆是低矮环列的青灰平房，鱼鳞般的瓦脊叠错接搭，犹如微澜初兴便凝住的汪洋大海。稀稀落落的街树、院树枝丫高出房顶，放眼眺去一簇簇枯干着，唯有天际一隅一树桃花粉盈盈，远远地鲜艳醒目。

桃花尚未盛开，蓬散为一伞，只枝枝布满花蕾，扇骨般翘直，宛若一捧瓶栽嫩润插花，被一只巨手设于天地间，供天眼俯瞰观赏。

在我们这些终年见惯北方冬春之际萧瑟景象，熟谙四季交替规律的人看来，这花委实有些不合节令。

我是偶一登高回首方看到这一株寂寞的花。

二

当时我正在和同事们边吃着食堂的包子边玩牌。阳光晃着人眼，办公室里暖洋洋，笑语喧喧。我摸了手好牌，举起来给站在我身后的阮琳看。

他进来了，由五短身材、赔了一辈子笑、笑出一脸皱纹的科长领着。谁也没注意他，就连科长大声宣布“这是咱们科新来的同志”后，大家也只是略抬了一下头，继续埋头吃饭、聊天、打牌。我听到科长说我的名字，让他以后就跟着我工作，大概他还指了指我告诉新来的那就是你“师傅”。我抬头往那边看了一眼，发现他正看着我。我低头看牌，旋即再次抬起头，他正凝视着我。不是每个人都有非凡的相貌的，我也算阅人较广，但我每每发现那些号称不凡或已经不凡的人大都长着一张粗俗平庸的脸，如果你不知道他是谁，简直连一眼也没必要瞧他。有些名望很高的人往往就因为粗鄙猥琐的相貌失去了人们的尊重。我可实在没法对他无动于衷。他形似骷髅，大大的眼睛占据了部分额头和脸颊，那几乎是仅由一双眼睛构成的脸。我不敢说他没有表情肌，即便有也没什么用，他的眼睛完全可以替代它，实际上他的眼睛几乎可以替代所有五官的作用，我从没见过这么多功能的器官，那不是眼睛，那是一部组合，人怎么可能长成这副样子？

我从他的眼睛里看到的是自己的全身照，不过有三只手。我低头检查了一下自己的身体，发现阮琳的手搭在我肩上，我倾肩让其滑掉。

“你叫什么来着？”上班铃响后，大家各自回到自己的办公桌，他在我对面坐下，我问他，并竭力不去看他的眼睛。“司徒聪。”

“噢，我叫司马灵——不不，不是和您逗趣儿，真是叫这个名字。”我听到全办公室的人的低低笑声，解释道，“你知道谁叫什么名字自个没法做主。父母一朝不慎，真能叫做儿女的羞愧终生。”

“哪里，你的名字很好听。”他微笑。

“是吗？那我踏实多了。嗯，咱们的工作其实没什么工作，不过意义很深远。你是知道我们国家的人口政策的喽？对对，只许开花不许结果。我们干的就是统计每个月咱们市少结了多少果，具体数字就是从当月本市发放的各种式样的工具件数相加得来。”

“这个数一定很大吧？”他貌似好奇。

“很大，数以百万计。当然这里一多半也许本来就是无功用，但这种事谁也说不准，无法打折扣。噢，我的意思不是说我们非得从一开始加，实际上这个数字是现成的，我们只需给医药公司打个电话问一下他们的进货量就可以。这种东西总是进多少销多少，一方面需大于供，一方面因为免费……”

我忽然没了讲述的兴趣——他的眼睛越过了我，射向了我身后的阮琳。

“其实我也没什么可教你的，到时候你一看就会——笨蛋都会。”

他重又看我。

“是啊，这工作有些无聊。不过你要这么一想：无聊的工作也得有人干，也就坦然了。”

“我一点没觉着屈才。”他心不在焉地说，“我也是来自人民。”

三

“这个人挺有意思是不是？”下班后，我们拥到走廊里，在楼下走，阮琳在人群中问我。

“哪个，你说的是谁？”我磕头草似的边走边向其他科室的熟人点头致意，“谁挺有意思？”

“那个来自人民的家伙。得了，别假装漫不经心了，你看他看得眼睛都快对起来了。”

“我一般不太注意男人。”

“你说他是干什么的——过去？”

司徒聪走在我们身后的人流中，比别人高出半个头，眼睛垂着。一出楼门我就拉阮琳钻进路边的牛奶店，看着司徒聪从窗外走过去，才出来到街上继续往前走。

“别对他那么感兴趣。”我对阮琳说，“这种人我见多了，刻意显得不凡以期引起别人注意，对这种人最好的办法就是不理睬他，哪怕他暗示你他杀过人你也别露出惊讶。”

“我没想理他，我对他一点也不感兴趣，我一点没觉得他有什么不凡，相反我倒觉得他很俗气。”

“就是，摆架子绷块儿谁不会？有真才实学的人从不表现自己，总是默默无闻。”

“譬如你。”阮琳笑着瞅我。

四

第二天，我一迈进办公室就看到阮琳坐在我的座位上和司徒聪脸对脸地说话，双方微笑着，低声细语，十分愉快。

“早啊。”我干笑着对他们说。

“早。”阮琳回头对我一笑，又继续扭头和司徒聪说话，“你到我们这个单位来真是可惜了，这儿特没劲，人也没劲。”

朱秀芬满面通红地拖着地板，从那头拖到这头，我侧身给她让开：“今儿你值日？”

“嗯。”朱秀芬抬起虽已不年轻，但仍油光锃亮的脸，“帮着擦擦灰。劳驾。”

我拿起门后暖气管子上的一大堆破抹布去水房浇湿。朱秀芬拎着拖把也来水房涮，开着水龙头哗哗冲时偏过头来对我说：

“瞧见那一对儿了吗？一大早就来了聊到现在。”

“你管呢。”我认真洗着抹布，“年轻人有自己的爱好。”

“哼。”朱秀芬用力扠着拖把，“来个男的她准第一个凑上去，涎着脸，真叫人看不惯。”

“我觉得挺正常，小阮为人热情，乐于助人。”

“谁派她了？”

我拿着抹布回到办公室，司徒聪和阮琳还在说话，我开始挨个办公桌仔细地擦拭。

“你说是不是嘛？司马灵！”阮琳不知道和司徒聪说到什么，扭头大声问我。

“什么是不是？”我头也不抬，继续擦灰。

“咱们办公室表面上大家挺和气，其实背后互相说别人的坏话。”

“我不知道。”我低头擦着桌子说，“我没听见谁说过谁。”

“还没听见呢，前几天不是你告诉我朱秀芬那帮老妇女在背后说我？”

“我没说过。”我走到他们面前擦着我和司徒聪的办公桌。

“你别不承认，你替她们打什么掩护？”阮琳对司徒聪接着说，“这办公室里我也就和司马还能说到一起，别人全特坏，你别理她们。”

司徒聪看着我微笑，我面无表情装作没看见。

陆续有同事进屋，大声说笑，石玉萍叫阮琳过去看她新织的毛衣得在哪儿加针。阮琳满脸带笑地跑过去，殷勤地替她拿过毛衣加针。

“这姑娘挺直率。”司徒聪笑着对我说。

我撇嘴一笑：“你别听她的，她也是个背后搬弄是非的主儿。”

“她长得挺不错。”

我回头看了眼正跟石玉萍连说带笑的阮琳。

“也就一般吧，还有点人样儿，在咱们单位算是一朵花儿，不打扮也没法看。”

司徒聪注视着我，我对他诡秘一笑：“你可以勾搭勾搭她。”

司徒聪笑了笑：“你已经勾搭过她了吧？”

我暧昧地笑，未置可否。

“谁都有戏，真的，不一定非要娶她，当个情妇她还是蛮够格。你不打算试试？”

“试试就试试。”司徒聪深不可测地看着我，微笑。

“不用费很大劲儿，一顿饭就行，吃完了你爱带她上哪儿就上哪儿。”

我避开他的眼睛。

“我们今天干什么？”他听上班铃响了，大家纷纷归座，问我。我把抹布扔回暖气管子上，坐好：

“什么也不干，没的可干。下回上班来你可以带本小说来看，但不要放在桌面上看，放在抽屉里，懂吗？头儿一进来就把抽屉关上。”

我拉开自己的抽屉，低头看里面看了一半的小说，不再说话。

五

工间休息时，我们下楼在院子里做广播体操，我挨着阮琳，笑对她说：

“他看上你了。”

“别胡说。”她边踢腿边笑。

“真的，他亲口对我说的。他着迷了，你没白忙一早上。”

“我可一点没看上他。我早上只不过到得早点儿和他说了会儿话，都是同事，不理不睬也不好。”

“别那么傲慢嘛，他看上你也不是什么坏事。你别太拂人家好意。”

“要是谁看上我都满足他，我得会分身法才成。”

“起码你可以吃他一顿，既然人家盛情难却。”

“他说要请我了？”阮琳停住动作，感兴趣地问。

“说了让我转邀你，我想他还挺迫切。”

阮琳笑了，开始做侧身运动：“我不反对别人请我吃饭。”

“我建议你不妨对他热情点儿，人都是靠希望活着的嘛——哪怕这希望靠不住。”

“这好说。”阮琳笑着做跳跃动作。

“她同意了。”我回到办公室，对司徒聪说。

“同意什么？”

“咦，你不是说要请她，阮……”

“噢，”司徒聪笑说着，“我跟你说着玩呢，你当真了。我请她干吗？我一点没觉得她有什么魅力，甜俗罢了。”

“谁也没叫你真讨她当老婆。我可跟她都说好了。”

“那我去告诉她这是一场玩笑。我从没有为女人花钱的习惯。”

“那怎么行，多不好。算了算了，我掏钱吧，算我请。”我作出咄咄逼人的姿态。

“咱们谁都别请，干吗要请客？”他毫无所动。

“别说了，我请就是了，都跟人家说了。”

阮琳容光焕发地进来，瞧我一眼，扮出一副迷人的样子摇摇摆摆走到司徒聪办公桌前，笑着问他：

“你怎么没下去做操，换换空气？老在办公室坐着人会蔫的。”

“啊，没事，我喜欢蔫点儿。”

司徒聪看我一眼，我全神贯注看着窗外。

六

“你有没有觉得我和一般人不一样？”我们三个坐一间二流餐馆不很干净的桌旁，司徒聪问我。

“没有。”我板着脸回答，随便点了几个实惠的菜，把菜单交给服务员拿走了。

“我得过神经病。”

“真的！”阮琳果然大惊小怪地叫起来，“我不信。”

“跟谁说谁也不信，不过我确实得过，就为神经病我才从大学到你们单位来。”

“神经上的毛病一般人都有，诸如失眠、焦虑，那不算很特别。”

“可我的神经病和一般人的神经衰弱不一样，厉害得多，我有段时间已不能控制自己的行为。”

“那就不是神经病，而是精神病，这两者有本质上的不同。”

“不管叫什么吧，反正我得过那样的病，那会儿大家都说我疯了，我自己也觉得自己疯了。”

“精神病最主要的症状就是精神病患者不承认自己是精神病。”

“司马灵学过医，这方面他懂得很多。”

“一知半解吧。”我白了阮琳一眼，“我懂得不多。”

“你为什么得的神经病？”阮琳没注意到我的白眼，问司徒聪。

“精神病！”

“噢，精神病。”阮琳看我一眼，仍毫无知觉，傻瓜似的看司徒聪。

“说来话长，我今天不想说。”司徒聪相当的矜持，“那话说起来很痛苦的，以后……”

“不想说就不要说了。阮琳你也是，老往人家疼处杵干吗？”

“反正我现在也好了。”司徒聪明朗地笑着，“要不我也不会这么安详地和你们坐在一起。”

服务员把菜陆续端上来，我们开始吃起来。

“发神经病时的感觉是什么样的？一定和正常时截然不同吧？”阮琳边吃边令人厌烦地纠缠着这个话题。

“截然不同，对没发过的人来说那是完全新鲜的，无法想象的。”

“阮琳你烦不烦？你要想发精神病就无所顾忌地发呗，难道这还要步调一致吗？”

“我就是想发。”阮琳挺直腰板对我说，“你管得着吗？不爱听别听。我有时就是想发发精神病，那样也许可以使我不真的得精神病。”

“发精神病的滋味并不好受。”司徒聪说，“假发没有效果，真发就不可收拾。那感觉怎么说呢，很难一句话说清楚，如果你常做梦也许可以多少体会一点，一切法则忽然无效了，你不受任何约束了，你变聪明了，什么都懂了什么都不怕了，当然你的肉体仍会被现实碰得皮开肉绽，墙仍然是墙，但思想飞驰了。”

“所谓飞驰不过是一通胡思乱想，所谓聪明了也不过是不顾客观规律凭主观意念去理解一切事物。”

“当然在你们正常人看来是这样。”

司徒聪尖锐的反驳使我大吃一惊，我不再吭声低头吃菜。

“太有意思了。”阮琳吮着筷子着迷地说，“那一定非常快活，怎样才能真发一回精神病呢？”

“你这问得太离谱了。”司徒聪笑着说，“我不能也不愿教你，否则司马灵该说我有意引你入歧途。何况那不快活，不像好梦一样令人留恋，而且别人也不允许你处于那种状态，他们会千方百计治疗你，让你醒过来。醒来你就会发现不管你在臆想中驰骋了多远，现实仍像你发作前一样原封未动，你反倒难以适应了。”

“我倒宁肯哪怕自欺欺人地自在一回，反正适应不适应现实也不能让我更自在。”

“不不，我可不能让你这么个可爱的姑娘变得落落寡合，招人讨厌，像我一样。”

我只是充耳不闻地埋头吃我的菜。

七

“你真的认为我，嗯，还过得去？”我们三人来到大街上，天已经黑了，尽管商店都开着灯，一间毗邻一间形成两列明亮，陈列着五光十色商品的长廊，街上仍相当昏暗，人很多。我们夹杂在人群中走，阮琳像个初次受到恭维的年轻姑娘，红着脸，又腼腆又兴奋地盘诘着司徒聪。

“真的，我对你印象很好。”司徒聪笨嘴笨舌地回答，模样很忠厚但毫不掩饰。他们谁也没注意这顿饭是我付的钱，实际上我已经给撇到一边去了，仿佛我理所当然应该为他们的约会跑前跑后，而他们要干的只是黏在一起互诉衷肠。

“我觉得你应该对自己有信心，难道你不照镜子吗？”

“照的，但我知道充其量也不过是有一二分姿色，比我漂亮的姑娘有的是。”

“长得好很容易，但有头脑就不那么容易。而且我觉得面容姣好倒在次要，身段好才更有女人味。你身段就很不错，很成熟，很丰满，是不是司马灵？”

“是。”我乜了眼走得越发娉婷的阮琳，“该有的她全有了。”接着我笑了。

“你笑什么？”阮琳问我。

“没笑什么。”我笑着说，“我想起我看过的一本翻成白话文的《诗经》，你知道那里面把窈窕淑女，君子好逑翻译成什么吗？”

“什么？”两个人都看我。

“‘苗条端庄的姑娘啊，是小伙子的好配偶。’”

我嘿嘿地乐，他们俩没乐，继续嘀嘀咕咕地说话。

我们又往前走了一段，来到更加热闹的街口，这时我加快步伐赶上他们，指着一个正从马路对面穿过人行横道走过来的姑娘对司徒聪说：“你看这姑娘怎么样？”

“不错，”司徒聪由衷地说，“风度绝佳。”

这的确是一个“淑女”，头发整齐，眉清目秀，步态稳重，服饰雅致，有一种大家闺秀的风范。她走过我们面前时，阮琳一句话都说不出来，我想当时在那个街口的几百个女孩子都有相形见绌、自惭形秽的感觉，连她们的男伴大概也感觉到了。

“我得去跟她攀谈攀谈。”我跟司徒聪说。

“你别去。”司徒聪有点受惊地说，“众目睽睽，你会出丑的。

况且在街上纠缠妇女那是小流氓才干的勾当。”

“我得去，要错过这个机会简直是对自己的放纵。”

“她不会理你的，你相貌这么普通，一个那么出众的女子不会对你有什么印象。”

“没好印象坏印象总会有吧，我也不想一投达标，先给她留个印象再说。”

“一定早有无数英俊、才貌双全的男子使她眼花缭乱了，她都长这么大了。”

“你让他去吧。”阮琳插话说，“干吗拦着他？你怎么知道那个人不是他将来的妻子？”

我离开司徒聪和阮琳，快步撵上那个风姿绰约的女人，和她并排走：

“嘿，你怎么这么风度，没发觉大家都在看你吗？”

那女人看我一眼，没说话，继续走路。

“假装特习惯，假装特无所谓，其实心里偷偷乐。”

那女人又看我一眼，冷冰冰的。

“别别，你别告我你叫什么，到哪儿去，也别问我是谁，干什么的。咱们就当是生人，互相不认识。一起走路，闲扯几句。你要是懒得张口就光听我一人说，实际上我也不想给你插话的机会。我不喜欢一个人应声虫似的有问有答，我每天在熟人中所得太多了。你咳嗽一声也有人跟着喘两声，想多说几句都没机会。你说一句别人能答你十句，我又嘴笨，说不过人家。我就喜欢找不会说话的物体交谈，在家我就对着墙说话，在街上就找害羞的女孩子说话。反正不用负责，说完各走各的，这辈子不再见面了。”

我跟那女人走到一个公共汽车站，她停下我也停下，继续滔滔不绝地说：

“我就喜欢别人对我冷淡，别人都不如你了解我，知道我喜欢什么。人人都对我那么好我简直烦透了这几乎是逼着我也对人人好。其实我并不喜欢很多人就因为他们喜欢我我也不得不装作喜欢他们。我本来最恨孙子并发誓绝不装孙子结果比谁装得都多。我很难过，每天晚上睡觉前我都下决心早上起来跟他们磕，可早上起来第一个见到我妈妈又露出乖巧的笑容，板也板不住。忘恩负义，六亲不认真是太难了。你有什么好办法？不不，你别说话，别回答我，别破坏我的好印象，好多女孩就因为开了口让我再也不愿意见到她们就这么毁了我们的友谊。我希望你是超凡脱俗的。”

那女人几次欲开口都被我堵了回去，就这么沉默无语地听着，直到公共汽车来。

“谢谢你能把握住自己，你真是我见过最美丽、最体贴的女人，和你谈话真是畅快——下回我还找你。”

八

“你已经把那个美人勾搭上了？”第二天，我刚在办公桌后坐下，司徒聪便问我。

“手拿把掐。”我做了个含义不清的手势。

“她叫什么名字？”

“她还需要一个名字叫人记住她吗？”

“我看你什么也没得到。”

“对，我什么也没得到，她连一眼也没看我。你怎么样，大胜而归？”

司徒聪笑。

“我说过嘛，她是个热情洋溢的姑娘。”

“噢，你可别乱猜，我们俩可什么也没干，不像你想的那样。”

“得啦，瞧你今天走进办公室那副兴冲冲的样子。”

“司马，”科长从他的办公桌后叫我，把食指放在唇边，“嘘——”

我冲科长抱抱拳，对司徒聪说：“咱们声太大了。”

阮琳也从她的办公桌后往这边看，我扭头对她笑笑，手托腮往窗外看去。沉默了片刻，我听司徒聪轻轻说：“我发觉你是个很有意思的人。”

我扭脸看他。

他的目光十分柔和，友好：“你既百无聊赖又安适闲在，似乎什么都不操心。”

“司徒，我可不是爱虚荣的女人，这些话你应该留给阮琳听。”

“我不是奉承你。”司徒聪微笑着说，“这的确是我对你的看法，我很羡慕你。”

“其实我也很苦恼，很忧愁。”我做出一副愁眉苦脸的样子，却忍不住笑了。

“我就不能像你那么游刃有余地处理人际关系，实际上，我得精神病的原因就是搞不好和周围人的关系。”

“你不一定非告诉我这件事。”

“我知道你对别人的秘密没兴趣，但我想说，这种事我不想和阮琳说但想和你说。你不必担心我重提旧事会犯病，我已经好了，很能控制自己。”

“这么说你真的得过精神病？”

“天啊！你以为我一直对你撒谎还是得精神病有什么可炫耀的？我一点没为自己得过精神病感到自豪……算了，我不说了。”

“说吧说吧，我信，我正在洗耳恭听。”

“不说！说不说就不说！你跟我说说你怎么弄得八面玲珑，人人都喜欢你？”

“人人都喜欢我？我没觉得。这也没什么窍门，还不就是傻呵呵的，小胡同赶猪——直来直去，想怎么样就怎么样，管他别人喜欢不喜欢。”

“一点都不管？”

“有什么可管的？”一刹那，我真觉得自己伟大。

“可我总觉得人和人交往要不断地克制约束自己的欲念，迁就别人以求相安无事。”

“有的事你越拿它当事它就越是事，你老盯着一座楼看它就会向你倒来，迎着太阳睁眼你会感到刺眼闭上眼就是一片金红。瞧，我向你作起报告来了。我不知道你过去都和什么家伙打交道，我想他们能把你逼疯就一定挺不是东西。但我想对你说你现在安全了，对我，对阮琳，对这个办公室里的所有人你不必心存戒意。我们都是头脑简单的人，就算将来我们会和你争吵、得罪你，你也不要往心里去。同样你什么时候出言不慎冒犯了我们也不会计较，你想怎么对待我们就按你心里想的去干。我们也一样，既不会把你供起来也不会把你踩在烂泥里。”

“真能这样？”

“当然，难道你以为自己有多了不起，多不同凡响？我可实在认为你不过是个和我一样的俗汉。只有大人物到我们这儿来才会感到不自在，我们自然对他也不会客气。而你，在我看来，实在拘谨得有些可笑了，你不也是每个月三十八斤粮食半斤油吗？”

“是是。”司徒聪眉开眼笑，轻松起来，“我是不是也可以叫你司马炕？”

"可以。"我笑着，心里十分诧异。这个外号是我小时候尿炕史的遗物，很多年没人叫了，他怎么会知道，显然是阮琳滥用了我的信任。我心里恼表面上一点没露出来，"你这么叫我觉得很亲热。"

"你知道吗？我第一次见你就对你很有好感，莫名其妙地就觉得你会成为我的好朋友，我很相信自己的直觉，我的直觉很少欺骗我。"

"我第一次见你也对你印象深刻，看来咱们都遇见知音了。不过我得告诉你，我这人情绪也很不稳定，有的时候不高兴起来也会不理人，你可千万别以为对你有什么恶意——碰到那种时候。我不敢打保票老是情绪很好，但我敢保证我对你绝不掩饰自己的情感。要是有人告诉你我在背后说你坏话，你可千万别信，一定找我核实后再作出判断。"

"我也保证我对你永远以诚相待。"司徒聪说，"我到这个单位来最大的收获就是认识了你。"

"还有阮琳……"

"还有阮琳，"司徒聪笑，"你们俩。"

九

"司马灵。"阮琳在我身后的人流中叫，连挤带撞地向我跑来。

我正在大百货商场二楼里转悠，每到休息日我都去各个百货商场、服装店转，看有没有适合我穿的裤子。我仅剩的一条裤子还是五年前从外地买的，这五年了逛了无数次商场，总买不到可心的裤子，不是裆肥就是裆短，我还不算畸形就这么困难。我不肯去找那些冒牌"上海裁缝"去做，先付钱后交货的事我总信不过。

阮琳喘吁吁地挤到我身旁，我往她身后看去。

“你看什么呢？”她问，也回头。

“我看那位先生在什么地方。”

“什么呀。”她明白过来，笑着打了我一下，“我没跟他在一起，我自己上的街。你又来看裤子？”

“我没必要告诉你我来干什么。”我声色俱厉地对她说，“我一看见你就够了。”

“我怎么得罪你了？”阮琳眨着眼睛纳闷地说，“你像个带哨的开水壶。”

“我问你，”我气冲冲地往楼下走，费力地穿过挤在各个柜台前的人群。商场里一片嘈杂，各种能出声的电器和玩具此起彼伏发出怪音，大声喊叫也不会引起别人注意。“谁让你把我的外号告诉司徒聪那个白痴的？”

“什么外号？”

“还装傻呢，就是那个‘炕’，什么的。我有那么多外号，你为什么不把‘大帅’、‘虎子’告诉他，偏把最不体面的告诉他？”

“噢，就为这个呀。”阮琳笑了起来，“我是先从好听的逐一告诉他的，是他自己觉得这个最好听，你别生气，司马灵。”

“别叫我名字。”

“那叫什么？总不能当着这么多人叫你大帅。”

“叫阁下。”

我也忍不住乐了，但马上又觉得笑得不合时宜，应该严厉点，否则她会觉得我无所谓。我冷冷地对她说：

“就一天晚上你们就熟到这份儿上了，开始议论起别人，是躺在床上议论的吧？”

“哟，还吃醋？你是我什么人？你跟我有什么关系？你是我丈夫吗？”

“我就是动过当你丈夫的念头，这会儿也打消了。”

“我还看不上你呢，给我提鞋也不要你，以为自己怪不错的——我跟他什么也没干，就说了一会儿话。”

“多一会儿？”

“一夜，大半夜，谁让你走开追那个女的去的。”

“我走了。”

“你别走。”

“你别走。”阮琳拉住我，这时我们走出了商场大门，“没说一夜话，就站在原地聊了会儿，看你老不回来，就各自分手走了，放心？”

“本来我就没担心……你们说什么了，他对你？”

“就说他得精神病的原因。”我们并肩在街上慢慢走，“他说他在学校时那些人怎么欺侮他，合伙害他，孤立他，有几年的工夫他几乎一句话都不敢说，一说周围的人就群起而攻之——我觉得他真惨。”

“他就是想打动你，这招儿我见多了，故意把自己说得特可怜，特招人同情，蒙骗无知女青年大动恻隐之心，想去安慰他，女的能用什么安慰男的？”

“我觉得他不是假的。”

“对对，他不是假的，是真的。弄假成真谁不会？我也会把根本没有的事说得真的似的，你还能调查去？没当过‘右派’，没赶上‘文化大革命’、‘上山下乡’，只好说自己心灵正在受不知名的折磨呗，活得痛快显得多浅薄。”

“我发觉你特卑鄙，司马炕，你怎么这么卑鄙？我听司徒聪说你们互相不是已经引为知己了吗？听他那口气你简直是他最好的朋友，背后你就这么说他。”

我有点难为情，但很快又振振有词：

“他是跟我说过一堆亲热、肉麻的话，可对他并没有从此产生义务。是怎么样的我就怎么说，即便是朋友也不例外，让我违心地搞一团和气我办不到。”

“你真没心肝，一点人情味儿都没有。”阮琳说，转身走掉。

“去找你的姘头告状去吧。”我嘟噜说，“我不怕。”

那天我心情不甚好，在街上逛了半天，看到那个“淑女”，又上去和她聒噪了半天，没容她插一句话。

她似乎每天都从这条街经过。

十

“司马炕，你今天值日你给忘了。”我刚进办公室，司徒聪就笑着冲我嚷，表情极亲密。

“真是，”我慌张张打抹布，“过个星期天都把人过糊涂了。”

“别打抹布了，我已经替你做了——你看不出来？”

“太谢谢了——我看出来了。”

“有什么可谢的，都是哥们儿。”司徒聪不屑地摆摆手，脸上仍满是笑。

我只好用笑来表示领情。

中午吃饭前我出了个洋相。在我们单位食堂吃饭绝无吃不饱之虑，但想吃好就得积极点，铃一响就得一刻也不耽搁地冲出去，否则你排了半天队也只能吃上熬白菜。在等下班铃响那紧张警觉的几秒钟内，来了一个电话，我来不及分辨便立身蹿了出去，引起哄堂大笑，司徒聪的笑声格外响亮刺耳。当我满面羞惭地踅回办公室，他甚至踢了我一脚：

“司马炕，你快得像只听到主人一声吆喝的狗，你小时候尿炕是不是也因为你妈的鼾声带着哨音？”

“不是不是……”我自我解嘲地笑着，心想，照这样下去，不到下午，全单位的人都知道我过去是个尿炕精了。

中午，我在牌桌上传统的位置也被司徒聪取而代之了，他放肆地把我推到一边：

“你到那边吃饭去，阮琳，过来，看我怎么赢。”

我只得与朱秀芬们为伍，眼巴巴地看着那边一堆人又笑又叫，热闹非常。

“你跟他搞得挺熟，叫你都用外号了。”朱秀芬对我说。

“嗯，我喜欢让人觉得我没什么架子。”

“臭德行。”朱秀芬喝着用开水冲菜渣做的汤白我一眼，“我不喜欢那小子，咋咋呼呼的，数他嗓门大。”

“你怎么这么臭？”司徒聪的声音从那堆人里传出来，他在呵斥石玉萍，“有‘2’不用，留着看画呀？你下去吧，让阮琳替你，没见过你这么臭的。”

“瞧瞧，才来几天，就跟这儿的头儿似的，真叫人看不惯。”朱秀芬声音低低地说。

“你不能拿一般人的标准要求他，他那人就那样。”我说，“他有精神病，咱们都得让着他点，别招惹他。”

“真的？”朱秀芬瞪圆了眼睛。

“你可千万别出去对人乱说。”我严肃地对她说，“要传出去就太不好了。这话我只对你一个人说，你心里有数就行了，他说什么你都只当没听见，千万别跟他认真，吵嘴，他是病人。”

“我不会的，我还不是那不知轻重的人。他是精神病，怪不得我觉得他和别人不一样。”

我离开朱秀芬走过去看他们玩牌：“怎么样？赢了输了？”

“咱哥们儿会输吗？也不看看跟谁打仗呢！”司徒聪得意地把手里的牌给我看，“手气没治了，老是这么好，谁跟谁都挨着。”

“好好，玩吧玩吧。”我拍拍他肩膀，出去刷碗。

十一

司徒聪和阮琳好得开始显“形”了，上班同来下班同走，中午吃饭你给我带我帮你买。办公室的不少同事都不同时间地看到过他们手挽手在大街上逛，有几次据说已经是很晚，接近没末班车的时候。不知道他们是控制不住情感还是根本就没打算控制，我估计后者成分居多。他们越来越公开地在办公室里打情骂俏，我只要稍一走开，阮琳就会跑过来占了我的位置，和司徒聪面对面地聊上半天。害得我无处可去，倚在别人的办公桌旁和朱秀芬们有一搭没一搭地说些没盐没醋的话儿。

这情形科长也看出来了，有一天他问我是不是司徒和小阮在谈恋爱。

“不谈恋爱就不能好了？”我反问科长，“只要两人乐意，你管人家采取什么形式呢。”

“那叫什么？”科长说，“不谈恋爱，不打算结婚两个人搞到一起那叫什么玩意儿？”

“你真是不解放。”我对科长说，“你是科长，工作领导，只要人家不影响工作，就是养孩子也不碍你的事。”

科长闻言惊得气都透不过来："我们这儿是政府机关，不是产院。"他要我找司徒谈谈，摸清他和小阮究竟是什么关系。

"我不管。"我说，"我算老几？了解工作人员的思想状况是你这个领导的事，失职是你失职。"

十二

我的头很痒，很多天没洗头我觉得自己像戴了顶摘不下来的帽子，沉甸甸的。午休的时候，我便到街对过的理发馆去理发。理发的人不多，但也需要等。我正坐在长椅上暗暗计算能否准确地落到那个戴着大口罩从眼睛看似乎挺漂亮的年轻女理发师手里，司徒聪闯进来，一眼找到了我，坐到我身边：

"到处找你，你躲到这儿来了。"

"我没有躲，我光明正大地来理发。你怎么没玩牌？"

"有件事想找你商量。"。

"这个月的工资我也花得差不多了，只剩几块钱饭票。"

"不，不是这事。"司徒聪点上一支烟，显得非常郑重，"你觉得结婚好吗？"

"唉——"我叹口气，同情地问，"被讹上了？"

"没人讹我，完全不是这么回事。我这问不涉及具体人，只是泛泛一问，从理论上问一问。"

"从理论上讲，我还能说什么呢？当然好，有人侍候了，灌溉正常了，用不着旱——旱死，涝——涝死。不过既然有被人绑一辈子的可能，就要看仔细，找一个保鲜好的，老得慢点的。你拿我当朋友，我也得做个诤友——她差点意思，连勉强及格都够不上。”

那个光露着眼睛的女理发员打发走了一个头剃得像锅盖的粗俗汉子，走过来问：“该谁了？”

“该我了。”我站起来，跟她走到理发椅上坐下，任她用白围布把我围得像个准备吃饭的幼儿园小朋友。

“长点短点？”

“随便，您看着怎么合适就怎么理，好看就行。”

司徒聪也跟着我走过来，站在理发椅旁边继续跟我唠叨：

“我懂你的意思,可我不同意你的观点。你认为相貌第一重要，我却认为心眼好坏是主要标准。我们从小到大听过多少狐狸精的故事？”

“心灵不美可陶冶，长相不俊那可真是一点办法都没有了。”

女理发员开始在我头上推，按我低下头。

“恰恰相反，改造灵魂很困难，而修饰相貌有诸多良策。”

“这个嘛，”我梗着脖子斜着眼儿说，“据我所知，所谓诸多良策也净是些治标不治本的损招儿，砂轮锉锉玩儿，往塌鼻子里注射一管混凝土，起不到改天换地的作用。”

“你差了，你不懂了，这方面你完全是无知的。”

“我才不无知，我当然知道现代整形术发展到了什么程度，摘根肋骨，卷点皮瓣，就能当真枪用。问题是咱们国家整形术还没普及到健康人的美容上，你得先给自己的脸猛踩上一脚，人家才肯修补，那也是拆东墙补西墙，脸上光溜了，屁股瘢痕累累。”

“我大概是没向你说清楚，你大概是还没完全了解我。”司徒聪沉思着说，“其实事情完全不会恶化到你说的那种地步，凭我的能力就能从容地解决这个难题。”

“什么？”我歪歪头，女理发员把我的头扳正。

“我有办法把一个丑女人变成独一无二的大美人。不费吹灰之力。”

“谁都有办法把丑妞变成漂亮姐儿。”我嘲笑说，“情人眼里出西施。”

“你错了，我指的是货真价实、脱胎换骨的变化。”

“你学过整形？”

“去你妈的整形吧。整形不就是借助器械、绷带、采用手术和牵引的办法改变骨骼和肌肉的走向、位置及厚薄吗？这一切我通过意念同样可以办到，就是慢点，但没痛苦。”

“你知道我不管怎么说也是唯物主义者，精神原子弹那号玩意儿几十年前就是陈词滥调了……”

我的脑袋已经在女理发员的手下变化了，变成阴阳头。

“我是精神病你知道吧？”

“可你已经好了。”我照着镜子惊恐地说，“你说过你不会再犯，你说过你能控制自己，对不起……”

“我现在也没犯！”司徒聪火了，“我只是想告诉你我在得精神病期间学了气功，你知道什么是气功吗？”

“不就是可以不眨眼地让汽车从自个肚皮上轧过去？”

“错了，气功就是有意识控制神经和血液流速的能力。当电流在导体中快速穿过时可以产生随电流强弱增减的磁场，当血液在血管中快速流动时不也可以同样产生某种磁场吗？你在中学学过物理应该懂。”

“一点不懂，我在中学只是勉强认了几千汉字，那时的中学没怎么认真传授学问。”

“那你也应该可以意会，你头这么大。”

“我意会了。”女理发员把我的头越推越小，她显然不能在适当的界限掌握分寸了。

“你可以认为我是因祸得福，我学气功本来是为了使自己恢复正常控制神经的能力，也就是控制理智的能力，结果我发现我意外地获得了控制下意识的能力，譬如控制血液流速的能力。这就使我可以随时变成一个大场强的磁场，遍布全身的血管使我变得像一个紧紧缠绕着铜线的磁棒。”

“你不是说你可以使录音机不接电源转动起来吧？”

“当然可以，但那毫无意义。还不明白？我宁肯把这份能量消耗在改造人的过程中。你怎么不说话？”

我震惊得几乎“木”了，连头上蜿蜒蹭行的理发推子也感觉不到了。半天，我畏惧地问：“你是这么想的还是已经这么干了？”

“我已经这么干过了，否则我怎么会这么自信？你瞧瞧我，我就是通过意念调整变得漂亮悦目的范例，还有比这更有说服力的吗？”

我扭过头去看司徒聪，女理发员也随我一起扭头看，他竭力舒展眉眼。

“他好看吗？”我问女理发员，“我怕我带有偏见。”

理发员在口罩后面笑了，我也笑了，她把我头摆正继续理，我对着镜子说：

“无论多么迁就的说法，也不能把你归为悦目一类。”

“可你不知道我原来是什么样。”司徒聪愤怒地说，“和那些电影上的戏子比我当然是不如他们，但和我自己从前比——我好歹如今还有了点人模样。”

“好啦好啦，我们谁也不能和那些戏子比身坯。”我和解地说，

“但孤证不说明问题，如果你能把阮琳当着我面变得有点人模样，我就信你——理发员，我不是要剃秃子。”

那天理完发出来，我十分真切地感到脑子不够用。头理得像收割后的麦子地，小风吹来，冷飕飕的。办公室里，我几次不成体面地趁科长出去靠墙根倒立，惹得女同事们笑得东倒西歪，她们不明白那是严肃的使血液倒流。

我长时间地凝视阮琳，要把她脸上每一个弯回凸凹铭记脑海，以便日后能察觉出任何细微的变化。她说我盯她的眼光是淫邪的。

十三

我出现在那个街口时，她也正好到达，穿过马路“招摇”地走过来，看到我颇为含蓄地笑。

“我心情不太好，你今天要不着急干什么去，陪我一会儿。”我说。

她微微地笑，放慢了脚步。

当时正是一天中街上人最多的时刻，可以用人山人海来形容，公共汽车、无轨电车和小汽车首尾相连，堵塞了一条又一条马路。

“你请我到哪儿吃一顿吧。”我请求她说，“下个月发了工资我再请你，这会儿我实在是没钱了，我想你不会像一般的俗妞儿一样对谁掏钱很在乎。”

她询问地看着我。

“算了，我知道我这是奢望，真没劲。”

“我不是不请你，我是问你上哪家餐馆。”

“你说话了，”我惊喜地说，“闹了半天你不是没嘴葫芦，我本来都开始习惯和一个哑巴在一起了。”

“是你一直阻止我张口，我只不过是成全你的自我表现欲。”她笑吟吟地望着我，“我看得出你十分小心眼儿。”

“咱们可以互相认识了吧？”在一家中档餐馆落座后，她对我说，“现在你不必担心我张口拒绝使你受害了。”

“不不，还是这样互相不知底细好。这样我可以尽情把你往理想化去想，敞开盛赞你的天生丽质不致使你误会我有所图。”

“可不管你怎么装神弄鬼，我也不会把你想成什么神秘的大人物。是你的职业使你羞于启齿还是因为你叫了个‘保贵’、‘锁柱’什么的？”

“都不是，我的名字和职业要吹起来也可以吹上半天。我只不过是很难和人相处，人家不了解我时都对我印象很好，一旦深入了解了没有不厌恶我的为人的，从小学时就是这样，让我伤透了心——我想让你始终对我保持好印象。”

“可我现在对你印象并不好，如果你老实交底的话没准倒能改变我的看法，从中学起，我就总是和落后同学很说得来。”

“我不能冒这个险，就算现在你讨厌我了，归根到底讨厌我了，你不知道我名字背后骂起来也骂不成句。”

我们俩笑起来，她的笑容真是灿烂，令人目眩神迷。

“我知道我是没福和太出色的姑娘搅到一起去的，现在这样我已经很满足了。你怎么长得这么漂亮，巧夺天工，凭什么？哪怕再稍稍逊色点我也会有勇气努力一下，真让人心灰意冷。”

“别无聊了。”

“你别嫁人，真的别嫁，这世上的活人没一个配得上你的，你出家吧，你不知道一想到你就这么易受诱惑地在街上大摇大摆地走来走去我就放心不下。”

“你哪儿学来的这一套大拍马屁的路数？告诉你，不管你觉得自己如何独辟蹊径这一套也早有人先干过了。”

“可能的，谁让我们生得晚。”

“你兴致蛮高嘛。”她端详着我说，“你简直有点美得屁颠颠的。你是不是成心诓我饭吃？”

“不不，见到你前我真是很忧愁。”我收起一脸笑，垂下头，“要不怎么叫‘乐不思蜀’呢。”

“你失恋了？”

“没有。”我茫然地望着天花板，饭菜端到面前也没心思吃。“一个明摆着的白痴跟我说了一通如何用意念使人由丑变美的语无伦次的话，把我弄蒙了。他说得那么煞有介事，我明知道这是反马克思主义，反现代物理的，因为不懂也只能干瞪眼。”

“应该允许人家追求美的愿望存在。”

“这不是什么愿望，已经几近巫术了。”我比比画画和她讲了一遍司徒聪对我说的话，尽管借助手势我也知道没讲清。“这根本就是异端邪说，反常识的。一个人长这么些年小时候什么样大了还是什么样。他却异想天开妄图改变人的面貌，用的也不是公认的可以施行的手段。”

“我倒觉得没什么可大惊小怪的，你怎么知道他就一准不成？要是行之有效你管他是不是异端。我看你这么激动，是不是正因为怕他成功？”

“就算这是有道理的，可行的，也不该由他先想出来。他是个精神病，怎么倒比正常人高明了？大可怀疑其动机。”

十四

“你们搞得很热乎呀，”司徒聪对我说，“都一起去餐馆吃饭了。昨天我看见你们了，谈得那么亲密，连我和阮琳从你们面前走过也看不见。现在你知道她叫什么了吧？”

“不知道，我还是没问。”

“你不要自卑感、虚荣心那么强嘛，她很明显对你有好感，你只要乘胜追击……她看得出是个很不错的姑娘。”

“我才不是自卑，我是不想冒冒失失又和一个糟货搞得太密切，你知道她是怎么回事？看上去挺漂亮谁知道她有没有暗疾，狐臭滴虫之类的，有的人就是金玉其外，败絮其中！”

司徒聪被我脸上流露出的仇恨惊得一句话都说不出来。

十五

月末，我们可有了点事干，准备着手把当月发放的各类“阻遏”工具数量列表造册。本来这的确是一个电话就能解决的，为了使自己更忙些，对得起菲薄的工资，我们多余地给各区医药公司，各大药房打了不少电话。为了使一个人的工作更有理由让两个人干，使另一个人别闲着，我叫司徒聪另列一个利润表，算一下一个人从小到大要花费多少银子——按平均生活标准综合市场物价的升降幅度，乘以发放工具量，姑且以一次射精代表一个可能出生的婴儿。计算得出的为国家节约的钱是一个超过国民生产总值几百倍的天文数字，连最爱夸海口的人也吓了一跳。于是我们又重新计算，把总数除以妊娠周期的三百天，把婴儿死亡率，一个人成长过程中可能遇到的天灾人祸、交通事故、自杀、被犯罪分子杀害等等统统考虑进去予以减除，可这意味着又必须把事故赔偿，殡葬费用，诉讼，关押处置罪犯的开支全部加进去。最后，所有聪明人都糊涂了，只能凑合得出一个主观的、不可靠的数字很不踏实地沾沾自喜。

在我们全力以赴地和数字搏斗时，我惶悚地发现阮琳一天天变得漂亮了。眼睛扩大了，耷拉的鼻子挺直了，原本像馄饨似的皱巴巴的下巴光滑了。最令人不可思议的是她双颊的两棱横肉顺过来了，变成柔和的弧形。连朱秀芬们也发现了她的这一变化，总是问她："最近吃什么了？"

司徒聪一再提醒我注意阮琳的变化，我尽可能地对此熟视无睹。终于到了我若不承认自己的"睁眼瞎"就得承认她的确变了样儿的那一天。

我对司徒聪说："这当然是你的功劳，你使她的雌性荷尔蒙超量分泌。"

"什么意思？"

"意思是没什么可奇怪的，每个新婚少妇都会有她这么个变得滚瓜溜圆的过程。"

司徒聪对我随意抹杀他显而易见的成果非常生气，他嗓音低沉地说："可是我根本没和她睡过觉。"

"睡就睡过吧，谁也没说要追究你的责任。"

"我才不怕追究什么责任，没有就是没有。他妈的，你总是有你的一套，别人说什么你也总是纳入你那一套，仿佛不这样你就什么都懂不了似的。"

"别火嘛，我当然要用人之常情看问题。"

"我不是火，是生气，让你理解一件简单的事怎么就这么费劲。我理解你的固执，一男一女关系密切是要产生一些肉体联系的，我承认这种肉体联系很有吸引力，就我本身而言也是很向往的——你先别得意，肉体联系不单单是人所共知的一种形式。"

"我知道这种勾当已发展到五花八门、全民皆兵的程度。"

"还有你不知道的，你做梦也想象不到的，完全摆脱肉搏范畴的技术。"

"什么什么？"我张大嘴瞪着眼睛，"完全摆脱肉搏，不接触，遥控？"

"遥控。"司徒聪庄重地说，"这是一场观念和行为上的革命。遥控技术既安全又卫生，效果也不亚于传统方式，因为使用传感形式的脉冲对某些不能胜任原始形式的男人来说更理想一些。"

"气功？又是气功？"我恍然大悟。

司徒聪点点头："你还不是冥顽不化。"

"这么说，这段时间你每天晚上在床上就是干躺着对阮琳运气发功，一指头也没碰她？"

"你可以抛弃你那些陈旧、没有新意的想象了。既然事情本质上起了变化，我又何必非晚上，在床上，躺着，我随时随地都可以发功，用不着拘泥场合和姿态。"

"便携式？"我若有所思地说，随即眉开眼笑，"这么说，这玩意儿将从密室走向大庭广众之间，再也不用避人了。"

"是的，"司徒聪一本正经地说，"如果普及了，享受快感就像吃冰激凌那么方便，任何人花上几角钱就可以痛快一番，一点不妨碍个人尊严。"

"那我们可就要失业喽，谁还会这么费事？"

"你干吗总把事情绝对化，一种新形式出现只是丰富其他形式而不是代替它们。有了木糖醇，人们不仍旧大量吃蔗糖？"

"你说的这些真鼓舞人，你能不能现身说法表演给我看看？"我瞟了眼身后埋头记泻药账的阮琳，"就在这儿，让我心服口服。"

"她在干活。"

“没关系，咱们这儿的工作没有撂不下的。”

“不不，工作就是工作，别让她分神。”

“你没把握了？”我正要继续说服司徒聪，看到面对我们坐着正和石玉萍聊天的朱秀芬便改了主意，“要不你对朱秀芬行功吧，如果你的理论成立，那对任何人都是适用的，我还正怕你和阮琳太熟根本没脉冲的事只是条件反射。”

“我怕她生气，冷不丁抖动起来。”

“她不会生气，她脾气好得很，又不是给她罪受。你推三挡四要是吹牛就明说。”

“你瞧着吧。”

司徒聪目光灼灼地盯着朱秀芬，深深地吸气、攥拳，嘴里发出低低的“咳唷”声，像是要抬起一根粗大的木头。渐渐地，他脸变得潮红，鼻息沉重，眼睛微闭。我侧身让开脉冲可能经过的路线，一会儿看看司徒聪，一会儿看看仍在谈笑的朱秀芬。司徒聪胸脯已经起伏得像汹涌的波浪，朱秀芬仍毫无变化，麻木不仁地翕动着嘴。

“完了。”司徒聪忽然紧闭着眼睛，伏在桌上，片刻，抬起头，一副疲乏不堪的样子，“完了，这女人像石头一样难以穿透。”

“再来一次。”我鼓励他，“水滴石穿。”

“不行了，”他说，“我的能量已经耗光了。”

“要是这样，我只好重新估价你的理论了。”

“我的气功还不到家，有时只能使自己获得感觉还不足以唤起他人。”

“我知道有不少没练过气功的人，仅仅在公共汽车上挤一挤也能使自己获得感觉。”

“这不是一回事，我说的和你说的。”

“我看不出有什么不同。朱秀芬，”我回头喊，“你知道我们刚才对你干吗来着？”

全办公室的人都闻声抬头。

“干吗了？”朱秀芬笑着问。

“我们用司徒聪发明的遥控技术对你发射生物脉冲，想引起你的性快感。”

“流氓！”

十六

我记得阮琳的脸一下变得煞白，在后来的吵骂过程中也没恢复过来。朱秀芬像受了什么奇耻大辱似的叫骂不休。我没想到她的反应会这么激烈，本以为她这个年龄早不为贞节担心了，她却表现得好像我们用传统方式侵入了她。她这通发作实在是令天地为之变色，有一阵儿，我十分担心她会冲下来撕咬。我把我所知道的道歉话全倒了出去，只差下跪了，替我替司徒聪讨饶，实际上，她痛骂的主要对象也是司徒聪。科长也严厉地批评了我们，说我们犯了“侮辱罪”。办公室里乱了套，石玉萍也没来由地陪着朱秀芬哭。最后，大家全累了，科长让石玉萍搀着已近瘫软的朱秀芬回家，把闻声赶来看热闹的其他科室的人关在门外，才算恢复了安静。

司徒聪脸色十分难看，朱秀芬骂他的时候说了些很伤人的话，“精神病”什么的。我向他道歉“不该造次”，他也默不做声。

“你是故意的。”当我走向阮琳想让她劝劝司徒聪“别在意”时，她这么对我说。

“我不是。”我分辩。

"你就是！"阮琳惨白着脸瞪着我说，"你想让大家鄙视他。"

"我是这样吗？"我委屈地问司徒聪，"你也这样认为？"

司徒聪垂着头。

"你别再愚弄他了。"阮琳尖声叫，"你明知道他有病，有时候言行不能负责，却还假装认真地和他抬杠，怂恿他，让他成为笑柄。"

"这是怎么回事，阮琳？"司徒聪忽然抬头看着阮琳，"原来你一直把我当病人。"

阮琳脸腾地红了。

"原来你一直在演戏、哄我，你那些感觉也是装出来的是吗？"

"我是为你好，我不愿让你失望。我想你慢慢会知道你所谓的气功传导是荒唐无稽的。我不愿像司马灵那样嘲笑你。"

"不许说我哥们儿。"司徒聪声音沙哑地说，"嘲笑、愚弄我的是你，他起码是怎么想就怎么说。"

"别这样，司徒，阮琳也是好意。"轮到我劝司徒聪了，阮琳十分可怜。

十七

"司马灵，司徒聪真的精神不正常吗？"机关党总支书记把我召去，屋里坐着科长、主管处处长、工青妇负责人一大帮，总支书记向我发问。

"没有，他精神很正常。"

"可是档案证明他的确有精神病史。"

"我知道，但他已经好了，从我跟他的接触中，我没发现他有重犯的迹象。"

“我们知道你跟他关系很好，但这件事已超出了哥们儿义气的范围，我们得对他对在这儿工作的其他同志负责，你也一样。”

“他是正常的。”

总支书记叹口气：“如果你坚持说他是正常的，我们就要处分他，他就得为他做的事负责，这是严重的流氓行为。”

“处分他吧，必要的话连我一起处分，这事是我挑唆他干的。”

“你真的认为一个正常人的脑瓜儿可以想出用遥控意念来乱搞男女关系这种乌七八糟的玩意儿？”一个妇联的头儿问我。

“怪念头谁都会有，要说这是失常的话我毋宁说是超常。”

“你看啊，你和阮琳都是为他好，但你们俩的做法却截然不同。”总支书记说，“小阮到这儿来请求我们不要处分他，因为他精神不正常不能控制自己的行为，而你却一口咬定他可以对自己的行为负责，这样我们就无法原谅他了，到底你们谁是真正为朋友好呢？”

“谁都是。”

“别和他嚼字眼了。”科长叫道，“那个司徒聪毫无疑问是个精神病，我的办公室可不能要这号人，就按精神病处理算了。”

“不能。”我冲动地说，“你们不能这么轻率……”

“是不能这么轻率。”总支书记皱着眉头说，“我们再看看吧。”

十八

“你老这样干人家真要以为你是精神病了。”

“以为就以为，我才不在乎，就让他们把我当精神病好啦。”

那件事后，司徒聪变了，不是沉闷委靡了，而是放肆起来，他上班时间公然在办公室里睡觉，鼾声大作，科长捅他叫他不要睡了，他却反问科长："困怎么办？又不是我要睡，身不由己。"他几乎天天迟到，科长忍无可忍堵了他几次，叫他写检查，他笑嘻嘻地满口答应，写检查就写些"把科长的好心当成了驴肝肺"之类的，气得科长嗷嗷叫。总支书记约他谈话，他大模大样地叫总支书记找个时间"到我办公室来一下"。我知道他有的时候是故意的，有的时候是不是故意的就不好说了。他不大理阮琳，但很客气，对我也很客气，对其他人就不那么客气，不管人家正在说什么，他懂不懂都胡插嘴，有的话简直没边没沿儿，连我也拿不准该不该认真对待。

一天，大家聊到梦境中飞翔作何解释的话题，有人说是做梦者充满信心的反应，有人说是人类对自己失去的功能的留恋，莫衷一是。这时，司徒聪插话了，似乎支持第二种说法。他说飞翔并不是人类绝望的希冀，实际上人是可以飞起来的只不过是自己把自己否定了，或由于气球、飞机的发明产生了依赖思想，而梦中没有那么多顾虑，本能就出现了。

我本来已发誓不再和司徒聪拗劲儿，但此时实在忍不住，又不由自主地抬起杠。我要说潜泳是人类的本能因为人是鱼变的而且在子宫里就开始游那还情有可原。但人从来没飞过，往哪儿追溯也追溯不到鸟那儿，本能从何谈起？说鸡还差不多，它们被人类驯养了上千年，直到今天还有个别鸡可以离地三尺地飞上一阵儿。

"我没说人过去飞过。"司徒聪意外和气地说，"我只是说人本来可以飞，但被个别尝试失败的例子吓破了胆，谁也不敢临渊一跃生怕落个粉身碎骨的下场，就这么一代代下来，现在连想都不敢想了。"

"靠什么飞呢？你总不能说胳膊是翅膀退化而来。"

“当然不是，你为什么总是按照习惯思维想问题？为什么一定要有翅膀才能飞？飞机有翅膀但能飞起来还是靠喷气产生的推力。”

“对。”我犹疑地说，“人也有条件喷气，但光凭一个屁，不管多响，也没听说过把谁崩上天的。”

司徒聪看着我，冷冷地说：“我发觉你很有天才把别人正经八百的话导向荒谬。”

“不是这个意思，我确实是想象力有限。”我解释说，“可能因为我太唯物了所以目光短浅。”

“我明白他的意思了。”朱秀芬对我说，“他说的不是放屁那档子事，他说的是气功的气对吧司徒聪？”

阮琳脸又白了，全办公室的人都低下头。司徒聪点点头。

“咱们别说这个了，朱秀芬，今年怎么到这时候还不暖和？”

“为什么不说？”司徒聪倔犟地说，“这有什么不便说的？我实话对你们说，我经常飞。”

大家面面相觑，谁也不吭声。

“你看过气功表演吧，司马灵？有一个节目是气功师用掌发功，不接触人体便远远地把挺棒的小伙子推个跟头。”

“见过，就跟串通好的双簧似的。”

“不是串通好的，是真有那么股气，只要把这股气垂直于地面，加力使其大于地球的吸引力，人不就腾空而起了？”

“听上去……似乎有点道理。”有句话我没敢说，让朱秀芬一句给说出来了：

“那你给我们表演一下。”

阮琳从椅子上跳了起来，激动地说：“你们别胡闹，会闹出乱子的。司徒聪，别跟他们斗气。”

“不会有什么危险的。”司徒聪淡漠地对阮琳说，“要让这些人信服，只有用事实。”

司徒聪站起来,去开窗户。我一把抓住他的手,拦住他对他说：“我们信，我们都信了，不必表演了。”我回头使劲冲朱秀芬眨眼。

“别冲我眨眼，我不想当傻瓜，明摆着是胡说八道也要装得真有这么回事，要让我信除非让我亲眼看见。”

司徒聪在我手里拼命挣扎，我用力捉住他，任凭他把我打得遍体鳞伤。

“你放开我，放开我。”他哀求我，“你就让我飞一次吧。飞起来你就会知道那其实是很轻快很自如危险并不比过马路大的事，你们既然谁也没飞过为什么就一定认为不能呢？”

“随你怎么说，我就是不让你一试。”我牢牢抓住他。

十九

桃花盛开后便立即谢掉了。那年春天我几乎没注意到城里哪处也同样开着花，等我留神自然景色时夏天已经到了。到处都是葱茏的树木，虽然悦目但不耀眼，从高处往下望去一片绿海，似也遮天掩地，可走在街上仍会受到日头的照晒。

我对面的那个座位一直空着，司徒聪因为不可克制地屡次企图跳楼自杀被强制送进了精神病院。办公室里已不大谈他了，我也很少想起他，我正为自己的事发愁。我这把年纪应该考虑结婚了，那个街头邂逅的姑娘和我熟得再不互相通报名字已经非常不自然了。我当然是很喜欢她，相信她对我也有好感。有几次我们谈得十分热乎，我差点就把名字告诉了她，但一想到如此发展下去就要不可避免地向一个人敞开心扉，我就感到胆寒。我总摆脱不了一个人对另一个人永远是陌生人这一偏执念头。

阮琳不再漂亮，鼻子垂下来，腮帮子又开始长横肉。她变得很怪，不大说话，像影子似的悄悄来悄悄走，总是若有所思地坐在那里出神，对谁都是爱答不理的。我到她家找过她几次，不管我什么时候去，她都不在家。她妈妈说她每天都是很早出去，很晚回来，不知道都在外面干什么，“千万别是让哪个坏小子勾了魂去。”我说不会，“你家阮琳很知道自重。”

一天很早，我去火车站接人，乘车路过护城河边，看到她在河畔呆呆站着，盯着浊绿平静的水面一动不动，似乎已超然世外，那痴迷的神色令人惊惧。

上班时见到她，我偷偷观察，发现她消瘦得很厉害，颧骨突出，显得眼睛分外大（随着司徒聪魔力的消失，她的五官都恢复了原状，唯独眼睛没有缩小），不知为什么，我觉得她变得酷肖司徒聪。她身上散发着河边潮湿气息，走动起来轻得像片羽毛，与其说是人不如说更像一个幽灵。

“你怎么啦，阮琳？”我难过地对她说，“何必这样，犯得着吗？别说你们没什么，就是有什么，也该向前看，鼓起生活的勇气。”

“你说什么呢？”她不解地问，“向前看什么？”

我知道她讨厌我，听不进我的话，便精心搞了些“无边落木萧萧下，不尽长江滚滚来”，“沉舟侧畔千帆过，病树前头万木春”，以及“江山代有才人出”，“总把新桃换旧符”之类的诗句“题赠阮琳同志共勉”。

她看后先是乐了，接着一绷脸扔回给我。

“我不是想寻死。”她走到我藏身的小树丛后面对我说，“我是在练气功，你不用跟屁虫似的一天到晚总忧心忡忡地跟着我。”

二十

阮琳在练气功，她说得很正经，而我却认为她是中了邪。

“我们已经练坏了一个，我不能眼瞅着你也走上这条道。”

我不断地用听来的关于气功的种种奇谈怪闻来吓唬她，想让她打消这个念头。

“有一个退休老干部不找师傅自个儿胡练，有一天发起功来收不住，就在这护城河边头顶地围着大柳树转了几千个圈儿，最后一头栽倒脑溢血得了偏瘫，吃多少‘大活络丹’也不管事。”

她很坚决，不为我所动，继续练，说：“即便要冒中风的危险，我也不怕，我是豁出去了。”

“何必呢何必呢。”我恳求她，“当初你不是也认为他是精神病胡说，为何到这会儿又认真起来？”

“我越想越觉得我们当时对他太粗鲁、太武断了，我们根本没容他证明他说的是不是有道理。尽管我现在仍认为他的确是不正常，但我要不亲自证明一下他是在胡说八道我就安不下心，万一他对了呢？哪怕只是一点点。”

“你感到有‘气’了吗？”我问，“你练了这么长时间，没感到有‘气’产生吗？”

“所谓‘气’，我练了这么长时间感觉到不过是激活神经的程度，也就是控制脏器平滑肌神经和躯体末梢神经的能力。就是说，这些神经是下意识支配的，仅仅有反射作用，譬如说对疼痛冷热有反射作用，但通过练气功，可以变成有意识支配。譬如说消化、呼吸、排泄本来都是当需要变得迫切起来才自动进行的，会了气功，不管需要是否迫切，你都可以自主调节，或强或弱。”

“有这个必要吗？”

“当然有了，你自由了，摆脱自身的束缚。你可以高度控制自身的每一个微小的活动，你不是自由了吗？随心所欲了吗？你可以避免许多自身能量的盲目浪费和互相冲突，抵消，调动全部能量集中在一个部位，你不是变得更强有力了吗？”

阮琳捋起一只袖子，露出瘦骨嶙峋的细胳膊：“瞧我，我现在要把能量集中在拳头上。”

她攥拳运气，毫不难为情地大声发出低吼：“咳！咳！”

“我的气现在到小臂了，现在到手腕了，现在到拳上了，现在我的拳头沉甸甸了。”

“我什么也看不出来。”我说，“我看你的手还跟鸡爪子似的。”

阮琳蓦地挥拳打来，我四仰八叉地仰面摔倒。

二十一

阮琳练得十分着迷，十分专注，有时上班时间也溜到我们单位旁边一条胡同里的古寺中采“气”。

那座古寺有上千年历史，相当有名，连我们这一带的街名都是以其命名的，但因位置在胡同里，庙堂又小，平时人很少，几乎没有僧尼，工作人员都是文物局的。

阮琳站在幽暗的正殿内，面对镏金彩塑的三位至尊作抓挠吐纳状，有点像太极拳。她开导我说：“别看佛爷是泥巴捏的，但一千年来，历来高僧对着它打坐，万千香客对着它顶礼膜拜，遗精赋慧，释能吐华，佛爷身上已笼罩了稠稠的灵气，凡人略得神韵，便可骤长慧根，平添勇力。”

阮琳做迎风逆进状，以手护眼："我的天，这气煞是咄咄逼人，这光煞是耀眼，我几乎近它不得。"

我迎着含笑垂目的大佛爷走了几步，看看佛身上油漆倍儿亮的颜色。

"我怎么毫无知觉？"

"你肉眼凡胎，心壅茅草，自然是无从领悟，身在福中不知福。晃死我了，护法光环灿灿射人了。"

"在哪儿在哪儿？"我盯着佛首慌慌张张看，"哪有光环？是像金箍棒画的圈儿那样容不得邪祟进入吗？"

我往佛前冲，阮琳一把拽住我，拖着我退出殿，训斥我：

"你太不知厉害了，佛慈悲怜惜，你也不能太放肆，难道还想犯颜冒渎吗？"

阮琳一脸大汗，气喘吁吁。

"它还会劈人？"我茫然地问。

"险些撞着你的邪气。"阮琳气呼呼地说，"会迷了我的性，废了我的功。"

"你别装神弄鬼了。"我按捺不住愤然说，"这佛是新的，没两年。原来那个早在'文化大革命'时让人砸了。"

"灵气未散。"阮琳幽幽地说，"去人易去势难。"

二十二

"你练气功后，真懂了不少道理。"

"是啊，我发觉人真是大有可为，我们过去多不了解自己啊！"

我们坐在办公室里吃午饭，阮琳捧着一大碗足有六两米饭在大嚼大咽，她自从练气功后，每顿都吃很多饭。

“多吃点菜，饭吃多了不好。”我每每这么劝她。

“没关系，我可以充分调动胃去消化，吸收每一微克营养，就是像马一样吃草我也可以健康如常，吃什么我已经无所谓了。”

“你估计，”我吟哦地说，“照这般发展下去，还要多久你就可以飞起来了？”

“飞什么？我可没说过我要飞。”

“别瞒我了，老朋友。”我说，“难道我还看不出你潜心修炼，就是为了那个目的吗？”

阮琳停了停，又开始大口往嘴里扒饭。

“我没想过那个，起码现在没想，也许过去我曾认为那是一蹴而就的事，但现在我早不那么想了。真干起来才知道那是多么难，我几乎一点基础都没有。现在要做的只是先通了全身，协调好自己，优越地生存，一点点积聚能量，一点点进入更高境界，最后，才谈得上，自由自在地支配。”

“你有信仰，我很羡慕。随便问一句，我能练气功吗？”

“你？”阮琳细细咀嚼着饭粒，打量着我，“你很难。”

“我不想浑浑噩噩，我也想活得精致点。”

“你太感情，太多欲，浑身恶俗，太随波逐流；吃不得苦，耐不得寂寞，凡事能省便就省便，你是个快餐式的老粗，练气功也只能是多活几年。”

“他妈的，光想着自己得道，别人沉沦也不说拉一把，自私鬼。”

“实在是爱莫能助。”

二十三

“我完了，”我哭丧着脸对我那不知名的女友说，“我算是被人判了死刑了。”

“怎么回事？”她吃惊地问，“你杀了什么人？别慌，咱们想想办法，找个好律师。”

“找谁也不管用了，这回是去了根儿。”

“到底怎么回事？”女友着急地说，“你倒是从头说起呀。”

我沮丧地把阮琳说我的话都说一遍。

“原来是这样。”女友笑着说，“这真是没法了，谁也帮不了你，你爱吃什么就吃点什么，想上哪儿玩玩就去哪儿转转，想也没用了。”

“真的混吃等死了？”

“你呀，”女友笑道，“长这么大，还跟个孩子似的，别人干什么你也要学什么，老看着别人嘴里吃的眼馋。不是龙王，就别管喷云吐雾的事。别人呼风唤雨，你只管侍弄你的一亩三分地。”

“你怎么一点理想都没有？”

“这话我也不好说了。别老拿眼睛盯着别人，先低头看看自己是什么东西。”

“你说，你公正、客观地说，我是阮琳说的那种人吗？”

“你自己都不知道自己是什么人，是人不是人，别人怎么说？”

“唉——”我长叹一声，“得啦，看来我注定要混同于一般老百姓了。我认命，我就跟你结回婚吧。”

“谁说要跟你结婚了，你还觉得自己怪不错的呢。”

“你没打算和我结婚？那你老缠着我干吗？眼睛还时不时冒出点情欲炽热的淫光。”

“谁缠谁呀？谁对谁冒淫光呀？”

“啊，这下好了，你不想和我结婚我就放心了，没什么责任了。”我懒懒地说。

“哈，这回露馅了。”她说，“我就知道你是虚情假意，本来还打算嫁你，现在吹了。”

“哈，一下考验就把你考验出来了，我就知道你在等着我说那种话好就坡下驴。”

“一下考验就把你考验出来了，一点不坚定。”

“你到底哪句是真心？”

“你到底哪句是真话？”

二十四

“我简直不知怎么和人相处好了。”阮琳声音颤抖地对我说。

我们走在大街上，一阵突然袭来的雷阵雨浇湿了我们。街上的行人纷纷奔跑四散到路边商店里避雨，我拉阮琳去避避，但她不肯，坚持在瓢泼大雨中走，我猜她是希望雨中别人看不出她脸上的泪水。刚才在班上，她被朱秀芬很凶地骂了一顿，起因是她的某句话唐突了朱秀芬。

“我发誓我当时说那句话是好意，怎么就惹着了她？这不是第一次了。过去她从没这样对待过我。”

“你别介意，她对谁都一样。”

“不一样,绝对不一样！过去我有时还暗讽她几句她也没什么，现在几乎是我一张口她就冲我来。”

“你别理她就是了。”

“说得倒轻巧，不理她，可我想说话，想跟她们一起聊天，不想像个不受欢迎的人独个坐在一旁。”

“那就尽量打哈哈吧，不要对人对事——哪怕是再不相干的人、事评头论足，这样就无从挑起争议了。”

“可我不想净说些无聊的话，我想真诚地对待人。”

“这我可没什么妙方儿。”我说，“实话说，我也就是有胡扯的本事，一碰到正经事连一句话都不会说，甚至把真话也说得跟假话似的。”

倾泻的雨水把我淋得从里到外都湿透了，瑟瑟发抖，我忽地感到忧伤。

“带我到你家去吧。”阮琳显然也感到冷，偎近我说，“看来也就咱们俩可以互相说些心里话了。”

我十分感动：“看来是这样了，就让我们相依为命吧。”

“你能向我保证永远以诚相待吗？”阮琳泪光闪闪地仰脸问我，“不管我说什么你也不烦，不虚情假意地糊弄我。”

“我向你保证永远不以嘲笑的态度对待你的每句话，不管我喜欢不喜欢我永远不对你隐瞒我的真实看法。要是有人告诉你我在背后说你坏话你千万别信，一定找我核实后再作出判断——那一定是谣言。”

“我答应，我也保证永远对你以诚相待。”

我忽然想起我过去和另一个人也互相做过类似保证，顿时不寒而栗了。我知道这个承诺是如此重大而我根本不具备资格践诺，这承诺本身就近乎是一种最无耻的欺骗，我无法出尔反尔，阮琳此刻是那么轻松愉快，仿佛是长途跋涉后终于回到安全的厩里的小母马。

她说：“从此，我跟别人说话就要字斟句酌，尽力讨好了，把每句话都变得目的性明确，再也不随随便便待人处世了——只在你面前休息。”

“我想起来了，今天我不能带你到我家去，我要回家接待一个代表团，由乡下亲友组成的代表团。”

二十五

和一个人结盟就像伙同她一起抬煤气罐上楼，如果她身强体壮你可以占些便宜，如果她不如你，你就惨了。

我就惨了，我简直成了阮琳私人专用的农会主席，不管是村里的胖地主朱秀芬还是瘦富农石玉萍哪个说了什么，我都要听佃户阮琳的汇报，并与她一起分析其动机和含义。阮琳郑重对待每一句话的严肃态度，似乎只带来了一个后果，对别人的每句话也异乎寻常地认真起来，这使她非常容易受到暗示。其实别人有的话仅仅是脱口而出，本无所指，她却偏偏要追根究底，叫人可怕的是，这种追根究底往往总能把风马牛不相及的话牵扯到自己身上，变成对人身赤裸裸的威胁和诽谤。

有一次朱秀芬和石玉萍吃早点时说到现在的油饼不如过去脆了，“软拉巴唧真难吃”。阮琳便变了脸色，对我说她们是说“姓阮的讨厌。”

有一次朱秀芬说到某道路工程砍掉了一片横在施工路线上的树林时，阮琳激动得几乎不能自制，说这表明了她们想动手杀害她的意愿，“我危险了”。

“你没有任何危险。”我对她说，“这完全是两码事，没人有这个胆量这份心思去动手杀人，不管你们互相多么看不惯对方。”

“你太麻木，”她激烈地反驳我，“很多人就为一点小事杀人。你不了解人心的险恶，她们为什么不说砍树锄草偏说‘砍林’？”

“这有什么奇怪？还有人经常说撕纸杀马呢，我就不吃心，因为我既不怕‘撕’也不是‘马’。要这么矫情起来，没完了。”

“你太善良，太幼稚。”

“你太多疑。凡事认真点，思前虑后是好事，但要捕风捉影，望文生义那就出圈了，恐怕免不了要变态。”

我无法说服阮琳，一个人要固执起来，真是吊车也吊不起来。我不懂她为什么那么虚弱，自感不支，实际上，自打她练气功以来，她的身子骨比从前不知结实了多少。也许一个处心积虑要强健到某种程度的人，越是通过努力取得成效，越是发现自己尚待改善的地方之多，越感到虚弱，倒不如我们两眼一抹黑无所畏惧了。

阮琳吃起补药，凡含人参、鹿茸成分的药都抓过来吞下去，甚至吃了不少“振雄丹”。

我劝她：“你可不能乱吃，有的东西不是妇女吃的。”

“不管那个，”她拍着肚子说，“反正补了没坏处，一时用不上也全存在这儿。”

“你可能一辈子也用不上——有的药。”我说，“补也要因人制宜。”

“我可以控制。”她说，“有用的留下，没用的排出，我可以有意识地监督体内各系统的工作。”

不管她是不是真能有效地支配、微调繁琐的脏器活动，反正她倒是变得红润起来。她的气功似乎有了长足的进步，她不时骄傲、得意地告诉我：

“我已经可以控制代谢了。”

“我已经可以控制内分泌了。”

“我已经可以控制体内任何一个最微小的生命活动。现在一切都在我的统一号令下有条不紊地积极行动着，无政府状态，各自为政的状态结束了，我的体内各组织团结得像一个整体，我的每一个指令都将在最基层得到贯彻。没有我的指令，细胞不敢分裂，大肠不敢蠕动，白血球在细菌的侵入面前也会踌躇不前。”

为了证实她不是在说昏话，她有意擦破了胳膊上的一块皮，给我看她不会发炎的伤口。那伤口果然数日后仍鲜血淋漓，既不凝痂也不红肿，我惊惧地对她说：

“你要丢了小命了，细菌正长驱直入，肆意吞噬，你会得败血症的。”

“没关系。”她指着肩部说，“白血球正在这里和它们厮杀，我一声令下，全身的白血球就会云集此处，将细菌围歼。”

两小时后，她的伤口愈合了，她告诉我那是奉了令的细胞拼命分裂的结果。

我尊敬地对她说：“你真了不起，你做到了常人做不到的事，我是不是可以这样认为，不久的将来，你将创造出真正的奇迹，不借助任何外力和工具，只凭自身亿万细胞的奋斗，拧成一股绳，飞将起来。”

“我还有最后一项工作要做。”阮琳肃穆地说，“这也是最艰巨的工作，那就是摒除一切杂念。我虽已完全控制了肢体但尚未完全控制大脑。每当我专心致志从事一项高级神经运动时，总有一些脑细胞不跟上来，去想别的。一件漂亮衣服或别人潇洒的举止都能令它们兴奋不已，驱使它们控制的部分神经去作出反应，垂涎或者羡慕，分散了我的注意力。它们这种低级趣味的嗜癖使我的意图老是打折扣，我不能容忍在我的意志外出现这些干扰，是我的一个细胞就必须服从我的主要意志。我是率领它们去飞跃，无组织无纪律，左顾右盼怎么行？”

“你怎么能不让它们——不让自己去想？”

“我不让，这种时刻我需要的是一个强有力的战斗集体而不是一盘散沙。我要不用超出常人的标准要求自己，怎么能完成超出常人的事业？”

二十六

洗脑是痛苦的，那意味着要具备非凡的毅力和坚韧不拔的决心，在种种诱惑面前恪守己志。

除了必要的吃、喝和必要的拉、撒，阮琳几乎不再注意别的。她的衣衫日见褴褛，蓬首垢面，身上甚至出现了难闻的气味。当单位的浴室冒出缕缕蒸气，传来哗哗水声，每个人都洗得干干净净，满面红光湿润润地出来惬意地大声说笑，我注意到她的脸是那样苍白，嘴抿得是那样紧，我不禁油然而生对她的同情和敬佩，一个人得有多大勇气对自己的不洁视而不见啊。

她的欲念泯灭了，思想升华了，我都能感觉出她已进入了某种临界状态。她的眼神那么空洞无物，似乎已不再看世界，而只紧紧盯着自己的腔体。她一举一动那么机械，毫无多余，就像一台精确的车床恰到好处地切削着钢制零件，连一微丝的差错也没有。人到了这种地步，别说是像只鸟儿似的飞上几百公里，就是像支火箭射入外层空间我也不感到奇怪——还有比人更科学更复杂的机器吗？

全单位的人都察觉到阮琳身上将要发生什么不可思议的奇变了。她简直浑身充气，四肢带电，每个人挨近她都感到受到气压和电击。我毫不夸张地说，阴天时她周身就像夜明珠一样发出幽绿的荧光。当雷声滚滚，闪电划瞬时，她就像男人嘴上的烟头霍地红亮起来，令人噤若寒蝉，相觑无语。

那些天天气闷热异常，办公室里年岁最大的人也说没见过这么热的天气，七七事变日本鬼子打进来那年天大热也没热过今年。办公室里的所有电扇都开着，人人手里还摇着纸扇，但仍都汗流浃背，满面赤红。阮琳的神色益发严峻，动作也益发僵硬，办公室里气氛紧张得一触即发。我屡屡利用我和她的特殊关系，向她打听“发射”日期,但即便是对我,她也秘而不宣,只是说“快了”。

她已经连续几天未进食了，据单位其他女同志反映，这几天也未见她排泄。我想她是忙不过来，无暇他顾，一支技术简单得多的火箭发射前还要作大量的计算呢。

终于，她喜滋滋地对我透露说：“统一了，现在，从这一秒钟开始我可以行使绝对权威了。我要……”

就在她宣布的同时，话还没说完，我便发现事情急剧起了变化。她病了，不能同我交谈了，她就像二百门供电电话总机的值班女战士一样忙得不可开交了。血液要流动，肌肉要弛张，腺体要分泌，细胞要分裂，维持体内酸碱平衡，电解质平衡及其他种种生命在所必需的平衡的请示从四面八方纷至沓来，她陷入了汪洋大海般的文牍工作中，几乎不可能对外界的刺激作出反应了。

二十七

阮琳是个绝对能干、有着过人精力的人。最初一段时间里，她以令人瞠目结舌的速度高效率地处置着一切，虽非游刃有余但也大致妥帖，没出什么大乱子。她还对吃喝拉撒睡做了一些革新，能合并的合并，能简省的简省，吃巧克力压缩饼干就参汤，能拉稀屎绝不既小便又大便。但生命活动是无穷无尽没完没了的，只要活着一天，就要极其复杂地把做过无数遍的事再重复地做一遍，只能成功不能失败。一辈子没出差错，只一次有个小失误就满盘皆输，坏了金刚之躯。

超人的阮琳也终于在这场寡不敌众的搏斗中垮了下来。

她疯狂地努力着，力求维持运转，但就像一个精疲力竭的骑手再也控制不住脱缰的烈马一样，与其说是她驾驭着马跑，不如说是马驮着她跑，她充其量也只能做到勉强趴在马背上不被摔下来。

她经常排不出时间进行细致的消化，造成食物潴留；来不及指示大肠蠕动造成大便硬结便秘；忽视了皮肤的新陈代谢，造成了表皮大面积角质化；更要命的是，她有时忙起来忘了喘气，致使体内二氧化碳蓄积，影响了大脑供氧，人竟能忽然晕过去。

从她告诉我她“统一”了后，她没再和我说一句话，和别人也不再说话，默默地、一动不动地忙碌着。看面部她是毫无表情，连眼珠也从不转动，但偶尔目光和我对视时，我可以看出她内心的痛苦。

我悲恸地劝她：“算了，你既然管不了就别管了，还是让它们各自去干自己的那一摊吧。”

她的目光告诉我，晚了，就像一只老虎经过驯养再也不会在野外独自谋生，只能依赖人们的投喂，她身上的神经、腺体、平滑肌已像动物园的老虎失去捕食本领一样失去素有的本能了。

我知道起飞是无限期后延了。

二十八

秋天，桃树结果了，由于疏于修剪，结的果实又小又青，咬上一口，十分坚涩。

阮琳已经彻底没希望了，她积累滋养的“气”已在维持生存中用尽耗光了，谁都知道她挺不了多久了。

她早失去了“思想”的能力，已成了一具行尸走肉，只是凭着惯性挣扎着苟延残喘。

她仍是一句话没有，也许已经说不出意思完整的话了。她的舌底韧带由于久不活动已长成死肉，偶一张口可以看到舌头像腊肉似的干瘪萎缩成一条。她每天只是用笔在纸上不停地写着字，全是“同意”“同意”，后来字也不写了，只是无休止地画圈儿。

办公室的同志们看着她一天天消瘦、枯萎下去，都十分难过，连朱秀芬也不例外。她变得十分脆弱，像玻璃一样容易打碎，我们知道像她现在这种状态，一个小小伤口就能要了她的命。大家都小心翼翼地收起所有带尖的利器，用钢笔的全换了圆珠笔，办公桌的棱角全用木锉锉圆，人也尽量不去触动她，连握手都是轻轻的。

她险症发于一次正常、例行的流血，先是体内创口感染，继而扩展到全身感染，高烧不退，很快便出现了中毒性休克，全身各系统随之接连崩溃。血液灌注不足造成血管壁和心肌损伤、血压急剧下降。肾脏机能减退，排尿不速，氮质潴留及酸性血质的积聚形成酸中毒，缺氧和二氧化碳潴留导致“二氧化碳麻醉”，呼吸衰竭并发胃肠道黏膜广泛糜烂充血和出血，内出血反过来加剧了血压下降和酸中毒。各种症状互为因果，把阮琳拖向濒死的边缘。

我们紧急把她送到了医院，大夫对她进行了全力以赴的抢救。我流着泪对大夫恳求说：

“您一定要把她救活，需要献血的话抽我们大家的血，我们不能失去她。”

“你们恐怕只能失去她了。”

大夫以高明的医术——贵重的药品和我们的鲜血——稳定了阮琳的病情，重新对她进行了全面的检查后对我们说：

“从我们这儿出院后，她就得直接进精神病院——她早就精神错乱了。”

二十九

“我不信她一直就是精神病，也许她现在的确是精神错乱了，但一开始，我绝对肯定她是正常的。”

“你太激动了，太劳累了。”我的女友说，“这消息太让你震惊了。”

“我一点都不激动，一点都不震惊，相反，我现在很冷静，很理智，我还从来没这么理智过呢。”

“那么，也就是说，你理智得仍然相信她是可以飞起来的了？”

“是的，这点毋庸置疑！我相信她本来是沿着正确的方向前进的，但中途，在某一点上稍稍偏了点，接着下去就越偏越远了，但并不意味着她一开始就是错的。”

“人是飞不起来的，这点早被科学证明了，人的身体结构根本不是为飞设计的，这点你应该心里明白。”

“结构是可以改变的，鱼最早也不是为直立行走设计的，但环境变迁，当它们不得不弃水登陆后，经过几百万年的演化不也变成了我们现在这副模样？一条甩上岸干死的鱼不代表其他鱼上岸也会干死，终有一条会活下来。”

“你不是想说你打算步她的后尘吧？”

“正是这个意思。”

“你真勇敢。我不是讽刺你，我真是感到有点悲壮了。你打算怎么具体去做呢？”

“我认真地考虑过，还是要先练气功。”

“妈呀，你们真是如出一辙，难道就没有别的什么好办法了吗？”

“恐怕这是目前唯一可行的选择。你想，尽管阮琳搞得过了头酿成悲剧，但我们要真的不充分了解、掌握自己的肉身，带着这么沉重、混沌的一具皮囊别说是飞就是跑上几步也会气喘吁吁，力不从心。更关键的是除了自己我一无所有。这既是我的负担又是我唯一可资利用的财富。买张票去乘飞机当然省事，但那怎么能算自个儿在飞？”

“我不是信不过你，真的。这事既然要干我们不如慎重些，前车之鉴总要顾忌，我希望没有，你没什么毛病，但检查检查总没什么坏处，你要正常，大家可以放心。”

“你说什么呢？检查什么？”

“我知道你不想承认，这种病有时是自己完全意识不到，只有医生才能做出客观的结论。如果你不是，你大可不必怕，如果你有，那也可以及早诊治，早治早好。”

“我一点也不懂你在说什么。”

“我认识一个很好的精神病大夫，如果你不爱去医院，我可以把他找到你家去……”

“去你妈的吧！”我吼起来，怒不可遏，“你他妈才是精神病！”

“如果你冷静点儿，从旁观的角度看看自己，”女友脸色苍白但很镇静地说，“你就会发现自己现在正是精神病狂躁发作的典型症状。”

我觉得我就像一下扑进温热、有浮力的水中……我知道我是在做梦，所以我不怕。当我站在楼顶平台的边缘向温暖、飘浮着花香的夜色中扑去时，我就像跳进满满漾漾的游泳池一样坦然，我坚信我会被稠密的气流托住，托不住也会在坠落过程中倏地醒来，在床上虚惊一场。

我不是在飞，准确地说是竖浮在半空中，我感到沉重，身体一寸寸往地面坠落，我没有别的办法，只有提紧裤腰带向上挺身。路灯下有一伙人在打牌，另一处路灯下有一对情侣在喁喁细语，他们看不见我，实际上也没有人抬头向漆黑的夜空张望。夜空寂寥空旷，没有一只鸟在飞，只有空气流动时发出的摩擦声。我控制住了下降，升到高层楼房的上空，一股股风吹过，我有点凉意。下方附近有一个大操场在放露天电影，透明的、人影晃动的小布块下坐了密密麻麻几百人，银幕上的对白和音乐声隐隐传来，瓮声瓮气，不时那一大片黑簇簇的人头中爆发一阵嗡嗡的笑声。我控制着自己飘过去，停在人们上空看了会儿电影，想起这是我入睡前曾看了个开头，便厌烦地离去的那部片子，现在还没演完，真是又臭又长。我又开始下降，我竭力往上挺身，但似乎没什么作用，我已经降到危险的程度，那一张张迎着银幕笑盈盈的脸都能看清了，他们都被电影情节吸引，没人注意我，我几乎已经降临到他们头顶，已经感到人群散发的热烘烘的气息升腾萦绕着我。这趋势要是再持续下去，我就要脚沾地了。我不知道我该怎么尴尬地解释忽然从天上落下来掉在人堆儿里这件事，周围既没树也没高大建筑。这时，一阵微风贴着地表吹来，我在一刹那间借着风力盘旋而上了，一点没惊动任何人。

我重新竖浮在黑暗的夜空，十分疲累，生恐再落下去，我向楼群飘去，想在楼顶歇会儿。到了楼上空，我又不敢降落，我对自己太没把握了，万一落地飞不起来可怎么办？当然我可以再跳一次楼，但那十有八九会一股脑儿摔下去，好事不会有两次，而我这会儿还不想醒来。

我想去看看我的不知名的女友，虽然我不知道她的住址，但在梦里没有办不到的事。果然，我很快飘到了她住的楼前。她住在二楼，正躺在床上看书，没拉窗帘。楼下有一群半大小子在高声喧哗地聊着天，一支接一支地抽烟，不停地傻笑。我要这会儿落到她的窗台上太显眼了，很难不被楼下这群小子发现。好在这是梦里，我想他们不会像正常时空中的人那么敏锐，我不想叫他们看见也许他们就看不见。我大胆地径直落到窗台上，往里张望。她的毛巾被是粉色的，床上还铺着凉席，床前放着一双精致的拖鞋，有一张三屉桌，桌上摆着一排书，一盏台灯，台灯柔和的光线笼罩着她玉雕般完美的晶润的头和臂膀。我想试试梦里能否像崂山道士那样穿墙过壁，坚硬、冰凉的玻璃打消了我的企图。

这时，出乎意料的事发生了，那些本该看不见我的小伙子们发现了我，一个个抬起头指指点点地议论着我。

“那是谁？干吗哪？”他们七嘴八舌地嚷。

坏了，我想，他们要把我当爬妇女窗户偷窥内室的流氓了。但我尚未十分慌张，因为这毕竟是在梦里，就是被他们抓住打一顿也没什么了不起，又不是真疼，况且我还会飞。在梦里我碰到过许多次比这还危险的事情，被熊追被枪打，大都紧张一通便化险为夷了，我是有恃无恐。

我打算立即起飞，但立刻吓出了一身冷汗，因为我飞不起来了，怎么提着腰带使劲也白搭。楼下那帮小子可不客气了，捡起半截砖头吆喝开了：

“快下来，不下来砸你妈的了。”

话音没落，半截砖头便扔了上来，砸在我身上，我顿时感到一阵钻心的疼，我还忍着，随之又扔上来几块砖头砸在我身上，玻璃也碎了。她从床上一跃而起，看到蹲在窗台上的我惊恐地叫。

这可太不像梦了，我蹲不住从二楼掉下去，摔在水泥地上脚跟针扎似的疼，接着又被铺天盖地的大嘴巴扇得头昏脑涨。快醒吧，我拼命对自己嘀咕，快醒来让我知道自个儿正安然无恙地躺在床上。但我没能一眨眼躺回自己床上，仍在暴徒手中挨揍。这可是地道的噩梦——我做过的最不堪忍受的噩梦了。

她披着衣服从楼门匆匆出来，那伙小子拧着我胳膊把我推到她面前邀功，她挺冷漠，像女皇审视被麾下兵士抓来的俘虏——她认出了我，脸变了色。我艰难地喘息着，对她说：

“我没想到会是这么和你在梦中相见。”

她愣愣地瞅着我，忽然醒悟过来，叫那群小子“松绑”。

“怎么你们认识？”那群小子失望地嚷，“我们还打算把他扭到派出所去呢。”

“松手！”她冲他们嚷，“你们松手。”

“你要这么处理问题，下回可没人帮你了。”那群小子松开我，不满地吵吵，“就算你们认识，这家伙的行径也够得上流氓了，还有社会公德呢。”

“既然你们是熟人，为什么不把他偷偷放进屋，却让他在窗台蹲着？”

她把那帮小子叫到一旁，对他们嘀咕了一阵儿，那帮小子恍然大悟地“噢噢”叫着，像看怪物似的看我，接着走开。

“你既然想找我为什么不敲门进来？”她走过来温和地责备我，“爬窗台多不文明，还那么危险——你怎么知道我住这儿？我记得我没告诉过你。”

“这是个误会，我正在飞，看到你躺在床上看书，便落下来瞧瞧你——这是个梦，我在梦里飞，是啊，这梦有点怪，而且也太长了，我没法解释，我想我马上就会醒的……”

忽然，我明白过来她刚才对那帮小子嘀咕的是什么，她正用和那帮小子一模一样的目光看我。我一阵心酸，感到自己从精神到肉体都是自卑的，我垂下头：

“是的，我跟踪了你，想看看你在卧室里的打扮是什么样，就爬上了二楼窗台。”

“没关系，”她说，“我理解你。你做什么我都不会生气的，要紧的是你要对我说实话——你同意明天去医院检查检查了？”

“我同意……”我忍着泪说。

我抬头望天，天空是那么幽暗深邃，星星是那么遥不可及，我知道自己再也没机会飞到那上面去了。

（原载《芒种》1988 年第 4 期）

王朔主要作品年表

【1978年】

《等待》（短篇小说）发表于《解放军文艺》第11期。

【1982年】

《海鸥的故事》（短篇小说）发表于《解放军文艺》第8期。

【1984年】

《空中小姐》（中篇小说）发表于《当代》第2期；

《长长的鱼线》（短篇小说）发表于《胶东文学》第8期。

【1985年】

《浮出海面》（中篇小说）发表于《当代》第6期。

【1986年】

《一半是火焰　一半是海水》（中篇小说）发表于《啄木鸟》第2期；

《橡皮人》（中篇小说）连载于《青年文学》第11、12期。

【1987年】

《枉然不供》（中篇小说）发表于《啄木鸟》第1期；

《人莫予毒》（中篇小说）发表于《啄木鸟》第4期；

《顽主》（中篇小说）发表于《收获》第6期。

【1988年】

《痴人》（中篇小说）发表于《芒种》第4期；

《人命危浅》（中篇小说）发表于《蓝盾》；

《毒手》（短篇小说）发表于《警坛风云》；

《我是狼》（短篇小说）发表于《热点文学》；

《各执一词》（短篇小说）发表于《文学故事报》；

中篇小说集《空中小姐》由中国青年出版社出版。

【1989年】

《一点正经没有》（中篇小说）发表于《中国作家》第4期；

《千万别把我当人》（长篇小说）连载于《钟山》第4、5、6期；

《永失我爱》（中篇小说）发表于《当代》第6期；

长篇小说《玩的就是心跳》由作家出版社出版。

【1990年】

《给我顶住》发表于《花城》第6期；

《王朔谐趣小说选》由作家出版社出版。

【1991年】

《我是你爸爸》（长篇小说）发表于《收获》第2期；

《修改后发表》（中篇小说）发表于《小说家》第4期；

《无人喝彩》（中篇小说）发表于《当代》第4期；

《谁比谁傻多少》（中篇小说）发表于《花城》第5期；

《动物凶猛》（中篇小说）发表于《收获》第5期。

【1992年】

《你不是一个俗人》（中篇小说）发表于《收获》第2期；

《懵然无知》（中篇小说）发表于《都市文学》；

《许爷》（中篇小说）发表于《上海文学》第4期；

《过把瘾就死》（中篇小说）发表于《小说界》第4期；

《刘慧芳》（中篇小说）发表于《钟山》第4期；

《千万别把我当人：王朔精彩对白欣赏》（王朔、魏人合著）由人民中国出版社出版；

《过把瘾就死》（著名作家新作大系）、《王朔文集》（纯情卷、矫情卷、谐谑卷、挚情卷）由华艺出版社出版；

《我是王朔》由国际文化出版公司出版。

【1993年】

《海马歌舞厅：四十集电视系列剧》（电视剧本选集）、

《青春无悔：王朔影视作品集》由中国社会科学出版社出版。

【1995年】

《王朔文集》（1—4卷）由华艺出版社出版。

【1998年】

《王朔自选集》由华艺出版社出版。

【1999年】

长篇小说《看上去很美》由华艺出版社出版。

【2000年】

《美人赠我蒙汗药》（对话集）由长江文艺出版社出版；

《王朔最新作品集》由漓江出版社出版；

《无知者无畏》（随笔集）由春风文艺出版社出版。

【2001年】

《文学阳台——文学在中国》、《美术后窗——美术在中国》、《电影厨房——电影在中国》、《音乐盒子——音乐在中国》等“文化在中国”网站系列丛书由上海文艺出版社出版。

【2003年】

云南人民出版社出版了其文集《顽主》、《过把瘾就死》、《我是你爸爸》、《玩的就是心跳》、《篇外篇》、《橡皮人》、《千万别把我当人》及《随笔集》。

【2007年】

小说集《我的千岁寒》由作家出版社出版；

长篇小说《致女儿书》由人民文学出版社出版；

小说随笔集《新狂人日记》由长江文艺出版社出版。

【2008年】

长篇小说《和我们的女儿的谈话》第一部发表于《收获》第1期，并由人民文学出版社出版。

图书在版编目 (CIP) 数据

顽主 / 王朔著. — 北京 ：北京十月文艺出版社，2016.6
（王朔文集）
ISBN 978-7-5302-1563-0

Ⅰ.①顽… Ⅱ.①王… Ⅲ.①中篇小说—小说集—中国—当代 Ⅳ.①I247.5

中国版本图书馆 CIP 数据核字（2016）第 057165 号

顽主
WANZHU
王　朔　著

出　版　北京出版集团公司
　　　　北京十月文艺出版社
地　址　北京北三环中路 6 号
邮　编　100120
网　址　www.bph.com.cn
发　行　新经典发行有限公司
　　　　电话（010）68423599
经　销　新华书店
印　刷　北京盛通印刷股份有限公司
版　次　2016 年 6 月第 1 版
　　　　2022 年 10 月第 11 次印刷
开　本　850 毫米 ×1168 毫米 1/32
印　张　11
字　数　220 千字
书　号　ISBN 978-7-5302-1563-0
定　价　48.00 元
质量监督电话　010-58572393